Zibia
Gasparetto

O amanhã

a Deus pertence

Revisão:
Fernanda Rizzo Sanchez

Direção de Arte:
Luiz Antonio Gasparetto

Capa e Editoração Eletrônica:
Kátia Cabello

32ª edição
Dezembro • 2008
20.000 exemplares

Dados Internacionais de Catalogação na Publicação (CIP)
(Câmara Brasileira do Livro, SP, Brasil)

Lucius (Espírito)
O amanhã a Deus pertence / ditado por Lucius ; [psicografado por] Zibia Gasparetto.
-- São Paulo: Centro de Estudos Vida & Consciência Editora.

ISBN 978-85-7722-008-7

1. Espiritismo 2. Psicografia 3. Romance espírita I. Gasparetto, Zibia.II.Título

08-06884 CDD-133.93

Índices para catálogo sistemático:
1. Romances espíritas psicografados: Espiritismo 133.93

Publicação, Distribuição
Impressão e Acabamento
CENTRO DE ESTUDOS
VIDA & CONSCIÊNCIA EDITORA LTDA.

Rua Agostinho Gomes, 2312
Ipiranga • CEP 04206-001
São Paulo • SP • Brasil
Fone / Fax: (11) 2061-2739 / 2061-2670
E-mail: editora@vidaeconsciencia.com.br
Site: www.vidaeconsciencia.com.br

Zibia Gasparetto

ditado por Lucius

O amanhã

a Deus pertence

EDITORA VIDA & CONSCIÊNCIA GRÁFICA

PRÓLOGO

Marcelo deixou-se cair na cadeira assustado, a carta que segurava entre as mãos foi ao chão e ele não fez um gesto para apanhá-la.

Nervoso, passou a mão pela testa como a querer afastar do pensamento a notícia inesperada. Gotas de suor brotaram em seu rosto, enquanto um aperto desagradável no peito surgiu de pronto.

Aquilo não podia ser verdade. Agora que conseguira equilibrar as despesas, estava ganhando bem, comprara a casa, mobiliara com capricho, Aline o deixara.

Talvez tivesse entendido mal. Não podia acreditar. Abaixou-se, apanhou o papel do chão com mãos trêmulas e leu:

Caro Marcelo,

Quando ler esta carta já terei ido embora. Há algum tempo venho tentando dizer-lhe a verdade, mas você não me deu chance. Sinto vontade de viver, ser feliz, ver o mundo, aproveitar minha mocidade. Recebi uma boa oferta de trabalho em outro país e aceitei. A vida a seu lado tornou-se uma rotina e não é essa a vida que quero para mim.

Você é um homem bom e certamente encontrará outra mulher que aceitará o que pode oferecer.
Não me procure mais. Vou em busca da felicidade, e desejo que você também seja feliz.
Adeus,

Aline.

Marcelo suspirou triste. Precisava render-se à realidade. Aquela carta o apanhara de surpresa.

Aline não deixara transparecer desinteresse nem insatisfação. Começou a imaginar que talvez houvesse acontecido alguma coisa que ela não desejara contar-lhe.

Só podia ser isso. Levantou-se depressa, apanhou a pasta, a chave do carro, e resolveu ir ao aeroporto procurá-la a fim de tentar impedir que embarcasse.

Durante o trajeto, recordando o namoro, o casamento, os momentos de amor que tinham desfrutado durante os sete anos de convivência, inclinava-se a acreditar que alguma coisa muito grave teria acontecido para ela tomar aquela atitude.

Pisou no acelerador, precisava chegar o quanto antes para descobrir o que havia acontecido e impedi-la de ir embora. Aline o amava, tinha certeza.

Ela era o grande amor de sua vida. Não se conformaria em perdê-la para sempre.

Imerso em seus pensamentos, desejando chegar logo, para encurtar o caminho, entrou em uma rua de pouco movimento, sem diminuir a velocidade e nem percebeu que um caminhão manobrava próximo à esquina.

Bateu de frente, sua cabeça pendeu sobre o volante, suas pernas ficaram presas entre as ferragens.

Os populares correram, tentando socorrê-lo, mas era tarde. Marcelo estava morto.

A polícia chegou, tomou as providências necessárias. Um policial fez a identificação. Segurando a carta de motorista leu:

Marcelo Duarte. Vinte e nove anos.

Comentou com um colega:

– Que pena! Tão jovem e forte!

O motorista do caminhão, pálido, aproximou-se e disse nervoso:

– Não tive culpa! Ele entrou com tudo na rua. Eu estava manobrando, garanto que olhei, mas não vi carro nenhum. De repente, esse estrondo!

Um homem aproximou-se:

– Ele está falando a verdade. Eu vi tudo. O moço entrou em alta velocidade, acho que não viu o caminhão.

– Tudo bem. O senhor poderá testemunhar. Alguém mais viu como foi?

As pessoas foram saindo e o policial reiterou:

– Colaborem. O rapaz morreu. Vamos precisar de testemunhas.

Uma senhora voltou e disse:

– Está bem. Eu também vi. Estava na janela, ali em frente. Ele entrou em alta velocidade, acho que não viu mesmo o caminhão, eu vi que ele ia bater e gritei, mas não adiantou. Foi horrível. Nunca vou esquecer isso.

O policial anotou os nomes, o corpo foi removido, e no local tudo voltou ao normal. Mas as pessoas que estiveram ali, ainda comentaram durante alguns dias o trágico acontecimento.

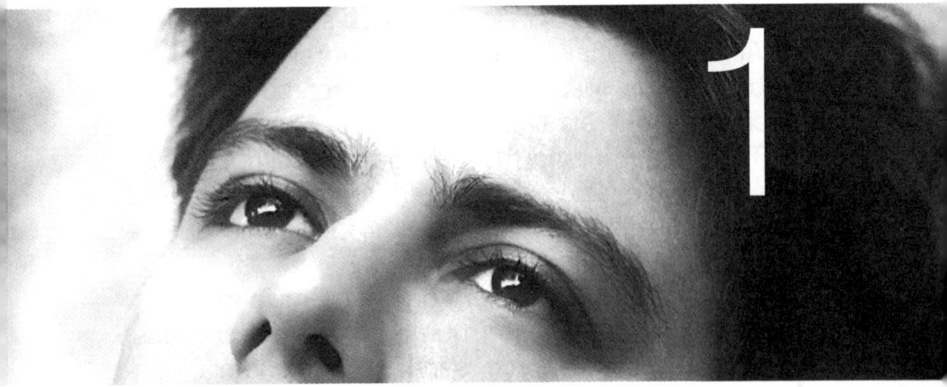

1

Aline subiu no avião, colocou a mala de mão no bagageiro e acomodou-se gostosamente. Apanhou uma revista que a aeromoça lhe ofereceu e começou a folheá-la.

Mas não conseguiu prestar atenção no que estava escrito. Não conseguia pensar em outra coisa que não fosse a aventura que a esperava em Miami.

Desde a adolescência sonhara um dia poder ir morar nos Estados Unidos, esforçara-se estudando inglês, que falava com certa fluência.

Segunda filha de um casal de classe média, desde cedo se empenhara nos estudos pensando conseguir uma bolsa em alguma escola norte-americana.

Procurou o consulado, informou-se das possibilidades. Apesar de haver intercâmbio cultural entre os dois países, eles não estavam facilitando as coisas.

Foi convidada a preencher alguns formulários e percebeu logo que a instituição não tinha interesse em receber alunos brasileiros.

Enquanto cursava o ensino médio, fez tudo o que sabia para conseguir o que desejava, mas foi inútil.

Quando entrou para a faculdade de letras, conheceu Marcelo, que cursava o terceiro ano de arquitetura.

E desde o primeiro dia ele apaixonou-se por ela.

Aline não estava querendo namorar firme. Tinha outros projetos. Mas Marcelo insistiu, cercou-a de tantos carinhos que ela acabou cedendo.

Tanto Mário como Dalva, seus pais, simpatizaram logo com ele e faziam gosto no namoro. Era um rapaz de boa família, bem situado na vida, inteligente, simpático e logo estaria formado.

Mário, pai de Aline, viera de uma família modesta. Trabalhara alguns anos em uma fábrica de calçados, porém com muito esforço, sacrifício e economia, conseguiu realizar seu sonho. Tornou-se comerciante: abriu uma loja de calçados no bairro de Santana.

Quando alugou o local para montar a loja, Dalva ficou temerosa.

– Vai deixar o emprego, e se não der certo? Você nunca foi comerciante.

– Nunca fui, mas sei o que estou fazendo. O comércio é melhor. Mais lucrativo. Acho que tenho jeito para vender. Depois, as meninas estão crescendo e poderão nos ajudar. Juntos vamos prosperar.

Mário era amável, sério, tratava os clientes com atenção, pagava as contas pontualmente e, aos poucos, sua loja ganhou credibilidade e ele foi prosperando.

Aline e Arlete, a irmã mais velha, ajudavam na loja quando voltavam da escola.

Quando Marcelo conversou com Mário desejando marcar a data do casamento, Aline tentou esquivar-se. Ela gostava dele, mas ao mesmo tempo não desejava desistir de seus projetos.

Seus pais nunca a haviam levado a sério. Para eles, Aline era sonhadora como todas as moças naquela idade. Logo se casaria, teria família e esqueceria essas fantasias.

Marcelo era um rapaz atraente, bonito, cheio de vida. A princípio, Aline sentira-se muito orgulhosa de desfilar com ele pelas ruas do bairro e ver os olhares invejosos das moças da vizinhança.

Mas com a convivência, começou a gostar dele de verdade e naqueles tempos deixou de lado todos seus projetos.

Quando ele se formou, o pai deu-lhe dinheiro para montar um escritório. Ele associou-se a um colega e começaram a trabalhar. Rodrigo, como ele, pertencia a uma família de classe média. Tornaram-se bons e prósperos profissionais, obtiveram sucesso.

Marcelo montou uma linda casa e casou-se com Aline. A princípio tudo correu bem. Ela envolveu-se inteiramente com a nova vida, continuando os estudos e dedicando-se aos afazeres da casa.

Mas, com o passar do tempo, a rotina foi tomando conta, fazendo-a retomar seus antigos objetivos.

Marcelo desejava filhos, mas ela esquivava-se, alegando que só os teria quando acabasse os estudos e pudesse se dedicar completamente ao papel de mãe.

Depois de formada, sentiu-se frustrada, não tendo onde exercer seus conhecimentos. Pensou em arranjar um emprego, Marcelo foi contra.

Aline, porém, foi se tornando uma pessoa triste, irritada, dizendo que havia estudado durante tantos anos para nada.

– Logo teremos filhos e você, como mãe, será mais feliz do que trabalhando para os outros.

Mas ela não engravidava e a cada dia tornava-se mais aborrecida. Ele não suportava vê-la triste, sem vontade de conversar e acabou concordando que ela arranjasse um emprego, fazendo-a prometer que quando a gravidez chegasse, iria abandoná-lo.

Aline logo arranjou um emprego em uma empresa de comércio exterior e começou a trabalhar com entusiasmo.

Em pouco tempo, voltou a ser a moça alegre de sempre, e Marcelo sentiu-se feliz.

Aline remexeu-se na poltrona do avião lembrando-se do marido. Uma sensação desagradável a acometeu. Naquela hora ele certamente já teria lido a carta. Deveria estar desesperado.

Ela havia pensado muito antes de tomar aquela decisão. Reconhecia que Marcelo era um marido ideal, que a amava profundamente, mas por outro lado sentia que nunca havia correspondido esse amor como ele merecia.

Muitas vezes sentia-se irritada com a maneira como ele a tratava, fazendo-lhe todas as vontades, sendo tão passivo.

Nessas ocasiões, tornava-se um tanto agressiva, provocando-o para ver se ele reagia, mas não. Marcelo fazia exatamente o oposto do que ela queria.

Ela teria preferido que ele se posicionasse de outra forma, fosse mais exigente. Aos poucos, Aline foi perdendo a admiração que sentia por ele e o amor foi morrendo.

Por outro lado, a vontade de deixar aquela vida sem graça, de tentar a sorte nos Estados Unidos reaparecia com toda a força.

Quando recebeu a proposta de uma empresa para trabalhar no escritório de Miami, ela não conteve o entusiasmo.

Era tudo o que ela mais queria. Não podia perder essa chance tão ardentemente desejada. Sabia que Marcelo não aceitaria e para ir teria que acabar com o casamento.

Para ela o casamento havia acabado há muito. Não o amava mais, e não desejava continuar fingindo um sentimento que não possuía.

Sabia que ele iria sofrer, mas considerava pior continuar enganando-o. No começo, ele ficaria desesperado, mas com o tempo acabaria esquecendo, tocando sua vida para frente, encontrando outra pessoa que lhe oferecesse o amor que ela não estava apta a dar.

Naquele momento, reconheceu que nunca o havia amado de verdade. Por esse motivo, mesmo sem ele saber, continuara tomando pílulas para não engravidar.

A aeromoça estendeu-lhe a bandeja com o jantar e Aline, arrancada de seus pensamentos íntimos, apressou-se a abrir a mesa à sua frente.

Sentiu fome e começou a comer prazerosamente.

Precisava banir os pensamentos tristes. Estava realizando seu grande sonho e vivendo um momento especial em sua vida. O passado tinha ficado para trás.

Certamente, seus pais não aceitariam o que ela havia feito. Quando soubessem iriam tentar fazê-la voltar atrás, mas ela não cederia. Estava disposta a assumir as conseqüências de sua decisão e seguir em frente.

O filme ia começar na televisão à sua frente e Aline ajeitou-se satisfeita, disposta a não perder nada. Era uma comédia e ela adorou.

Depois, as luzes foram apagadas e todos tentaram dormir. Aline ajeitou o pequeno travesseiro, colocou a manta sobre as pernas e procurou acomodar-se.

Estava cansada, mas sem sono por causa da excitação da aventura. Quase não dormira na noite anterior e o dia havia sido cansativo, tendo que preparar tudo às escondidas.

Procurou relaxar e finalmente adormeceu. Algum tempo depois, sonhou que o avião estava atravessando uma tempestade e havia perigo. Os passageiros estavam assustados e de repente, ela viu entre eles a figura de Marcelo, rosto machucado, sangue escorrendo do peito e das pernas.

Ele gritava seu nome desesperado. Parou em sua frente e disse aflito:

– Aline! Finalmente a encontrei! Não me deixe nunca mais! Diga que ficará para sempre a meu lado.

Aline deu um grito e acordou suando frio, com dificuldade de respirar.

Na mesma hora as luzes do avião acenderam e uma aeromoça foi até ela dizendo:

– Calma. Está tudo bem. Você sonhou.

– O que aconteceu com Marcelo? Ele estava cheio de sangue. Como veio parar aqui?

Outra aeromoça colocou um copo com água em sua mão, dizendo:

– Acalme-se. Você teve um pesadelo. Não tem ninguém aqui.

Aline tomou a água sentindo seu coração bater descompassado. Respirou fundo e por fim disse:

– É. Acho que foi um pesadelo mesmo. Foi horrível. Havia uma tempestade, os passageiros estavam assustados, o avião ia cair.

– É comum acontecer isso com quem tem medo de voar. Está tudo bem. Quer um calmante?

– Não, obrigada. Eu não tenho medo de voar.

– Seja como for, você sonhou. Veja, está tudo calmo. As pessoas voltaram a dormir. Procure descansar.

Aline tentou se acalmar. Fora mesmo um pesadelo. A viagem às escondidas de todos, a separação do marido... Tudo isso certamente a impressionou mais do que ela havia suposto.

Seu coração ainda batia descompassado e ela esforçou-se para manter a calma. Conseguiu até certo ponto, porém não dormiu mais.

Quando fechava os olhos tentando dormir, a figura de Marcelo desesperado, olhos esbugalhados, corpo cheio de sangue reaparecia em sua frente, fazendo-a se assustar.

Começou a pensar que talvez houvesse sido melhor ter enfrentado a situação em vez de fugir.

Sabia que Marcelo não aceitaria com facilidade a separação e por esse motivo decidira agir daquela forma. Ele sofreria o abalo, mas como a situação estava consumada, não teria outro remédio senão aceitar e tocar a vida adiante.

Novamente a lembrança do sonho reapareceu e ela viu Marcelo desesperado à sua frente.

Remexeu-se na poltrona inquieta. Ela havia programado aquela viagem havia muito tempo, não imaginava que fosse ficar tão assustada.

Sim, porque um pesadelo como aquele só poderia ter acontecido porque ela, apesar de não perceber, estava com medo.

Chamou a aeromoça e disse que aceitaria um calmante. Tomou o comprimido e acomodou-se, tentando relaxar. Logo estaria em Miami e teria esquecido aquele momento desagradável.

Pouco depois, adormeceu e desta vez sem sonhos. Mas a seu lado, durante todo o tempo, estava o espírito de Marcelo.

No momento do acidente, ele sentiu que foi projetado para longe e perdeu os sentidos. Quando acordou numa rua desconhecida, apesar de atordoado, lembrou-se de que precisava procurar Aline e impedi-la de viajar.

Olhou em volta e viu o carro, o caminhão, pessoas ao redor e lembrou-se do estrondo que ouvira. Pelo jeito sofrera um acidente e fora atirado para fora do carro.

Aproximou-se do local e pensou:

– Ainda bem que fui jogado fora, o carro acabou. Felizmente eu estou vivo.

Precisava ir ao aeroporto. Aproximou-se mais, querendo saber se o carro ainda teria condições de uso. Sentiu uma tontura que o obrigou a sentar-se no meio-fio.

Respirou fundo, procurando reagir. Ele não podia desmaiar agora. Aline ia embora e ele precisava impedi-la. Mas estava sem poder se levantar.

Foi quando viu um furgão aproximar-se e um corpo ser a custo retirado do carro. Reconheceu ser ele mesmo e gritou com todas as suas forças:

– Não! Não pode ser! Eu não estou morto!

Sua visão turvou-se e ele perdeu os sentidos. Quando acordou, estava deitado em uma maca e um enfermeiro estava do seu lado.

– Onde estou? – Indagou ele.

– Vamos indo para um hospital. Você sofreu um acidente e precisa de tratamento.

– Não posso ir. Preciso ir ao aeroporto impedir Aline de tomar aquele avião.

– Acalme-se. Agora não está em condições. Quando melhorar, poderá procurá-la.

– Então será tarde. Ela terá partido.

– Você agora precisa de tratamento. Acalme-se.

Marcelo sentou-se na maca. Seu corpo doía, conforme se movia o sangue escorria de suas feridas abertas. Ele não se importou.

Observando sua inquietação o enfermeiro disse:

– Se não deitar e ficar quieto, serei forçado a lhe dar um calmante.

– Não quero nada. Minha vida não importa mais se eu perder Aline. Preciso encontrá-la!

Disse isso com tanta força que foi arremessado para fora do veículo. O enfermeiro disse a seu companheiro que conduzia a ambulância:

– Vamos para o Posto de Socorro. O paciente não aceitou nossa ajuda.

Imediatamente o veículo mudou o rumo enquanto eles conversavam sobre as dificuldades que as pessoas têm de aceitar o desencarne.

Marcelo encontrou-se em um corredor escuro, com poltronas e pessoas adormecidas. Passou por elas procurando Aline.

Exultou quando a viu dormindo. Finalmente a encontrara. Chamou-a várias vezes querendo acordá-la, mas foi inútil. Ela dormia.

Decidiu esperar. De repente, teve uma estranha sensação. Viu-a entrar no avião e aproximar-se do seu corpo adormecido.

Foi quando ele a encarou dizendo:

– Aline! Finalmente a encontrei. Não me deixe nunca mais. Diga que ficará para sempre a meu lado.

Aline deu um grito e mergulhou no corpo adormecido. As luzes se acenderam e as aeromoças foram conversar com ela, enquanto algumas pessoas acordaram e olhavam assustadas.

Marcelo não entendeu de pronto o que estava acontecendo. Porque ela gritara ao vê-lo? Certamente assustou-se por causa de seus ferimentos.

Mas não lhe deu tempo de explicar. Ouviu a conversa delas e pensou:

– Não consegui chegar ao aeroporto e ela embarcou. Estamos no avião. Como vim parar aqui?

Sentiu aumentar a tontura e reagiu com medo de perder os sentidos outra vez. Havia sofrido um acidente e precisava se recuperar. Seria melhor não tentar saber o que havia acontecido, pelo menos até estar mais forte.

Quando pensava nisso sentia-se mal. O que importava era estar ao lado dela. Viu quando ela tomou o comprimido e adormeceu.

Ele esperou que ela deixasse o corpo, mas desta vez isso não ocorreu. Ele não notou nada. Então se acomodou ao lado dela. Sentia-se mais calmo agora. Aline não mais o deixaria. Iria com ela aonde ela fosse.

Afinal, o mais importante era estarem juntos. Pensando assim, conseguiu relaxar até que finalmente adormeceu.

2

Aline desembarcou, e depois de passar pelos controles de identificação, empurrando o carrinho com as malas, saiu olhando ansiosa por todos os lados. Sorriu ao ver um rapaz segurando um cartão com o nome dela.

Aproximou-se dele satisfeita, apresentando-se. Era um rapaz alto, elegante, louro, olhos azuis, que se apertavam um pouco quando sorria.

Apertou a mão que ela lhe estendeu, dizendo:

– Muito prazer. Meu nome é Michael, trabalho na empresa. Fui encarregado pela direção de dar-lhe as boas-vindas e levá-la até o lugar onde ficará hospedada.

– Obrigada.

– Permita-me levar suas malas.

Aline afastou-se um pouco, ele segurou o carrinho e continuou:

– Meu carro está no estacionamento. Vamos.

Aline acompanhou-o com satisfação. O dia estava lindo e ela olhava curiosa a sua volta, não querendo perder nenhum detalhe.

Naquele momento havia esquecido completamente do pesadelo, do marido que ficara para trás.

Seus olhos brilhavam alegres, enquanto caminhavam até o carro. Michael a observava, curioso. Notou a euforia dela e indagou:

– É a primeira vez que vem a Miami?

– É a primeira vez que saio do Brasil. Desde criança sonhava conhecer os Estados Unidos.

– Pensei que já tivesse vivido aqui. Você fala corretamente nosso idioma.

Aline sorriu alegre.

– Estudei inglês desde criança. Parece um sonho estar aqui.

Chegaram no carro, ele abriu a porta para que ela se acomodasse. Depois acomodou as duas malas e sentou-se ao lado dela.

Durante o trajeto ele sorria observando a curiosidade dela, olhando tudo. Conversou um pouco sobre a cidade, sobre a empresa, e finalmente parou em frente a um prédio de três andares.

– A empresa alugou um flat para você. Se não gostar, mais tarde poderá se mudar.

– Vamos ver. – Respondeu Aline.

Estava adorando o jardim cheio de flores, o prédio era simples, mas elegante; tentou parecer natural, não queria que ele a achasse provinciana.

Entraram no saguão, ele apresentou-a, apanhou a chave e subiram um lance de escada. Michael abriu a porta e entraram na espaçosa sala mobiliada com gosto. Logo chamou a atenção dela um balcão, atrás do qual havia uma pequena cozinha.

Michael levou as malas para o quarto e colocou-as sobre uma mesinha.

Aline olhava tudo encantada. Voltando para a sala, Michael perguntou:

– Acha que ficará bem aqui?

– Sim, obrigada.

– Você deve estar cansada da viagem. Amanhã, cedo, às oito passarei aqui para levá-la até a empresa.

– Não precisa vir me buscar. Amanhã às oito horas estarei lá.

Ele meneou a cabeça negativamente:

– De forma alguma. Fui encarregado de levá-la e é o que farei. Depois poderá ver-se livre de mim.

– Não diga isso. Eu apreciei muito você ter me recebido e acompanhado. Pensei em facilitar as coisas para você.

– Não pense. Eu sou suficiente para cuidar de mim.

– Tenho certeza disso.

– Comprei algumas coisas e coloquei na geladeira. Espero que goste. Se desejar algo mais, há um mercado há três quadras daqui.

– Obrigada.

Depois de um aperto de mão ele se foi e Aline suspirou feliz. Foi logo ver a cozinha, abriu a geladeira olhando curiosa os alimentos.

Na parede havia um porta-chaves pintado com motivos culinários, onde estavam dois chaveiros com chaves. Ao lado, um porta-correspondências. Dentro havia um papel que ela apanhou e leu. Eram algumas regras de convivência dos moradores e algumas instruções para o manuseio dos aparelhos elétricos.

Aline sentiu fome, mas queria tomar um banho antes de comer. Foi para o quarto, abriu as malas, apanhou o que precisava e foi ao banheiro.

O perfume gostoso do lugar e as novidades que observava davam-lhe uma grande sensação de liberdade.

Parecia estar sonhando. Finalmente estava livre para viver todos os seus sonhos. Dali para frente, tudo seria diferente. Novos amigos, novos ambientes, nova vida.

A água jorrava sobre seu corpo e ela sentia-se feliz. Quando saiu do banheiro, estava renovada. Todo o cansaço da viagem havia desaparecido.

Ela foi para a cozinha pensando:

– Vou comer alguma coisa e sair para dar uma volta.

Havia pão de forma, queijos e manteiga. Abriu as gavetas do armário, adorou a louça, os copos, tudo. Arrumou a mesa com um jogo americano, colocou várias iguarias sobre ela e sentou-se para comer.

Era um lanche simples, mas para Aline era como se fosse um banquete.

Depois de comer, apanhou algum dinheiro e saiu. O dia estava quente e o sol forte. Ao passar por uma loja, Aline entrou pensando em comprar uns óculos escuros.

Havia deixado o seu no Brasil na certeza de que em Miami encontraria um mais bonito.

Notou que as pessoas vestiam-se de modo descontraído e em matéria de moda havia de tudo.

Passou pelo mercado que Michael lhe indicara e entrou para conhecê-lo.

O calor era forte e ela tomou um sorvete. Depois continuou andando, entrando nas lojas que lhe agradavam.

Até que, sentindo-se cansada, comprou algumas revistas e resolveu voltar para casa.

O sol ainda estava alto e ela não sabia que horas eram, pois não havia ainda acertado seu relógio.

Quando chegou no saguão do seu prédio, viu que o relógio de lá marcava apenas sete horas. Acertou o seu e subiu para o flat.

Havia comprado alguns petiscos, comeu um pouco, tomou refrigerante e sentou-se na sala para ver televisão.

Lembrou-se de Marcelo e sentiu uma sensação desagradável. Certamente ele estaria triste, inconformado.

Suspirou pensativa. Apesar de não querer magoá-lo, pensava que havia sido a melhor solução. Ela não o amava mais e não seria justo fingir um sentimento que não tinha.

Ele sofreria a princípio, mas como não sabia onde encontrá-la, com o tempo a esqueceria.

O espírito de Marcelo, que a havia seguido durante todo o tempo, aproximou-se. Ela estava pensando nele. Não havia feito isso durante o dia inteiro.

Havia momentos em que ele se sentia atordoado, as dores voltavam e ele recostava-se para descansar. As imagens misturavam-se em sua cabeça, mas apesar disso ele pensava que acontecesse o que acontecesse ele não poderia perdê-la de vista.

Sua prioridade era ficar ao lado dela. Tinha esperanças de que em algum momento ela o pudesse ver ou ouvir.

Às vezes duvidava que tivesse morrido naquele acidente. Ele ouvira dizer que estava morto, mas então porque desejavam levá-lo a um hospital? Porque ele sentia-se vivo, apalpava-se percebendo os músculos de seu corpo?

Sabia que alguma coisa diferente havia lhe acontecido, mas não tinha certeza de nada.

Sentindo que ela pensava nele, aproximou-se esperançoso e procurou ouvir seus pensamentos.

– Eu preferia ter conversado com ele, explicado meus motivos. Foi cruel fugir e deixar apenas uma carta. Mas se eu houvesse conversado, seria pior, ele não aceitaria e faria tudo para me impedir de vir.

– Por que você insiste em querer me deixar? Você é minha. Eu nunca vou deixá-la fazer isso. Ficaremos juntos para sempre. – Disse ele, abraçando-a.

Aline não ouviu o que ele lhe dizia, mas sentiu um arrepio desagradável.

– É melhor que eu esqueça este assunto. Ele não sabe onde estou, terá que se conformar. Um dia ainda vai me agradecer por haver sido tão sincera.

– Nunca, Aline. Jamais me conformarei com seu abandono. Eu nunca vou deixá-la.

Sem ouvir o que ele dizia, Aline continuou pensando:

– Eu não poderia ficar vivendo com ele sem amor. Quando o amor acaba o melhor é separar. O nosso acabou. Não tem volta.

Marcelo beijou-a várias vezes na face dizendo aflito:

– Como pode dizer isso? Nós nos amamos. Juramos pertencer um ao outro para sempre.

Ele agarrou-se mais a ela, soluçando, e Aline sentiu forte tontura. Sua respiração ficou difícil e ela levantou-se assustada tentando respirar fundo. Foi até a cozinha. Suas mãos tremiam e as pernas estavam bambas.

Apanhou um copo, colocou água e tomou alguns goles, tentando reagir. Talvez fosse cansaço. Vivera muitas emoções em pouco tempo. Resolveu se deitar.

Vendo que ela não estava bem, Marcelo largou-a, fitando-a preocupado.

Ela sentiu-se melhor e foi para o quarto. Precisava estar bem-disposta no dia seguinte. Vestiu o pijama, lavou-se e mergulhou prazerosamente na espaçosa cama macia. Apesar de excitada com a viagem, ela estava cansada e logo adormeceu.

Acordou bem-disposta na manhã seguinte e levantou-se apressada. Michael foi pontual, quando tocou a campainha eram oito horas e Aline estava pronta.

Foram imediatamente para a empresa. Lá, Aline foi apresentada ao dr. Edward, seu chefe e a alguns dos seus colegas com os quais teria contato mais direto.

Tratava-se de uma empresa de comércio exterior que importava produtos do mundo todo, suprindo o mercado interno e exportando os excedentes.

Aline fora contratada para fazer parte da equipe do dr. Edward, um dos diretores e sócio da empresa. A chefe de pessoal, Janet, conduziu-a à sala em que ela deveria trabalhar.

– Por enquanto você vai dividir a sala com a Rachel. Vocês já foram apresentadas?

A moça alta, magra e muito elegante aproximou-se e disse,sorrindo:

– Seja bem-vinda.

– Obrigada. – Respondeu Aline.

Janet entregou-lhe um livreto dizendo:

– Aqui você encontrará todas as informações sobre nossa empresa. Se não entender alguma coisa, pode procurar-me. Há algumas facilidades que nossa empresa oferece às pessoas como você.

– Quais?

– Além das que você já foi informada, o financiamento de um carro com juros baixos e bom prazo para pagar.

Satisfeita com a novidade e interessada em aprender tudo rápido e realizar um bom trabalho, Aline dedicou-se inteiramente às novas tarefas.

Tratava-se de uma empresa importante e o cargo que ela iria ocupar junto à diretoria lhe proporcionava, além do ótimo salário, alguns privilégios.

Aline simpatizou com Rachel desde o primeiro momento. Além de mostrar-se cordial, olhava direto em seus olhos quando falava, agia com naturalidade e notava-se que era muito eficiente.

Michael havia lhe contado que Rachel trabalhava naquele posto há mais de cinco anos e era a secretária predileta do presidente da empresa, pois cuidava de todos os seus assuntos pessoais.

O dia passou depressa e na saída Rachel ofereceu-lhe uma carona.

– Não se incomode – respondeu Aline, um pouco acanhada –, sei como voltar para casa.

Notando o constrangimento de Aline, ela explicou:

– Eu moro um pouco depois de você. De qualquer forma terei de passar pela sua casa. Será uma boa oportunidade de nos conhecermos melhor.

– Nesse caso, aceito. Estou querendo mesmo fazer amigos.

Durante o trajeto, Aline ficou sabendo que Rachel era divorciada e tinha um filho de oito anos que ela mencionava com entusiasmo.

– E você, não tem filhos?

– Não. Mas acho que foi melhor assim, fui casada sete anos, mas acabamos de nos separar. Com criança, tudo fica mais complicado.

Rachel pensou um pouco, depois respondeu:

– Tudo depende da maneira como você faz isso. John é um menino inteligente, entendeu nossas razões e aceitou bastante bem a situação. Para mim foi bom porque ele é muito ligado a mim, é um excelente companheiro.

Aline suspirou pensando em sua família. Como teriam recebido a notícia de sua partida?

Rachel olhou-a rapidamente e continuou:

– É a primeira vez que você vem a Miami?

– É. Eu nunca havia viajado para fora do meu país.

– Admiro sua coragem. É uma mudança radical. Não vai sentir falta de sua família?

– Talvez. Mas desde criança eu sonhava vir trabalhar nos Estados Unidos.

– O que esperava encontrar aqui?

– Não sei. Houve uma época que isso chegou a ser uma fixação. Eu não pensava em outra coisa. Por esse motivo, dediquei-me ao estudo do idioma, costumes etc.

– Sei que em muitos países os jovens têm esse sonho. Mas você acha que vale a pena abdicar do país de origem, onde estão as raízes de família, o ambiente em que foi educada para se aventurar em um lugar estranho no qual não conhece ninguém e não sabe o que vai encontrar?

– Achei que valia a pena tentar. Eu não me iludo quanto à vida aqui. Sei que se não trabalhar duro, não der o melhor de mim, não terei sucesso. Mas eu quero pelo menos experimentar. Se não gostar, voltarei para o meu país.

– Você me parece determinada. Penso que vai gostar de viver aqui.

– Por enquanto estou adorando. Estava precisando mudar, eu vivia em uma rotina que com o tempo tornou-se insuportável. Quando não agüentei mais, virei a mesa, aceitei a oferta de emprego e vim para cá.

– Assim? De repente?

– Foi. Preparei tudo sem ninguém saber. Deixei uma carta para o meu marido e vim embora.

– Pensei que fosse mais corajosa, estou vendo que não é tanto assim.

– Agi assim não por falta de coragem, mas por paciência para lidar com o apego de Marcelo. Ele não fazia nada sem mim. Jamais aceitaria nossa separação. Faria drama, insistiria, iria me perseguir. Então, vim embora sem dizer a ninguém aonde estou. Não podendo me encontrar, ele acabará aceitando a separação, e quando isso acontecer, faremos o divórcio.

Rachel olhou-a séria e considerou:

– Você deve saber o que está fazendo. Espero que tudo saia como deseja. Chegamos.

O carro parou diante do prédio e Aline convidou:

– Quer entrar, tomar alguma coisa?

– Obrigada, agora não dá, preciso pegar John no colégio. Não posso me atrasar.

Aline não insistiu. Agradeceu e se despediu. Subiu para o apartamento pensando nos acontecimentos do dia.

Eram quase sete horas, mas o sol, embora não tão forte, ainda não havia se escondido. Entrou em casa alegre, pensando como iria gastar sua noite.

Gostaria de sair, conhecer a cidade, ver coisas novas, mas pensou melhor e resignou-se a dar uma volta pelas redondezas e procurar um lugar para jantar.

Tomou um banho, arrumou-se e saiu. Estava começando a escurecer e ela caminhou pelas ruas observando as pessoas, olhando as vitrines, acabou entrando em uma livraria.

Circulou por lá entretida, pensando em comprar um livro, quando uma moça se aproximou dizendo:

– Posso ajudá-la?

– Obrigada, se eu encontrar alguma coisa que me interesse, irei procurá-la.

– Não sou vendedora. Meu nome é Ruth. Sou a relações públicas do Instituto Ferguson. Pensei que tivesse vindo por causa da palestra do dr. William Morris.

Aline interessou-se:

– Quando será essa palestra?

– Logo mais, às nove horas no auditório do primeiro andar.

– Estou morando na cidade há apenas alguns dias. Não conheço esse Instituto. O que se estuda lá?

– Paranormalidade. O dr. William é um cientista que há muitos anos estuda o assunto. Começou a pesquisar desde que perdeu sua única filha em um acidente.

– Sou brasileira e no meu país esse assunto é muito discutido. Alguns acreditam, outros não.

– E você, de que lado está?

– De nenhum. Nunca pensei muito a respeito.

Ruth pegou um cartão e entregou-o, dizendo:

– Se um dia se interessar e quiser conhecer as pesquisas do Instituto, procure-nos. Temos vários cursos a esse respeito e muitas provas da continuidade da vida após a morte, conseguida em anos de trabalho.

– Nunca pensei que existisse aqui quem se dedicasse seriamente a esse assunto.

Ruth sorriu e respondeu:

– Por que não? Afinal, todos vamos morrer um dia e enfrentar o outro lado da vida. Com conhecimento, tudo ficará mais fácil.

Aline sentiu um arrepio e pensou: "Pois eu não quero me envolver com isso".

Sorriu tentando dissimular o que sentia e perguntou:

– A palestra de hoje é sobre qual tema?

– Vida após a morte. Estarão presentes dois médiuns muito bons que vão trabalhar com as pessoas presentes. Se quiser ir, tenho apenas mais dois lugares.

Aline hesitou e Ruth sugeriu:

– Talvez seja útil para você assistir. Sinto que vindo para cá sua vida mudou radicalmente. Muito mais do que imagina. Veio buscar uma coisa e talvez encontre outra.

Aline olhou-a admirada:

– Como sabe que mudei minha vida? Você não me conhece.

– Eu sinto. Você está precisando de ajuda espiritual.

– Não é verdade. Estou muito feliz por estar aqui. Agradeço seu interesse, mas está enganada. Obrigada pelo convite e boa noite.

Aline deu as costas e saiu.

Ruth, acompanhando-a com os olhos, pensou: "Que pena! Seria melhor ter aceitado meu convite".

Aline deixou a livraria inquieta. Como Ruth sabia o que estava acontecendo na sua vida? Isso não era possível. Ela dissera aquelas palavras porque estava interessada que ela assistisse aquela palestra e pagasse o convite.

Acertara por acaso. Nunca se sentira tão feliz. Tinha certeza de que trabalhando direito, faria carreira, ganharia dinheiro, encontraria amigos.

Continuou caminhando e, ao passar por um restaurante de aspecto agradável, viu que estava cheio e pensou: "A comida deve ser boa".

Entrou, acomodou-se. As pessoas conversavam alegres e Aline sentiu-se à vontade. Pediu a comida, enquanto esperava olhou em volta.

Três rapazes na mesa vizinha a olhavam com insistência e ela fingiu não perceber. A garçonete trouxe a comida e ela começou a comer com apetite.

Quando terminou, um dos rapazes, segurando um copo de vinho, aproximou-se dizendo:

– Meu nome é Robert e o seu?

Aline sorriu, dizendo:

– Aline.

– Pronto, estamos apresentados. Posso me sentar?

– Pode.

Ele era alto, louro, olhos azuis, cabelos encaracolados, rosto fino e quando sorria parecia um menino.

– Eu e meus amigos jantamos aqui com freqüência e é a primeira vez que a encontramos. Onde se escondia?

Aline sorriu novamente:

– É a primeira vez que venho aqui. Sou brasileira, cheguei há poucos dias.

– Nesse caso, eu faço questão de mostrar-lhe nossa cidade.

Fez um sinal para os dois amigos que imediatamente se aproximaram sorrindo. Robert fez as apresentações:

– Steve e Roy. Esta é Aline, veio do Brasil.

Depois dos apertos de mão, eles se sentaram. Steve não era tão alto como Robert, ombros largos, olhos castanhos e cabelos lisos. Roy era magro, alto, cabelos escuros, pele morena, lábios grossos e quando sorria exibia dentes alvos e bem distribuídos.

Aline notou logo que eram rapazes bem-educados e gentis. Convidaram-na para ir a um bar em que havia música, mas Aline recusou:

– É tarde, preciso ir para a casa. Amanhã levanto cedo para trabalhar.

A conversa foi agradável, eles falando sobre coisas da cidade e fazendo perguntas sobre o Brasil, que eles não conheciam.

Aline pediu a conta, pagou e levantou-se:

– Adorei conhecê-los. Vocês são as primeiras pessoas, além dos meus colegas de trabalho, com quem tive o prazer de conversar. Mas, preciso ir.

– É cedo. Fique um pouco mais. – Pediu Robert.

– Não posso.

– Gostamos de você. – Disse Steve. – Gostaríamos de mostrar-lhe a cidade.

– Não faltará oportunidade. – Prometeu ela.

Eles trocaram telefones e Roy tornou com um ar misterioso:

– Não nos esqueça. Esta cidade é perigosa para moças bonitas e sozinhas. Está cheia de conquistadores inveterados. Não vamos deixar que caia na lábia deles. Temos orgulho de ser seus primeiros amigos e acredite, vamos tomar conta de você direitinho.

– É verdade. – Concordou Robert. – Queremos apresentar-lhe algumas amigas. Gente boa, você vai gostar.

– Nada de apresentar marmanjo. – Disse Steve.

– Você está de carro? – Perguntou Robert.

– Não.

– Nesse caso vamos levá-la até sua casa.

– Não é preciso. Moro perto e gosto de andar.

A custo eles deixaram-na sair. Aline caminhou contente de volta para a casa. Tudo estava correndo como ela havia desejado. Estava conhecendo pessoas, fazendo novos amigos.

Chegou e foi preparar-se para deitar. Passava das onze e ela estava com sono.

O espírito de Marcelo a olhava com raiva. Ela estava passando dos limites permitindo que outros homens a assediassem.

Ele bem viu que os rapazes olhavam-na com admiração. Principalmente Robert, que se sentira muito atraído por ela.

Enquanto eles conversavam, Marcelo ficou atrás dela, prestando atenção a tudo. Pronto para reagir se eles tentassem se aproximar mais.

Felizmente isso não aconteceu. Mas ela estava toda sorrisos, gostando de estar com eles, como se fosse uma mulher livre, não tivesse marido.

Marcelo desejava falar com ela. Dizer o que estava sentindo. Mas ela não o escutava. Quando isso acontecia, ficava desesperado.

Por que ela não o ouvia? Estaria morto mesmo? Nesse caso, porque sentia a rigidez do seu corpo, as dores dos seus ferimentos?

Ele notara que, quando se desesperava, essas dores aumentavam de maneira insuportável. Às vezes desejava procurar um médico, mas imaginava que se saísse de perto de Aline, poderia perdê-la de vista. Isso ele não queria.

Aline adormeceu e ele deitou-se ao lado dela, tentando acalmar-se. Foi então que viu o espírito de Aline sair pela cabeça de seu corpo adormecido e ficar em pé ao lado da cama.

Imediatamente Marcelo levantou-se e a chamou angustiado:

– Aline! Aline. Sou eu, Marcelo. Estou aqui.

O espírito de Aline fixou os olhos nele assustada:

– Marcelo! O que faz aqui? Por que está ferido desse jeito?

– Foi o acidente! Você me deixou, mas eu estou novamente aqui. Nunca vou deixá-la! Você é minha.

Aproximou-se dela, querendo abraçá-la. Aline não suportou. Atirou-se sobre seu corpo adormecido e acordou gritando apavorada:

– Que horror! Isso não é verdade! Foi um pesadelo.

Quando conseguiu se mexer, sentou-se na cama, coração batendo descompassado, sentindo arrepios pelo corpo.

Acendeu a luz, olhou em volta e procurou se acalmar. Havia sido apenas um pesadelo. Foi à cozinha, tomou um copo d'água e voltou para o quarto.

Lembrou-se do sonho no avião em que Marcelo havia aparecido ferido, igual ao que sonhara agora.

Era muita coincidência. Teria acontecido alguma coisa com ele? Ela não deixara endereço nem se comunicara com sua família. Queria dar um tempo para que ele se acalmasse e não viesse atrás dela pedindo para voltar.

Aline ficou com medo de apagar a luz e dormir. Deixou a luz do abajur acesa, deitou-se novamente. Mas a lembrança da presença de Marcelo, ferido, cheio de sangue, falando em acidente, não a deixava em paz.

Tentou se acalmar. Talvez ela não fosse tão corajosa quanto gostaria e estivesse se sentindo culpada por haver fugido dele daquela forma.

Esses sonhos poderiam ser fruto de sua própria imaginação, por sentir culpa.

Mas quando pensava nele, sentia-se angustiada, inquieta, aflita.

– Não posso continuar assim. – Pensou. – Preciso saber se tudo está bem com ele. Amanhã cedo vou ligar para mamãe e saber como ele está. Mas não vou dar meu endereço.

Tendo resolvido isso, sentiu-se mais calma, mas ainda assim, o dia estava clareando quando ela, vencida pelo cansaço, adormeceu.

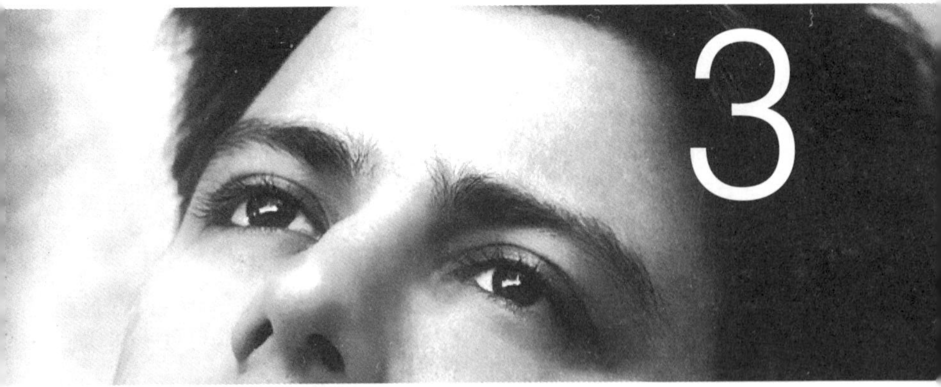

3

Por ter dormido pouco, Aline acordou tarde na manhã seguinte. Pretendia ligar para casa de seus pais, saber se estava tudo bem, mas estava atrasada e não queria chegar tarde ao trabalho.

A lembrança de Marcelo ferido não lhe saia do pensamento. Sentia-se ansiosa, angustiada. Queria ligar logo, mas teria de esperar pela hora do almoço.

Foi trabalhar e para ela o tempo custou a passar. Rachel notou a inquietação dela e perguntou:

– Aconteceu alguma coisa? Você parece nervosa.

– Dá para notar? É que dormi mal esta noite. Tive um pesadelo horrível.

– Você ficou impressionada.

– Fiquei. Tanto que na hora do almoço vou ligar para casa de meus pais, saber se tudo está bem.

– Tem sonhos que parecem verdade.

– Foi tão real que cheguei a temer que estivesse acontecendo mesmo.

– Por que não liga logo?

– Não posso ligar daqui.

– Basta informar a telefonista. Ela fará a ligação. A taxa será descontada do seu salário. É de praxe.

– Nesse caso vou pedir a ligação.

Ela acessou a telefonista e informou as indicações. Pouco depois, Aline reconheceu a voz de sua mãe:

– Mãe, sou eu, Aline.

– Aline, minha filha! Onde você está? O que você fez?

– Estou ligando para dizer que estou bem. Mas pensando muito em vocês, principalmente no Marcelo. Como ele está?

Por alguns segundos, Dalva guardou silêncio. Aline sentiu seu receio aumentar:

– Então mãe, Marcelo está bem?

– Não filha. Infelizmente aconteceu uma coisa horrível. Ele sofreu um acidente com o carro... – A voz de Dalva estava trêmula e ela parou um pouco para criar coragem.

– O que, um acidente? Fala mãe, como ele está?

– Ele ficou muito ferido e não resistiu. Foi enterrado há dois dias.

Aline empalideceu, o telefone escorregou de suas mãos e ela desfaleceu sobre a mesa.

Rachel correu para ela e ouviu a voz do outro lado do fio que gritava:

– Aline, Aline, minha filha, fale comigo!

Sem entender o que estava ouvindo, Rachel segurou o telefone e disse:

– Sorry, I don't speak portuguese. – E desligou.

Depois discou para o departamento pessoal, pedindo ajuda. Enquanto esperava, tentou reanimá-la, batendo levemente em seu rosto e chamando:

– Aline, Aline, acorde. Volte.

Pouco depois o médico da empresa apareceu na sala:

– Ela estava falando com uma pessoa da família, deu um grito e desmaiou. Deve ter recebido uma notícia ruim.

Pouco depois ela suspirou e começou a voltar a si. Ao lembrar-se das palavras de sua mãe, não conseguiu conter o pranto.

Rachel segurou a mão dela com carinho e perguntou:

– O que aconteceu, Aline?

– Não foi um pesadelo, Rachel. Foi verdade. Meu marido morreu em um acidente de carro.

O médico que as observava interveio:

– Ela está muito nervosa. É melhor ir para a casa.

– Nunca pensei que isso pudesse acontecer. – Disse Aline sem conter as lágrimas. – Preciso ligar de novo e saber como foi.

O médico tornou:

– Você até pode fazer isso, mas no momento será melhor se acalmar. Vou dar-lhe um calmante. Vá para casa, deite-se e tome o remédio. Você está muito abalada. Precisa descansar.

– Eu sinto muito. Não queria incomodar ninguém.

– Em um caso como o seu a empresa oferece uma semana de descanso. Vou assinar a ordem.

– Obrigada, doutor, mas não quero ficar tanto tempo. Sou nova na empresa.

– É uma regra geral. Você perdeu o marido, portanto tem direito a essa pausa. Aproveite esse tempo para se refazer e se sentir melhor.

Voltando-se para Rachel, ele continuou:

– É bom alguém acompanhá-la até em casa.

– Eu mesma irei. Vou avisar Mary para atender meu chefe em meu lugar.

– Não precisa se incomodar. – Balbuciou Aline.

– Vou tomar algumas providências, iremos logo em seguida.

Aline sentia a cabeça atordoada, o estômago enjoado, e as pernas bambas.

Deixou-se levar sem dizer nada. Durante o trajeto, chorava baixinho, e repetia de vez em quando:

– Era ele! Foi verdade. Era ele! Meu Deus, que horror! Preciso ligar, saber como foi.

– Acalme-se. Chegando em casa você liga novamente. Pode ser que não tenha entendido direito.

– Ouvi muito bem. Minha mãe disse que ele sofreu um acidente de carro e morreu.

– Se for isso, você terá de se conformar, pois a morte é irreversível.

– A culpa é minha! Eu não conversei com ele, fugi, abandonei-o. Ele ficou louco, vai ver que não foi acidente. Ele pode ter feito de propósito.

– Não exagere. Sua mãe não disse que foi um acidente?

Ela não respondeu, continuou chorando. Quando chegaram em casa ela imediatamente ligou para mãe, que atendeu aflita:

– Filha, onde você está? Fiquei desesperada com tudo isso, sem saber onde encontrá-la. Foi horrível. O que deu em você? Por que fugiu dessa forma?

– Mãe, você sabe que eu desde criança desejava morar no exterior.

– Mas você não podia fazer isso. Abandonar um marido bom, que a amava. Onde estava com a cabeça? Seu pai não se conforma.

– Mãe, nunca pensei que isso pudesse acontecer. Como foi o acidente?

– Ele virou uma esquina e não viu o caminhão que manobrava. Bateu de frente. As testemunhas do acidente dizem que ele estava dirigindo em alta velocidade. Morreu na hora. Nós ainda não nos recuperamos do choque.

– Dona Ivone e *seu* João devem estar desesperados.

– Tanto eles como Márcio não se conformaram. Quando soubemos, eu e seu pai fomos ao velório e eles nos trataram mal. Encontraram sua carta no bolso de Marcelo. Principalmente *seu* João, não se conformou de perder o filho. Marcelo era o orgulho dele. Seu pai tentou conversar, dizer que nós não sabíamos porque você o havia deixado. Mas acho que eles não acreditaram. Queriam que eu ligasse para você, chamando-a. Mas eu não sabia onde encontrá-la.

Aline soluçava desalentada.

– Mãe, eu nunca podia imaginar essa desgraça.

– Por que não me procurou, contando o que se passava? Ele fez alguma coisa que a desagradou?

– Ele não fez nada. Eu é que cansei da rotina, queria mudar de vida. Algumas vezes tentei convencê-lo a vir para cá, mas ele nunca me levou a sério.

– Mas você se casou por amor.

– É verdade, mas depois percebi que não o amava como antes.

– Você arranjou outro? Foi por isso que fugiu sem dizer nada?

– Não, mãe. Nunca tive outro. Ofereceram-me um bom emprego aqui em Miami e eu quis vir.

– Se você tivesse nos contado, teríamos evitado essa loucura.

– Não contei exatamente por esse motivo.

– É melhor arrumar suas coisas e voltar o quanto antes.

– Quando eu soube, desmaiei. Estava na empresa trabalhando. O médico me deu um calmante e uma semana de folga para me refazer.

– Seu lugar é aqui, no seu país, com sua família. Tome o primeiro avião e volte para casa.

– Não, mãe. Vou descansar conforme o médico mandou e pensar no que fazer.

– Volte. Estamos sentindo muito a sua falta.

– Agora vou desligar. O calmante que tomei está fazendo efeito. Vou me deitar. Depois eu ligo.

– Quero o número do seu telefone.

– Vou me deitar. Quando me sentir melhor, voltarei a ligar. Sinto muito tudo o que aconteceu. Até amanhã.

Ela desligou antes que Dalva tivesse tempo de dizer mais alguma coisa. Rachel a observava e perguntou:

– E então, como foi?

Aline contou e finalizou:

– Estou me sentindo culpada. Se eu não o tivesse abandonado, nada disso teria acontecido.

– Como pode saber? Eu acredito que a morte não

acontece por acaso. Você não teve culpa de nada. Foi um acidente.

– Foi. Mas ele sempre dirigiu com bastante cuidado. Entrar em uma rua em alta velocidade, sem olhar, ele nunca faria se estivesse em estado normal. Ele estava desesperado.

– Agora é melhor se deitar, tentar dormir, esquecer. Não adianta ficar sofrendo por uma coisa que não pode remediar.

– Tenho medo. Ele me apareceu, no avião, no sonho, ferido, o sangue escorrendo em vários lugares. Como pode ser isso? Ele está morto!

Rachel ficou calada sem saber o que dizer. Aline lhe contara o sonho, antes de saber a verdade.

Não podia duvidar do que ela estava dizendo. Tentou justificar:

– Pode ser coincidência. Você estava preocupada por haver saído sem se despedir, e imaginou esse drama. Os mortos não voltam.

– Era ele. No avião ele disse: "Aline! Finalmente a encontrei. Não me deixe nunca mais. Diga que ficará para sempre a meu lado".

Rachel sentiu um arrepio percorrer seu corpo e respondeu assustada:

– Você não pode dar força a esse pensamento. Não devemos evocar os mortos.

– Eu não o estou evocando. Sequer sabia que ele havia morrido. Repito, a alma dele veio atrás de mim.

– Que horror! Não se deve mexer com essas coisas. É melhor dormir, descansar, recuperar a calma e tentar esquecer. Nenhuma atitude sua vai trazê-lo de volta.

– Eu queria pelo menos não sentir tanta culpa.

– Você está fragilizada. O que pensa fazer? Vai voltar para o Brasil?

– Penso que não. Agora tenho mais uma razão para ficar por aqui. Nas férias, se sentir saudade irei visitar minha família.

– Como se sente?

– Com sono.

– Você vai dormir e eu vou embora. Se precisar de alguma coisa, você tem todos os meus telefones. Pode ligar a qualquer hora.

– Obrigada.

Ela se foi, e Aline, depois de acompanhá-la até a porta, foi para o quarto, trocou de roupa, deitou-se.

Apesar de sonolenta, a figura de Marcelo ferido, sangue escorrendo, não lhe saía do pensamento. É que o espírito dele estava lá, sentado na beira da cama, deprimido, triste, desanimado.

Era verdade. Ele estava morto. Por uma razão desconhecida, sentia-se vivo, suas feridas ardiam, o seu corpo doía quando se movimentava e o sangue, apesar de estar escorrendo, não acabava.

A princípio ele queria estancá-lo, achando que perderia os sentidos quando ele se acabasse. Mas depois notou que embora ele continuasse escorrendo não o estava perdendo.

Marcelo seguira Aline o tempo todo. Vira quando ela ligara para a mãe e desmaiara.

Emocionado pensou:

– Ela ainda me ama. Está sofrendo por causa do acidente.

Apesar da sua tristeza, confirmando que estava morto, Marcelo sentiu certa satisfação por ela estar se culpando.

– É isso mesmo. Ela é a culpada de tudo. Se eu não estivesse tão fora de mim não teria provocado o acidente. Ela é a única culpada. Agora ela vai perceber que nunca será feliz longe do meu amor. Foi preciso que eu morresse para que ela pudesse avaliar o quanto nos amamos e a falta que eu vou fazer em sua vida.

Chegou mais perto de Aline, que havia adormecido, e acariciou seus cabelos, dizendo:

– Nunca vou deixar você. Ficarei a seu lado para sempre. Um dia, você vai morrer e estarei esperando.

Ele sentiu-se cansado, deitou-se ao lado dela na espaçosa cama, tentou abraçá-la, mas suas mãos atravessavam o corpo dela. Apesar disso, aconchegou-se mais que pode e ficou ali, triste e ao mesmo tempo satisfeito por estar ao lado dela.

Aline dormia profundamente, enquanto seu espírito descansava nas brumas da inconsciência, provocada pelo calmante fortíssimo que o médico lhe dera.

Dalva desligou o telefone aflita, deixando que as lágrimas rolassem por sua face. Não se conformava com aquela desgraça.

A notícia da fuga de Aline e do acidente do genro caíra como uma bomba sobre a família que até então ela considerava feliz e bem constituída.

Arlete aproximou-se dela dizendo nervosa:

– Era Aline novamente?

– Era.

– Ela contou por que fez isso? Disse onde está?

– Só sei que está nos Estados Unidos. Ela está louca. Sempre com aquela mania de ir morar lá. Pensei que depois do casamento houvesse esquecido essa grande bobagem.

– Ela nunca se esqueceu. Eu temia que um dia ela fosse embora. Em que lugar está e com quem?

– Ontem, *seu* João insinuou que ela deve ter fugido com outro. Não é verdade. Ela foi trabalhar.

– Dona Ivone me disse a mesma coisa. Eles acham que ela se apaixonou por outro. Você acha que isso pode ter acontecido?

– Não creio. Ir trabalhar, morar lá, sempre foi o sonho dela desde pequena.

– Nesse caso nunca deveria ter se casado.

– Quando ela se apaixonou por Marcelo pensei que houvesse desistido desse sonho bobo. Mas não. Agora, ela está lá, cheia de culpa, chorando. Deve ter se arrependido do que fez. Mas agora é tarde, a desgraça está feita. Eu disse para ela vir embora.

– Será que ela vai voltar?

– Seria o melhor.

– Não sei. Aqui ela sofreria ainda mais. A família, o sócio dele, os amigos, todos a estão culpando pela morte dele. Se eu fosse ela, ficaria por lá, pelo menos mais algum tempo.

– Ela disse que ia pensar, mas eu prefiro que ela venha. Junto da família, estará melhor.

– Ela deu o endereço, o telefone?

– Não. Ela estava atordoada porque quando falou comigo a primeira vez, desmaiou. O médico da empresa a atendeu, e sabendo da ocorrência deu-lhe um calmante forte. Mandou-a para casa e uma colega a levou. Ficou de ligar quando estiver melhor.

As lágrimas desciam pela face de Dalva e Arlete abraçou-a comovida, dizendo:

– Mãe, estamos chocadas, mas não podemos fazer nada. Temos que nos conformar.

– Ela jogou a felicidade fora, foi castigo.

– Não diga isso, mãe. Ela foi embora porque não amava mais o marido. Penso que ela nunca o amou de verdade. Estava infeliz.

– Não posso entender. Estavam casados há sete anos, ele sempre foi um marido maravilhoso.

– Mas ela não o amava.

– Não deveria ter fugido daquele jeito.

– Se ela tivesse contado a Marcelo o que pretendia, talvez fosse pior. Do jeito que ele era agarrado a ela. Eu até penso que foi esse apego dele que a fez enjoar da sua companhia. Eu não gostaria de ter um homem meloso, agarrado a minha saia.

– Você não sabe o que está dizendo. A vida não é como você pensa. O amor não é aquele sonho maravilhoso e o príncipe encantado nunca existiu. Muitas mulheres gostariam de ter um marido apaixonado como ele.

– O que me incomoda, mãe, é que agora todos vão culpá-la. Mas pensando bem, quem estava dirigindo o carro era ele, ela nunca imaginou que isso pudesse acontecer.

– Não gosto quando você fala essas coisas. Não entendo sua frieza diante dessa tragédia.

– Não é frieza. Sempre que acontece um acidente como esse, em vez de lamentar a ocorrência, as pessoas logo procuram um culpado para atirar sobre ele o peso da situação.

– Mas ela foi a culpada. Se não tivesse fugido, Marcelo ainda estaria vivo.

– Quem garante isso, mãe? Se havia chegado a hora de ele morrer, isso aconteceria de um jeito ou de outro. Eu penso que Aline não deverá voltar, pelo menos por enquanto. Já basta para ela carregar o peso dos acontecimentos. Se fosse eu, nunca mais voltaria.

– E você reclama quando eu digo que é fria, não tem sentimentos. Seria capaz de abandonar seus pais e ficar para sempre longe da família?

– Não falei em abandono. Quando a saudade batesse, enviaria passagens para que fossem ficar comigo algum tempo.

– Espero que você também não esteja pensando em nos abandonar.

– Por enquanto não. Mas quem sabe o que nos reserva o futuro?

– Não diga isso nem por brincadeira. Já chega uma filha desmiolada.

Arlete sorriu e respondeu:

– Pois se eu me casar com um homem bem rico, como pretendo, irei viajar pelo mundo, conhecer outros países, você terá de se conformar.

A campainha tocou e Arlete foi abrir. Rodrigo, sócio de Marcelo estava na soleira.

– Precisamos conversar. – Disse sério.

– Entre, Rodrigo.

Ela conduziu-o até a sala e pediu que se acomodasse e tornou:

– Meu pai ainda não chegou da loja. Vou chamar minha mãe.

Assim que Dalva entrou e o viu, recomeçou a chorar. Ele levantou-se, abraçou-a dizendo:

– Sei que estão muito chocados com o que aconteceu e que talvez eu devesse esperar um pouco mais para vir conversar com vocês. Mas eu estou meio perdido, sem saber direito o que houve. Não tenho conseguido trabalhar. Pensei que talvez vocês pudessem me dizer alguma coisa.

– Não consigo aceitar o que aconteceu. O Mário reabriu a loja hoje, mas também está perdido. – Tornou Dalva, esforçando-se para conter o choro.

– Eu li a carta que Aline deixou e fiquei muito surpreso. Eles pareciam tão felizes. Marcelo vivia para ela. Só pensava nela, tudo o que fazia era para que ela o aprovasse. Por que será que tomou essa atitude?

Foi Arlete quem respondeu:

– Desde pequena Aline tinha vontade de morar nos Estados Unidos. Estudou inglês desde cedo, tanto que ela fala corretamente e sem sotaque. Quando Marcelo se apaixonou por ela, cortejou-a, ela entusiasmou-se por ele. Nós pensamos que ela tivesse se esquecido desse sonho da adolescência. Mas não foi isso o que aconteceu.

– Quer dizer que ela foi para os Estados Unidos?

– Foi.

– Com quem? Quem arrumou tudo para ela ir?

– Aline foi sozinha. Pelo que sabemos ela recebeu uma oferta de emprego lá e decidiu aceitar.

Rodrigo deixou-se cair no sofá e não respondeu logo. Dalva que havia parado de chorar interveio:

– Ela fez tudo sozinha e em segredo. Nenhum de nós sabia o que ela pretendia fazer.

– É difícil acreditar que ela tenha ido embora sozinha. Alguém deve tê-la encorajado a tomar essa iniciativa.

– Sei o que todos estão pensando. – Disse Arlete, contendo a irritação a custo. – Mas ela não traia o marido nem fugiu com homem nenhum. Ela nos ligou ainda há pouco da empresa onde está trabalhando. Quando soube do acidente, desmaiou e precisou ser atendida por um médico.

– Não é isso que os pais de Marcelo estão dizendo. Desculpe, não quis insinuar nada. Acontece que ela agiu de maneira estranha.

Arlete disse com voz que a indignação tornava firme:

– Estou certa de que Aline nunca imaginou que pudesse acontecer o que aconteceu. Está arrasada como todos nós, lamentando esse fato. Sei que vocês todos a estão julgando culpada pelo acidente. É uma injustiça. Ela foi embora porque não amava mais o marido e se ela tivesse dito isso a ele, do jeito que ele era apegado, a desgraça poderia ter sido maior. Apesar de tudo o que houve, reconheço que minha irmã tem direito de decidir com quem deseja viver.

Rodrigo olhou-a como se a estivesse vendo pela primeira vez. Ele não a conhecia bem, apesar da convivência com Aline e seu sócio.

Sentou-se novamente, passou a mão nos cabelos, depois disse com ar preocupado:

– É difícil aceitar a situação. Posso imaginar como Marcelo ficou quando leu a carta.

Dalva, mais calma, interveio:

– E como nós ficamos quando soubemos de tudo.

Ele hesitou um pouco, dizendo logo depois:

– Bem, não sei o que dizer. Naturalmente, depois do que houve, Aline vai desistir desse emprego e voltar. Sabe quando?

– Receio que ela não volte. Quando nos falamos, eu pedi que voltasse. Ela estava muito chocada, chorosa, disse que ia pensar.

– Eu penso que ela vai preferir ficar por lá. Depois de tanto esforço para ir por que voltaria? – Perguntou Arlete.

– Bem, Marcelo era meu sócio. De tudo que temos na empresa, a metade era dele. Vim procurá-los porque quero conversar com Aline sobre isso. *Seu* João quer que eu entregue tudo a ele, mas não posso fazer isso. Por direito, pertence à Aline.

– Eles estão com raiva dela e eu, como mãe, fico muito triste com isso.

– Eu fico em uma situação incômoda. Mas não posso passar por cima dos direitos de Aline e fazer o que eles querem. Vocês não acham?

– Depois do que houve, quero ficar fora disso. Eles acham que Aline é culpada até do acidente, o que de certa forma é uma injustiça. Por mim, eles podem ficar com tudo.

– Não pode ser assim d. Dalva. Quero fazer o que é direito. Gostaria que me desse o telefone dela para podermos conversar.

– Se eu tivesse o número, daria de bom grado. Mas quando ela falou comigo disse que passou mal e o médico havia lhe dado um calmante muito forte. Ficou de me ligar quando estivesse melhor.

– Então, por favor, assim que souber o número do telefone ou o endereço dela, avise-me. Quanto à casa onde moravam, os pais dele estão com a chave. A polícia também lhes entregou os pertences pessoais dele.

– Assim que tiver notícias, ligaremos para você.

– Você vai continuar sozinho com a empresa? – Indagou Arlete.

– Por enquanto vou. Marcelo era muito bom no que fazia. Tenho medo de colocar outra pessoa e depois me arrepender.

– Para uma sociedade dar certo é preciso haver muita seriedade e confiança.

– É exato. Bem, vou pensar no que fazer.

Ele levantou-se e, ao despedir-se, Dalva reiterou

sua promessa de ligar assim que Aline desse notícias.

– Esse é outro que ficou sem chão. – Comentou Dalva. – Onde Aline estava com a cabeça quando decidiu ir embora?

– Não adianta criticar agora. Ele saberá se arranjar muito bem sem Marcelo, você vai ver. Aos poucos tudo acabará indo para o seu lugar. Nisso tudo, o pior foi a morte de Marcelo, que nunca mais voltará.

– Isso mesmo. Esse se foi para sempre.

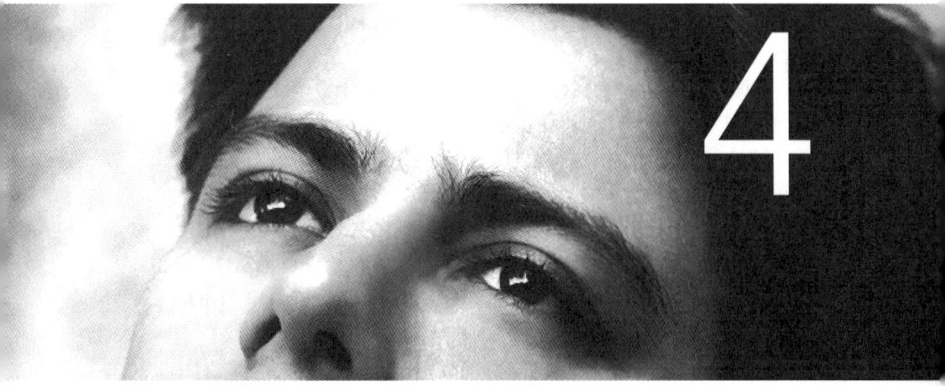

4

Alguns dias depois, Aline ligou e Dalva atendeu e perguntou:

– Como você está?

– Mais calma. Amanhã cedo voltarei ao trabalho. Como vão as coisas aí?

– Mal, muito mal. Fomos à missa de sétimo dia do Marcelo. Seu pai não queria ir. Está ofendido porque os pais dele nos trataram mal. Mas eu insisti. Ele era como um filho para nós.

– Vocês foram?

– Sim. Mas eles fizeram de conta que não nos conheciam. Nem nos cumprimentaram. Então, assim que a missa acabou viemos embora. Nem fomos dar os pêsames.

– Não fique triste. Eles estão chocados. Quando refletirem melhor, voltarão atrás.

– Seu pai está muito revoltado. Por enquanto será melhor que eles nem apareçam. E você, quando vai voltar?

– Eu pensei muito e decidi continuar aqui.

– Não pode fazer isso. Precisa vir pelo menos para cuidar de suas coisas. O Rodrigo esteve aqui e disse que as chaves de sua casa estão com *seu* João. Depois, Marcelo tinha bens, certamente terá de ser feito o inventário. Você terá de estar presente.

Aline ficou silenciosa durante alguns segundos, depois respondeu:

– Não posso voltar agora. Tenho que pensar em meu futuro. Não quero perder o emprego. Quero falar com Arlete.

Dalva foi chamá-la, e ela atendeu em seguida. Depois dos cumprimentos, Aline disse:

– Não posso ir para o Brasil agora. Este emprego é muito importante para mim. Depois, não estou com cabeça para discutir com meus sogros. Eles não vão me poupar. Você pode me ajudar?

– Claro. Estou desempregada e tenho auxiliado papai na loja apenas para não ficar em casa. Tenho todo tempo disponível. O que você quer que eu faça?

– Vou redigir uma procuração com amplos poderes em seu nome para que possa cuidar de todos os trâmites legais. Tenho certeza de que fará isso melhor do que eu.

– Rodrigo mencionou que a parte de Marcelo na sociedade agora pertence a você. Vai ser preciso cuidar disso também. Ele estava preocupado. Você sabe que era Marcelo quem cuidava de toda a parte financeira, enquanto ele ficava mais nos projetos. Ele não quer arranjar outro sócio. Tem receio de dar errado. Se você voltasse, poderia trabalhar com ele. Estou certa de que cuidaria de tudo tão bem como Marcelo. Depois, estaria cuidando do que é seu, em vez de trabalhar para os outros.

– Eu ainda não estou em condições de voltar. Por que você não assume isso por mim? Sabe tanto ou mais do que eu de administração. Tem experiência.

– Você acha que ele aceitaria?

– Acho que adoraria. Conheço sua capacidade. Combine uma retirada como se fosse eu. Esse dinheiro ficará todo para você. Estou ganhando muito bem, não preciso de nada. Vá procurar Rodrigo e diga-lhe que eu gostaria que você ficasse em meu lugar na sociedade até eu voltar.

– Acha que ele aceitará?

– Acho.

– Há o problema da casa. Tudo o que há lá lhe pertence por direito.

– Quando vim embora deixei tudo. Abandonei o lar. Não tenho direito a nada.

– Mesmo assim vou conversar com d. Ivone e ver o que eles pretendem fazer com as coisas.

– Eles vão falar mal de mim, dizer que sou culpada pela morte de Marcelo.

– Foi um acidente. Você não teve culpa de nada. Eu quero mesmo ter uma conversa com eles.

– Faça o que achar melhor. Não quero que se aborreça por minha causa.

– Fique sossegada. Sabe como eu sou. Nada que eles façam ou digam vai tirar meu bom humor. Não tenho medo de cara feia nem ligo para o que os outros pensam.

– Eu queria ser como você. Mesmo sabendo que foi um acidente, há momentos em que me sinto culpada. Afinal, se eu não tivesse fugido ele poderia estar vivo.

– Não creio. Para mim a morte tem o momento certo. A dele estava marcada para aquele dia. Se você tivesse esperado um pouco mais, estaria viúva e teria ido embora com o aval de todos.

– Como é que eu poderia imaginar uma coisa dessas?

– Só se fosse vidente. Aliás, você ligou porque sonhou com Marcelo ferido. Como foi isso?

– Vou escrever contando em detalhes. Nossa ligação está muito longa. Vou deixar meu endereço e telefone. Anote aí.

– Pode falar, estou com papel e caneta na mão.

Depois de tudo anotado, Aline se despediu:

– Assim que tiver alguma novidade, ligue-me.

– Não esqueça de me escrever contando detalhadamente como foi esse sonho.

– Pode deixar, vou mandar com a procuração. Dê um beijo em mamãe, diga ao papai que me perdoe e não fique zangado comigo.

Ela desligou e Dalva não se conformava:

– Ela tinha de estar aqui para se defender. Eles a estão acusando de adultério.

– Ela não fez nada e um dia eles descobrirão isso. Ela quer que eu assuma o lugar dela no escritório de Marcelo.

– Pelo menos isso. Segundo sei, Marcelo colocou nessa sociedade muito dinheiro.

– Hoje mesmo vou falar com Rodrigo. Se aceitar minha colaboração, trabalharemos juntos.

– É uma boa solução. Seu pai vai sentir sua falta na loja. Acostumou-se, afinal você fazia até a contabilidade.

– Posso continuar fazendo isso para ele. Mas preciso ajudar Aline. Ela faz bem em não voltar agora. Para quê? Vai se aborrecer ainda mais. Tomar conhecimento dos detalhes do acidente, rever sua casa vazia, enfrentar os problemas com a família dele, os amigos. Lá, pelo menos ninguém vai lhe cobrar nada.

Dalva suspirou triste:

– Começo a pensar que você tem razão. Se eu pudesse também iria viajar por algum tempo só para não ouvir os comentários até das pessoas que se diziam amigas dela.

– Mãe, você precisa deixar de se importar com o que os outros dizem. Isso tira seu sossego e não ajuda em nada.

– Você é fria, não sei a quem saiu.

– Sou controlada, tenho bom senso. Isso não quer dizer que não esteja sentida com o que aconteceu. Mas de nada adianta me preocupar com uma coisa que não tem remédio. O mais importante agora é conservar a lucidez para enfrentar a situação, procurando resolver tudo da melhor forma possível.

– Ainda bem que você pensa assim. Eu não tenho essa coragem.

Arlete riu, pendendo levemente a cabeça para trás, em um gesto muito seu.

– Agora vou me arrumar muito bem e ir ao escritório conversar com Rodrigo. Vou levar meu currículo para que ele saiba onde está entrando.

– Ele já deve saber que você é boa no que faz.

– Ele não sabe. Aliás, ele sempre foi retraído, nunca procurou estreitar a amizade com nossa família. Marcelo falava muito bem dele. Só espero que não seja implicante nem mal-humorado.

– Pelo menos se vocês se entenderem, estará trabalhando de novo.

– É bom. Nesses seis meses em que perdi o emprego, não procurei outro porque queria descansar um pouco. Mas agora, já estava pensando em voltar a trabalhar.

– É bom mesmo que você vá cuidar dos interesses de sua irmã. Do jeito que ela está com a cabeça é bem capaz de não querer nada o que não é justo. Eles eram casados com comunhão de bens e mesmo que seus sogros não queiram, ela tem direito a todos os bens.

– Foi por isso que aceitei enfrentar a situação. Vou imediatamente resolver isso.

Pouco depois, Arlete desceu as escadas, muito elegante, segurando uma pasta de couro, como convinha a uma executiva.

Dalva não se conteve:

– Você caprichou!

– A boa aparência é um quesito indispensável no trabalho. Liguei para o Rodrigo, ele está me esperando.

– Boa sorte. Se encontrar o *seu* João ou a Ivone, fique firme.

– Deixe comigo. Sei como fazer.

Meia hora depois, Arlete chegou ao elegante escritório e a secretária a conduziu imediatamente à sala de Rodrigo.

Ele encontrava-se em pé diante de uma prancha, examinando um desenho. Vendo-a entrar, aproximouse e perguntou:

– Então, Aline ligou?

– Há meia hora.

– Sente-se, vamos conversar.

Com um gesto designou uma poltrona diante da

escrivaninha, depois que ela se sentou, ele acomodou-se do outro lado.

– Como ela está?

– Muito abalada.

– Disse o que pretende fazer?

– No momento não deseja voltar ao Brasil. Vai mandar-me uma procuração com amplos poderes e pediu-me que a representasse em tudo.

Rodrigo passou a mão nos cabelos pensativo e ficou calado durante alguns segundos. Depois tornou:

– E como vai ser? Você sabe, os pais de Marcelo não se conformam e culpam-na pelo acidente. Esse é um assunto muito delicado. Não quero entrar nessa discussão. Contava que ela viesse e resolvesse diretamente com eles as pendências.

– Que pendências?

– Eles não querem que ela receba nada do que pertenceu ao Marcelo. Estão revoltados. Por outro lado, ela tem seus direitos e eles não querem aceitar isso. Marcelo foi mais que um amigo, era como um irmão, não quero indispor-me com seus pais que estão sofrendo muito essa perda. Talvez se você lhe explicasse isso ela voltaria, nem que fosse apenas para resolver esse assunto.

– Aline avalia sua situação e deseja cooperar para que você não seja prejudicado. Pediu-me que lhe fizesse uma proposta, se aceitar, tudo estará resolvido.

– Proposta? Como assim?

– Aline pediu-me que enquanto ela não voltasse ao Brasil, eu a substituísse. Não apenas nas formalidades legais, mas também aqui, na empresa de vocês.

– Você?

– Sim. Sei que Marcelo cuidava da parte administrativa e financeira da empresa, e que você não gostava desse setor. Bem, embora eu não entenda de arquitetura, sou formada em administração de empresas, tenho oito anos de experiência e sei que posso cuidar muito bem dessa área.

Arlete abriu a pasta de couro, tirou uma pasta e entregou a ele, dizendo:

– Aqui está meu currículo. Pode examiná-lo. Você disse que não pretende arranjar outro sócio. Se aceitar o que estou lhe propondo, não precisará disso. Aline continuará sendo sua sócia e tudo estará resolvido. Quando ela decidir voltar, vocês decidirão se desejam continuar com a sociedade.

Rodrigo a olhava pensativo.

– Estou surpreso. Não esperava isso. Estava me preparando para depois do inventário, pagar a Aline a parte dela, o que neste momento não me seria fácil porque talvez precisasse vender alguns bens.

Arlete sorriu:

– Nosso arranjo será de emergência. Mas estou certa de que facilitará muito.

– Para mim será uma boa solução. O que me preocupa é a reação dos pais de Marcelo. Vão brigar comigo e eu não gostaria que isso acontecesse.

– Eles vão brigar de todo jeito. Quando um advogado lhes disser que Aline tem direito ao que Marcelo deixou e que não há nada que eles possam fazer para impedir, você estará no meio dessa briga quer queira quer não.

– É. Acho que não tenho escolha. De todo jeito estou metido nisso até o pescoço.

– Marcelo era um ótimo rapaz e muito querido em nossa família. Todos estamos sofrendo pelo que aconteceu. Aline, porém, está sendo caluniada, e seu único pecado foi deixar de amar o marido e desejar acabar com o casamento.

– Eles não acreditam nisso.

– Mas eu sei que estão enganados. E pretendo enfrentá-los, esclarecer os fatos, dizer-lhes a verdade. Você não precisará envolver-se. É um problema de família e compete a nós esclarecer.

– Se você conseguir isso, ficarei bastante aliviado.

– Não precisa decidir agora. Pense bem, analise meu currículo, e quando tiver uma resposta, ligue-me.

– Está bem. Vou pensar.

Arlete levantou-se e entregou um papel a ele, dizendo:

– Aqui tem o telefone de Aline, mas, por favor, não dê o número a ninguém. Principalmente aos pais de Marcelo.

– Fique tranqüila.

– É bom evitar comentários.

– Compreendo. Obrigado por ter vindo.

Depois que ela se foi, ele abriu a pasta que ela lhe deixara, leu as informações e admirou-se do nível de conhecimentos que Arlete possuía.

Profissionalmente ela estava muito acima das necessidades dele.

– Ela está fazendo isso para ajudar a irmã. Eu seria um irresponsável se não aceitasse sua proposta.

Ele olhou a pasta que a secretária colocara em sua mesa onde havia alguns contratos em andamento, extratos bancários. Ele odiava mexer com isso e não queria nem aprender. Naquele momento decidiu que iria telefonar para Arlete, aceitando sua proposta.

Se ela fosse boa como dizia naquele currículo, sua situação estaria resolvida.

Arlete voltou para casa satisfeita. Estava certa de que Rodrigo aceitaria. O arranjo seria muito conveniente para ele, que não dispunha do dinheiro para pagar a parte de Aline.

Vendo-a entrar Dalva perguntou:

– E então, como foi?

– Bem. Rodrigo está precisando de ajuda. Ele não tem dinheiro para pagar a parte de Marcelo. Você sabia que os pais dele não querem que Aline receba nada?

– Eles estão com raiva. Imaginei mesmo isso. E para dizer a verdade, penso que Aline não vai exigir nada.

– O que é isso, mãe? Ela tem direito ao que ele deixou. Não concordo que deva abrir mão do que lhe pertence.

– Eles podem alegar abandono do lar.

– Ainda assim, ela era casada em comunhão de bens. Depois, eles nem sabem por que Aline foi embora e a estão caluniando.

– A perda de um filho é um golpe duro.

– Concordo. Mas ainda assim não acho justa a forma como estão agindo. Depois, eles são abastados, não precisam de nada. Estão fazendo essa exigência apenas para castigar Aline.

– De certa forma ela fez por merecer. Onde já se viu fazer o que fez?

– A primeira vista pode parecer que ela agiu mal. Mas nós não sabemos como era a vida íntima deles. Marcelo era muito agarrado a ela. Todos achavam que era o marido ideal, carinhoso, atento aos menores desejos dela, mas eu não suportaria viver ao lado de um homem assim. Estaria me sufocando. Privada da minha liberdade.

– Por isso está solteira até agora. Uma mulher precisa de um companheiro, alguém que a ame. Se Aline tivesse filhos, não teria feito o que fez.

– Outro engano seu. Filhos não seguram um relacionamento. Na verdade, penso que Aline enjoou do assédio constante de Marcelo.

– Você está exagerando. Não era tanto assim.

– Não? Há pouco tempo, quando Aline teve alguns dias de férias, fui à casa dela devolver um livro que pegara emprestado. Fiquei lá durante duas horas. Nesse tempo, Marcelo ligou quatro vezes.

– Vai ver que estava preocupado.

– Que nada. Ligava para perguntar alguma coisa sem importância e eu acho até que era para controlar, saber se ela estava em casa.

– Ele era muito ciumento mesmo.

– O que demonstra que não era tão bom como parecia. É por esse motivo que eu não gosto de julgar. Quem pode saber o que vai no coração das pessoas?

Dalva suspirou pensativa. Depois disse:

– Seja como for, a atitude dela foi irresponsável. Ainda acho que se ela não queria viver mais com ele, deveria ter conversado, enfrentado.

– Essa foi a forma que ela encontrou para se libertar desse casamento que não desejava mais.

O telefone tocou e Dalva atendeu:

– Alô, é Dalva... Sim, ela está. Um momento. – Voltando-se para Arlete continuou: – é o Rodrigo. Quer falar com você.

Arlete atendeu logo.

– Alô. Sim.

– Estou ligando para dizer que aceito sua proposta. Antes devo dizer que talvez o que posso lhe oferecer como salário não seja o que você está habituada a receber pelo seu trabalho.

– Tenho certeza de que vamos nos entender quanto a esse ponto. Estou fazendo isso para ajudar minha irmã.

– Nesse caso, quando poderá começar?

– Estarei aí amanhã às oito. Está bem?

– Combinado. Estarei esperando.

Ela desligou o telefone contente.

– Sabe, mãe? Estou contente por enfrentar esse desafio.

– Por quê?

– Rodrigo está preocupado com os pais de Marcelo. Sabe que não vai poder fazer o que eles querem com relação à herança. Sabe que eles não vão entender.

– Eles estão revoltados e a situação dele é delicada.

– Eu me ofereci para enfrentá-los nesse problema.

– Você? Quer arranjar mais encrencas com eles? Já não basta o que Aline fez?

– O que Aline fez não foi tão grave assim e eles estão se mostrando muito maldosos. Marcelo morreu em um acidente. Ela não teve culpa.

– Se ela não tivesse ido embora, ele não teria corrido atrás dela daquele jeito.

– Quem pode garantir isso? Poderia ter acontecido

mesmo sem ela ter saído de casa. Ninguém morre antes da hora. A senhora se diz pessoa de fé, vive rezando na igreja, vai à missa sempre e não acredita que uma força maior é quem determina a hora da morte de uma pessoa?

– Você gosta de me confundir. Uma coisa não tem nada a ver com a outra. Mas tome cuidado, pense bem no que vai fazer para não arranjar mais problemas. Você não deveria se meter nisso.

– Vou tomar um banho e preparar algumas coisas. Amanhã começarei a trabalhar. Antes eu vou ligar para Aline e contar-lhe como estão as coisas.

Na manhã seguinte, Arlete chegou ao escritório às oito em ponto. A recepcionista a atendeu e ela se apresentou:

– Sou Arlete, irmã de Aline, viúva de Marcelo. Rodrigo já chegou?

– Ainda não, deve estar chegando.

– Bem, não sei se ele lhe disse que, a partir de hoje, eu viria trabalhar aqui.

– Disse sim, senhora. Venha comigo.

Arlete a acompanhou até uma das salas.

– Era nesta sala que o dr. Marcelo fazia a administração. – Ela abanou a cabeça negativamente e continuou com voz triste: – parece mentira. Ainda não consegui me conformar.

– Não é fácil mesmo.

– Ele era tão moço, tão bonito, tão educado! Era o homem com o qual toda mulher gostaria de se casar.

Pelo tom dela, Arlete sentiu que atrás desse comentário escondia-se uma crítica ao procedimento de Aline.

– Pena que quando o conheceu ele já estava casado, senão, quem sabe, talvez ele a escolhesse.

Um vivo rubor apareceu no rosto dela que se apressou a responder:

– Eu não quis dizer isso. Não quero que a senhora pense que eu era apaixonada por ele. O dr. Marcelo sempre foi um homem respeitoso, dedicado à esposa.

– Está bem. Mas nós estamos aqui para trabalhar e

não para avaliar as qualidades de ninguém. Pode voltar para o seu lugar. Se precisar de alguma coisa, avisarei.

Ela saiu apressada. Era de se esperar que ela estivesse com raiva de Aline. Havia ido ao enterro, estado com os pais de Marcelo. Teria ouvido a opinião deles e se revoltado.

Olhou em volta. Era uma sala elegante, espaçosa. Bem decorada. Havia cartas sobre a mesa e ela começou abrindo-as.

Nesse momento Rodrigo entrou:

– Você foi pontual.

– Dou muita importância à pontualidade.

– Vou mostrar-lhe onde estão as coisas. No momento estou sem muito tempo. Estávamos trabalhando em um projeto grande, e dois dias antes do acidente, assinamos o contrato. Temos prazo para realizar o trabalho e com o que nos aconteceu, eu ainda não consegui começar.

– Não se preocupe. Vou ler os documentos, tomar conhecimento de como estão as coisas. Marcelo me parecia muito organizado. Penso que encontrarei tudo em ordem.

Ele suspirou aliviado.

– Se precisar de alguma coisa, avise-me.

– Não se preocupe. Vou cuidar de tudo.

– Nesse caso vou cuidar do nosso projeto.

– Boa sorte e sucesso. É o que desejo.

Ele sorriu e ela notou que se formavam duas covinhas em sua face. Sorriu também. Apesar de tudo, sentia-se alegre por recomeçar a trabalhar.

Sentou-se atrás da escrivaninha e imediatamente começou a abrir as cartas.

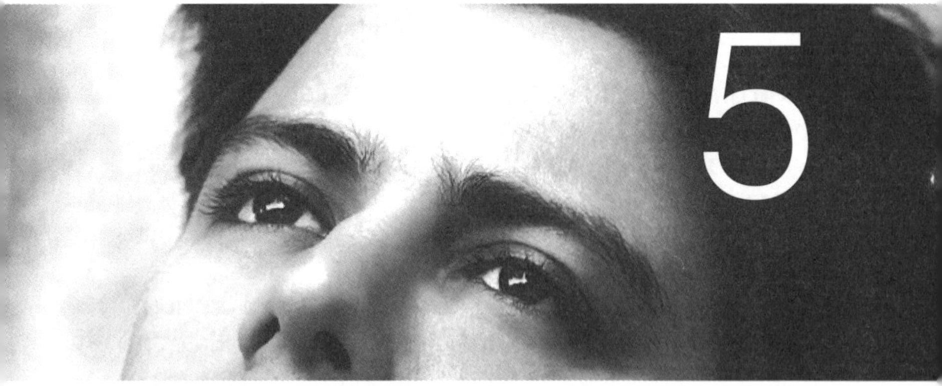

5

Aline levantou-se, tomou café e desceu à garagem para apanhar o carro. Fazia seis meses que ela estava trabalhando e três que a empresa financiara seu carro.

Durante a semana que ficara de licença por causa da morte de Marcelo, ela refletira muito e apesar da tristeza decidira continuar em Miami.

Não tinha vontade de voltar e enfrentar os comentários da família de Marcelo, dos conhecidos. Eles nunca entenderiam o que ela fizera. Se até seus pais recriminavam-na, deixando subentendido que ela fora a culpada pela morte do marido, o que poderia esperar dos demais?

Melhor era ficar, trabalhar, adaptar-se à nova vida e buscar esquecer aquele triste acontecimento.

Apesar de adorar o novo emprego, a maneira como era tratada pelos colegas e estar fazendo novas amizades, estava sendo difícil esquecer o que acontecera.

Durante o dia, dedicava-se ao trabalho e não pensava em mais nada, porém, à noite, sozinha em seu apartamento, a lembrança de Marcelo não a deixava.

Havia momentos em que parecia vê-lo ferido, pedindo ajuda, outros em que recordava o namoro, os primeiros anos de casamento.

Quando isso acontecia, ela chegava a sentir o sabor dos beijos que trocavam e os momentos de intimidade que haviam desfrutado, como se estivessem realmente acontecendo naquela hora.

Embora naquele tempo ela tivesse se sentido feliz, agora, recordar esses momentos provocava nela desagradável sensação.

Ao acordar ela pensava:

– Por que será que isso está acontecendo comigo? Por que não consigo me desligar do passado? Embora as pessoas possam me julgar culpada, eu não me sinto assim. Eu nunca pensei que Marcelo pudesse morrer dessa forma. Eu nunca desejei nenhum mal a ele. Minha única fraqueza foi acreditar que o amava e aceitar esse casamento. Essa foi minha culpa. Eu nunca deveria ter desistido dos meus projetos para casar com ele.

Naquela manhã, enquanto dirigia rumo ao trabalho, o sonho que tivera com o marido na noite anterior não lhe saía do pensamento.

Sonhara que estavam trocando beijos apaixonados, enquanto ele repetia o quanto a amava e que nunca a deixaria, falando dos primeiros tempos de casamento.

Mas apesar daquele tempo haver sido bom, agora, não estava sendo prazeroso, Aline sentia-se mal, nervosa, acordara fraca, indisposta.

Sentia que esses sonhos com Marcelo não estavam lhe fazendo bem. Ao contrário. Desejava esquecer, apagar de sua vida aqueles anos ao lado dele, contudo não conseguia.

Ele estava sempre presente em seus pensamentos, reagindo a cada coisa que ela dizia ou fazia, como se ele estivesse presente.

Isso não podia continuar. Ela estava precisando de ajuda profissional. Acreditava que o choque produzido pelos acontecimentos haviam-na traumatizado. Iria procurar um psicólogo.

No refeitório da empresa, durante o almoço, conversou com Rachel sobre o problema. Ela prontificou-se a lhe indicar um terapeuta seu amigo.

– Ele é maravilhoso. – Disse. – Estou certa de que ele vai dar jeito nisso.

Aline agradeceu aliviada. De volta ao escritório, Rachel entregou-lhe um cartão dizendo:

– Aqui está o telefone dele.

– Irei procurá-lo hoje mesmo.

– Não sei se ele poderá atendê-la tão depressa. Tem muitos clientes.

– Quero resolver o quanto antes. Não suporto mais pensar no que aconteceu.

– Nesse caso, vou interceder. Norman é meu amigo, verei o que posso fazer.

– Fico-lhe muito grata.

Aline entregou-se ao trabalho com determinação e firmeza, disposta a não pensar mais em Marcelo.

Duas horas depois, Rachel a procurou:

– Só agora consegui conversar com a secretária dele. Infelizmente, Norman está fora do país, em um congresso. Só voltará daqui há dez dias. Tentei marcar uma consulta para quando ele voltasse, mas ela nem queria, alegando que não tinha hora. Por fim, deixei seu nome com ela, no caso de haver alguma desistência.

– Ele deve ser muito bom.

– É ótimo mesmo. Se você puder esperar, pelo menos teria a certeza de ser atendida por alguém muito competente.

– Obrigada Rachel. Vou tentar.

– Olha, por que não procura distrair-se, sair, encontrar pessoas, divertir-se. Ficar em casa sozinha não vai ajudá-la em nada.

– Eu gosto de sair, conheci alguns rapazes muito agradáveis perto de casa, mas todas as vezes que os encontro, acabo me sentindo mal.

– É porque você se sente culpada, ainda não aceitou o que aconteceu. Penso que deve insistir, sair mesmo assim. Eu tenho muitos amigos e posso introduzi-la em nossa roda. São pessoas alegres, do nosso nível, o que torna muito agradável os nossos encontros.

– Talvez tenha razão. Eu preciso reagir. Não há nada que eu possa fazer quanto ao passado. Preciso andar para frente.

– Isso mesmo. Assim é que se fala. Hoje mesmo ao sair daqui fiquei de encontrar-me com alguns amigos em um barzinho. Você pode vir comigo.

– Eu dormi muito mal esta noite. Não sei se seria uma boa companhia.

– Você vai, fica um pouco e vai embora. Pelo menos conhecerá algumas pessoas interessantes.

– Está bem. Irei.

No fim do expediente, Aline retocou a maquiagem, apanhou o carro e seguiu Rachel. Estava disposta a reagir, esquecer o passado, virar aquela página de sua vida.

Depois de estacionar ao lado da amiga, Aline olhou em volta. O lugar era bonito. O prédio era um pouco afastado e havia um enorme hall, cheio de plantas, muito bem decorado. Era um hotel; o restaurante dava para o jardim e o bar ficava em uma área envidraçada, cheia de plantas e flores.

Estava lotado e Aline adorou o lugar.

– Que lindo! – Comentou animada.

– Eu adoro vir aqui. – Respondeu Rachel alegre. – Meus amigos já chegaram, venha, vou apresentá-la.

Ela abanou a mão para uma mesa em que havia duas moças e dois rapazes.

– Esta é Aline. Vivian, Vanessa, Robert e Nicolas.

Aline cumprimentou a todos e Rachel continuou:

– Aline está há pouco tempo na cidade. Não conhecia este lugar.

– Estou encantada. – Disse ela.

Acomodaram-se, a garçonete aproximou-se e elas fizeram o pedido. A conversa fluiu fácil. Vivian era miúda, loura, olhos azuis, sorriso suave, Vanessa alta, vastos cabelos castanhos, esguia, olhos grandes, voz firme. Robert tinha estatura mediana, cabelos e olhos castanhos, sorriso fácil. Nicolas era alto, magro, pele clara, cabelos escuros, olhos negros, lábios grossos, queixo forte.

Aline gostou de todos e sentiu-se à vontade. O assunto girou em torno dela, porque nenhum deles conhecia o Brasil e estavam curiosos para saber como era a vida em nosso país.

Aline aproveitou para esclarecer alguns boatos que circulavam por lá em relação à sociedade brasileira. A conversa estava boa e Aline foi ficando.

Rachel olhou o relógio e levantou-se:

– Passa das nove. Preciso ir. Tenho que buscar John na casa de Emily.

Aline levantou-se. Rachel continuou:

– Mas você pode ficar.

– A conversa está boa, mas preciso ir.

Despediram-se, Aline trocou telefones com eles e saíram. Uma vez fora, Rachel perguntou:

– E então, o que achou?

– Gostei muito. Por momentos me esqueci de todos os problemas. Você tem razão. O que eu preciso é sair, divertir-me.

– Isso mesmo. Eles também gostaram de você. Acho que poderemos passar bons momentos juntos.

Um pouco mais animada, Aline foi para casa. Ligou o rádio do carro e logo o som de um bolero encheu o ar e ela recordou-se que aquela música estava muito em moda no Brasil.

O espírito de Marcelo, fisionomia irritada, estava a seu lado. Como ela podia estar passeando, rindo, conversando com as pessoas, como se nada houvesse acontecido?

Se fosse ela que tivesse morrido, ele estaria triste, inconformado, deprimido. Como Aline podia ser tão indiferente ao que lhe acontecera? Logo ela que fora a culpada de tudo?

Olhou para ela com raiva. Aline sentiu uma sensação desagradável, pensou em Marcelo.

Ele, notando que conseguira envolvê-la, disse-lhe:

– Você quer me esquecer, não me ama mais, mas eu não vou deixar. Por sua causa estou neste estado. Você destruiu minha vida. Logo eu, que tudo fiz para torná-la feliz. Sua ingratidão não tem desculpa.

Aline começou a lembrar-se de como Marcelo a cercava de atenções e um sentimento de culpa a invadiu. Ela reagiu:

– Não sou culpada pelo acidente. Ele exagerou como sempre. Se ele não fosse tão dramático e apegado, eu não teria fugido. Teria conversado, dito que não o amava mais e queria seguir minha vida, conforme havia planejado desde a infância.

Marcelo irritou-se ainda mais. Como ela podia ser tão fria? Ele havia sido a vítima e ela ainda o culpava!

Aline sentiu-se mal, teve náuseas, a cabeça atordoada, dores no corpo. Não via a hora de chegar em casa.

Marcelo continuava enraivecido:

– Se você pensa que eu vou deixá-la divertir-se com esses desocupados, está enganada. Você precisa voltar para nossa casa. É lá que eu quero que fique comigo.

Aline entrou em casa pálida, as pernas bambas e foi logo tomar um banho. Melhorou um pouco, mas estava preocupada.

Talvez fosse bom procurar ajuda com outro terapeuta. Não podia continuar se sentindo assim. O que ela mais desejava era progredir no trabalho, mas para isso precisava ficar bem, ter a cabeça lúcida, esquecer aqueles pensamentos desagradáveis que a estavam deixando doente.

Não podia perder essa oportunidade que fora tão duramente conquistada.

Sentou-se na cama, lembrou-se de sua família com saudade. Pensou em sua mãe, lembrou-se de que ela costumava dizer:

– Quando você não sabe o que fazer, peça a ajuda de Deus. A ajuda Dele nunca falha.

Dalva era católica convicta. Freqüentava a missa sempre que podia e reclamava porque as filhas não iam.

– Como quer que Deus se lembre de vocês se nunca rezam nem conversam com ele?

Aline acreditava em Deus do seu jeito e nunca fora ligada a nenhuma religião. Mas naquele momento, as lágrimas brotaram em seus olhos e ela teve vontade de conversar com Deus.

Por que estava sendo tão castigada? Apesar de tudo sua consciência não a acusava de nada. Por que então estava tão mal e não conseguia esquecer o passado? Estaria sendo punida por desejar uma vida melhor, por não amar mais o marido? Por que agora que ela estava realizando seus sonhos da juventude, se sentia tão mal?

Aline deu livre curso às lágrimas. Quando se sentiu mais calma, disse baixinho:

– Meu Deus, ajude-me a entender o que está acontecendo comigo. Eu quero melhorar. Por favor, mostre-me o caminho.

Marcelo, confortado pelo sofrimento dela, acomodou-se em um canto do quarto. Apesar de triste, ele achava justo que ela também chorasse. Eles estavam unidos e o que um sentia deveria afetar o outro.

Aline suspirou aliviada. O mal-estar desapareceu e ela decidiu preparar as roupas e dispor as coisas para o dia seguinte.

Ao mexer em uma bolsa, um cartão caiu no chão. Ela o apanhou e leu:

"Instituto Ferguson – Doutor William Morris – Estudos sobre Paranormalidade".

Aline lembrou-se da moça que encontrara na livraria e que a convidara para assistir uma palestra sobre vida após a morte.

Sentou-se na cama pensativa. Aquela moça lhe dissera que talvez lhe fosse útil assistir à palestra e mencionara sua mudança de vida. Como ela poderia saber?

Um arrepio percorreu seu corpo. Nunca se detivera pensando sobre a vida depois da morte. O que aconteceria com as pessoas que morrem? Seria o fim de tudo? Existiria como alguns diziam, um outro mundo para onde eles iriam?

Se isso fosse verdade, Marcelo teria ido para outro lugar. Isso não era possível. Esse assunto lhe ocorrera por estar nervosa.

Jogou o cartão na bolsa e tentou esquecer. Mas a fisionomia da moça na livraria não lhe saía do pensamento.

Ela se impressionara com o que ela lhe dissera, mas isso fora apenas coincidência. Aquela moça não a conhecia, portanto não sabia nada sobre sua vida. Dissera aquelas palavras para convencê-la a assistir à tal palestra.

Ligou a televisão decidida a não pensar mais nisso. Na manhã seguinte, porém, no escritório, ao ler os jornais, uma reportagem chamou sua atenção:

"O dr. William Morris fala sobre a vida após a morte e paranormalidade.

Em meio a uma platéia lotada, o professor Morris, como gosta de ser chamado, apresentou alguns fatos que ele diz comprovar que a vida continua em outras dimensões do Universo.

Ele garante, após mais de vinte anos de pesquisas que não só isso é verdade, como os que morrem podem se comunicar com os vivos e interferir em suas vidas.

Nossa reportagem o abordou depois da palestra, questionando suas afirmações ao que ele respondeu:

– O mundo dos espíritos é coexistente com o nosso. Quando alguém morre, abandona o corpo de carne, que lhe serviu de instrumento para interagir neste mundo. Conserva, porém, o corpo astral que possuía antes de nascer. Nossos olhos não podem vê-los, porque o corpo astral, preparado para viver em outras dimensões, vibra em uma faixa que nossos olhos não alcançam.

– Como é a vida nessas dimensões?

– Diversificada. Há muitas moradas no Universo.

Na Bíblia você encontra muitas citações sobre elas. Possuem vários níveis, e cada ser que morre, vai viver conforme seu nível espiritual.

– O senhor disse que eles podem influenciar nossa vida? Não lhe parece assustador fazer uma afirmação dessas?

– De modo algum. Quem morre continua igual era no mundo. Com os mesmo sentimentos, afetos, necessidades. Os que são apegados aos bens materiais, às pessoas que amam, muitas vezes permanecem ao lado delas, influenciando-as. Não há nada de assustador porque dizer a verdade faz com que as pessoas identifiquem o que lhes está acontecendo e procurem ajuda.

– Não será uma forma de fazer proselitismo?

– Permita-me convidá-lo para uma visita em nossos grupos de estudos, onde poderá pesquisar e comprovar o que estou dizendo. Então descobrirá que é melhor saber e tomar providências. Os laços afetivos não se rompem com facilidade, os do ódio também. Tanto um quanto outro, provocam situações que podem levar à loucura. Portanto, penso que é hora de estudar o assunto.

– Pode estar certo de que voltarei. Muito obrigado pela entrevista.

As pessoas estavam ansiosas para conversar com o dr. Morris, querendo contar suas experiências. Mas ele mandou que elas procurassem o Instituto no expediente diurno para mais informações."

Havia uma foto do dr. Morris: um homem de meia-idade, elegante, rosto enérgico, porém afável.

Ela fechou o jornal. Se isso fosse verdade, o espírito de Marcelo estaria ao seu lado e nunca a deixaria.

Rachel aproximou-se:

– Aconteceu alguma coisa? Você está pálida.

– Você acredita em vida após a morte? Você acha que quem morre pode envolver nossa vida?

– Não sei. Há muita gente séria que estuda isso e acredita. Eu, porém, nunca me detive nesse assunto. Por que pergunta?

Aline estendeu o jornal para Rachel:

– Leia isso.

A outra obedeceu, depois devolveu o jornal dizendo:

– Você se impressionou com essa entrevista. Ainda está nervosa com a morte de seu marido.

– Não foi só por isso.

Aline contou o encontro com a moça na livraria e continuou:

– Ontem, quando voltava para casa, comecei a me sentir mal, aflita, desesperada. O mal-estar não passava, e lembrando as recomendações que minha mãe costumava fazer, rezei, pedi a ajuda de Deus. Senti-me um pouco melhor. Depois, quando fui arrumar minhas roupas para hoje, apanhei uma bolsa e o cartão desse Instituto caiu no chão.

– Estou arrepiada, Aline. Que coisa! Isso pode ser um sinal. Acho que você deve ir a esse Instituto.

– Será? Eu nunca mexi com nada disso. Tenho medo.

– Eu gosto de ler os sinais que a vida dá. Esse seu foi incrível.

– Acha mesmo?

– Olha, agora até eu fiquei curiosa. Vou pesquisar, tomar informações sobre esse Instituto. Se for um lugar sério, você deve ir.

– Não sei. Só em pensar nisso fico nervosa.

– Eu vou com você. Não tenho medo de nada.

No fim da tarde, Rachel aproximou-se de Aline e entregou-lhe algumas folhas de papel:

– Veja, tomei informações sobre esse Instituto. É um lugar sério, dirigido por pessoas ilustres. O dr. William Morris, além de médico psiquiatra, tem doutoramento em filosofia. É autor de vários livros, nos últimos vinte anos vem se dedicando às pesquisas de parapsicologia ao lado do professor Rhine. Dá aulas em duas famosas universidades, é muito respeitado.

– Acha que devo ir?

– Acho. Agora, até eu fiquei curiosa. Irei com você.

– Não sei... Só em pensar nisso sinto medo. Parece que nesse lugar vai me acontecer alguma coisa ruim.

– Você está impressionada. Pelas informações, esse Instituto é freqüentado por pessoas sérias e não há razão para temer. Se o que o dr. Morris diz for verdade, o espírito de seu marido pode mesmo estar perto de você.

Aline sentiu um arrepio percorrer-lhe o corpo:

– Nem diga uma coisa dessas.

– Apegado como você disse que ele era, no caso de ele continuar existindo em outro mundo, acha que ele não ficaria a seu lado?

– É isso que me assusta. Se isso for verdade, de nada valeu eu ter me separado. Marcelo sempre jurou que nunca me deixaria.

– Pois eu, se fosse você, iria hoje mesmo a esse Instituto. O dr. Morris afirma que embora possa ser assustador, é melhor saber do que ignorar. Eu penso como ele.

– Apesar do medo que estou sentindo, acho que tem razão. É melhor ir mesmo, porque se as coisas forem como eu acredito, de que quem morre não volta, acabarei com essa história.

– Assim é que se fala. Enfrentar nossos medos é sempre melhor.

Depois que Rachel saiu, Aline dedicou-se ao trabalho. No horário do almoço, procurou o telefone do Instituto e ligou.

A atendente informou que o horário de atendimento começava às três da tarde e iria até às oito da noite.

Aline anotou o endereço e no fim do expediente, quando saíam, ela disse a Rachel:

– Estou com o endereço do Instituto. Eles atendem até às oito, pretendo ir agora. Você me acompanha?

– Sim. Só vou ligar para Beth ir apanhar meu filho no colégio.

Depois que ela ligou, saíram. Rachel iria à frente,

pois sabia onde ficava a rua do Instituto Ferguson. Aline iria segui-la.

O Instituto estava localizado em um prédio de seis andares, muito bonito, com estacionamento no subsolo. Havia muitas pessoas entrando e saindo, e elas encaminharam-se para a portaria.

Uma recepcionista as atendeu, perguntando o que elas pretendiam no Instituto. Aline contou que lera a entrevista no jornal e que elas haviam se interessado em estudar o assunto.

Depois de preencher um formulário, respondendo a algumas perguntas, foram encaminhadas cada uma para um atendente.

Aline sentou-se diante de um jovem que aparentava cerca de vinte e poucos anos, louro, cabelos encaracolados e revoltos, que sorriu para ela, olhando em seus olhos.

Aline sorriu também, e ele perguntou atencioso:

– É a primeira vez que você vem aqui?

Aline em poucas palavras contou-lhe que se separara do marido para trabalhar em Miami e ele havia falecido em um acidente de carro. E finalizou:

– Eu não sei se fiquei impressionada com a notícia de sua morte, mas não tenho me sentido muito bem.

– O que você sente?

– Angústia, medo, parece que alguma coisa terrível vai me acontecer. Sou uma pessoa alegre, mas agora tenho sentido depressão, sonolência, e quando durmo meu sono é agitado. Às vezes sinto dores no corpo, ora de um lado, ora de outro. Enjôo... É difícil explicar. Sempre fui uma pessoa saudável, nunca estive doente.

Ele olhou-a firme e perguntou:

– Seu marido era um homem moreno, bonito, alto, cabelos castanhos, covinha no queixo?

Aline remexeu-se na cadeira inquieta:

– Sim. Como sabe?

– O amor dele era dominador, foi por esse motivo

que você acabou se separando. É difícil suportar uma situação dessas.

– É verdade. Você acha que o espírito dele pode estar perto de mim?

– Não tenha medo. Ele não deseja fazer-lhe mal.

– De fato. Ele sempre me protegeu. Mas agora, ele está morto. Não creio que possa estar aqui.

– Mas ele está. Vestindo um terno azul, rosto ferido, sangue escorrendo do peito e das pernas. Ele precisa de ajuda.

Aline empalideceu. O rapaz descrevera Marcelo do mesmo jeito que ela sonhara no avião. Assustada, trêmula, não conteve as lágrimas que desceram pelo seu rosto. Sentiu vontade de fugir dali. Levantou-se.

O rapaz levantou-se também e segurou-a pelo braço, dizendo:

– Venha comigo.

– Eu quero ir embora. Não posso ficar aqui.

– Venha, não tenha medo.

Ele conduziu-a a uma sala em que um grupo de pessoas meditava em silêncio. Fê-la sentar-se e a um sinal, duas pessoas se aproximaram. A moça sentou-se na frente de Aline, segurou suas mãos, enquanto o homem colocou-se atrás da cadeira dela, impondo as mãos sobre ela, orando em silêncio.

Aline sentiu que um calor brando invadiu seu corpo e aos poucos uma sensação de alívio a envolveu. Ela foi relaxando e sentiu-se melhor.

Depois de alguns minutos, os dois se afastaram e o atendente a conduziu novamente para sua sala, fazendo-a sentar-se na sua frente.

– Sente-se melhor? – indagou atencioso.

– Sim. Estou aliviada. O que aconteceu naquela sala?

– Você recebeu uma doação energética. Vai sentir-se mais forte.

– É difícil para eu aceitar que Marcelo continua existindo em outro mundo. Isso me apavora, porque ele era muito apegado, tanto que para poder separar-me dele, precisei fugir, pois ele nunca iria aceitar.

– Ele não aceita a separação e a culpa pelo acidente.

– Eu nunca imaginei que isso pudesse acontecer. Nunca desejei mal a ele.

– Eu sei. Você não tem culpa de nada. É bom ter isso em mente, porque ele deseja que se sinta culpada para poder dominá-la.

– Ele pode estar me odiando.

– Não, isso não. Ao contrário, ele acha que é amor e que a vida só tem sentido a seu lado. Ele está enganado. As pessoas são livres. Ninguém é de ninguém, e cada um tem todo o direito de escolher seu caminho. Portanto, não dê importância aos pensamentos ruins que passam pela sua cabeça. Não são seus. Os pensamentos que está captando são dele ou até de outros espíritos desencarnados que podem querer tirar partido da situação.

– Acha que além dele, pode haver outros?

– Nós estamos rodeados de seres da outra dimensão. Espíritos que viveram neste mundo e depois da morte do corpo se negam a seguir rumo a outros destinos. Eles nos inspiram pensamentos depressivos e nós acreditamos que sejam nossos, porquanto os estamos sentindo da mesma maneira que costumeiramente nossos pensamentos funcionam.

– Como podemos diferenciar os nossos dos deles. Não acha que isso é injusto e assustador? Nós não os estamos vendo e não temos como nos defender. Por que Deus permitiria tal situação?

– Nós temos livre-arbítrio, bom senso, e podemos escolher não dando importância aos pensamentos destrutivos, alimentando apenas os bons. Dessa forma, estaremos livres dessas influências.

Aline ficou pensativa por alguns instantes, depois disse:

– É uma situação difícil com a qual não sei lidar.

Parece impossível que alguém possa nos assediar mesmo depois de morto.

– Essa é uma realidade que terá de enfrentar.

– Isso me apavora. Embora seja difícil aceitar, você o descreveu como em meus sonhos. Como poderia saber?

– Ele está ao seu lado e eu o vi.

Aline remexeu-se na cadeira. Depois perguntou:

– O que me aconselha?

– A fazer um tratamento espiritual em nosso Instituto.

– Em que consiste esse tratamento?

– Em doação de energia para que se sinta mais forte e ao mesmo tempo o ajude a aceitar a separação.

– Eu o conheço e sei que não será fácil.

Ele sorriu levemente e respondeu:

– Tudo fica fácil quando Deus ajuda.

– É verdade. Havia me esquecido disso. Acha que poderá fazê-lo entender e aceitar?

– Vamos tentar.

– Está bem.

Ele apanhou um bloco e uma caneta. Entregou-os a ela, dizendo:

– Anote aqui o nome dele completo, o dia de sua morte. Precisamos de uma foto também.

– Foto? Para quê?

– Para nossa equipe poder mentalizá-lo e trabalhar. Você precisará vir duas vezes por semana.

– Acha que ficarei bem?

– Acredito que sim. Mas prometa que vai nos ajudar, procurando não dar importância a qualquer pensamento triste, doloroso ou de culpa que sentir.

Ela prometeu. Ele escreveu um papel, entregou-o a ela, dizendo:

– Quando vier, traga este papel e procure chegar no horário.

Ela agradeceu, despediu-se e saiu. No saguão Rachel a esperava ansiosa:

– E então?

– Foi incrível. Estou tremendo até agora.

Em poucas palavras contou tudo, depois perguntou:

– E você, como foi?

– A moça que me atendeu não falou nada sobre quem já morreu, porém falou sobre pessoas vivas.

– Como assim?

– É uma história antiga, complicada. Depois eu lhe conto.

– Desculpe, não quis ser indiscreta.

– Não se trata disso. É que preciso de tempo para pensar no que ela me disse. Como é que ela podia saber tanto sobre minha vida?

– Vai ver que algum espírito lhe contou, como aconteceu comigo.

– Vamos embora que preciso buscar o John. Outro dia vou lhe contar tudo.

– Não é preciso. Eu só queria saber se com você aconteceu o mesmo que comigo.

– Ela pediu-me que me inscrevesse em um dos cursos. Disse que me ajudaria a lidar com meu problema. Vou pensar, mas estou inclinada a fazer. Agora vamos.

Elas saíram logo, despediram-se e cada uma foi apanhar o carro.

Durante o trajeto, Aline não podia esquecer das palavras do atendente. Marcelo estava vivo e ao seu lado.

Pensando nisso encolheu-se, receosa.

De fato, ele estava ali, triste, assustado. Quando Aline entrara naquela sala e as pessoas começaram a rezar, ele sentiu-se angustiado.

Aquelas pessoas desejavam separá-lo dela. Assustado, saiu e foi esperá-la perto do carro. Estava disposto a não permitir que o separassem dela.

Resistiria. Faria qualquer coisa para ficar com ela. Estava sentado ao lado dela no carro. Notou os pensamentos dela e disse angustiado:

– Não tenha medo de mim. Acha que lhe faria mal?

Aline sentiu arrepios e encolheu-se ainda mais.

Ele afastou-se triste e resolveu manter distância até que ela se acalmasse.

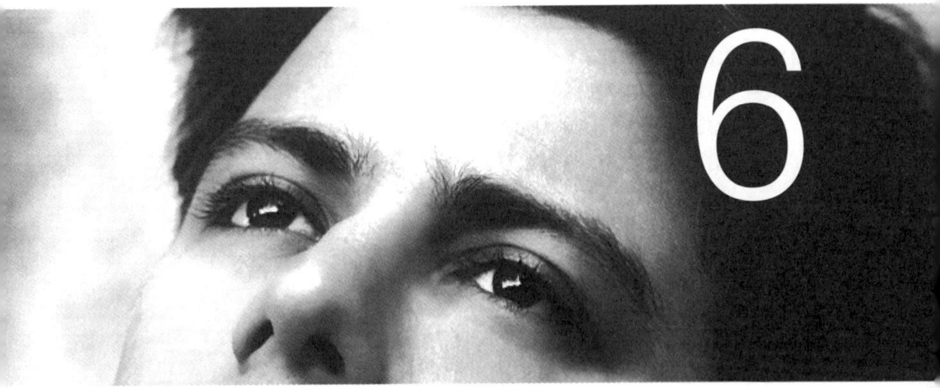

6

Aline chegou em casa mais calma. Por mais que a incomodasse o pensamento de que o espírito de Marcelo a estivesse assediando, confortava-a saber que poderia contar com a ajuda do Instituto.

Eles falavam do assunto com tal naturalidade, demonstravam tanto conhecimento, que, certamente, encontrariam uma forma de resolver seu problema.

Decidiu então fazer a sua parte, evitando os pensamentos tristes. Ligou a televisão e uma canção em voga encheu o ar. Satisfeita, ela preparou algo para comer e sentou-se diante do aparelho, com a bandeja na mão, esforçando-se para esquecer suas preocupações e prestar atenção no show.

Em poucos instantes, esqueceu de tudo, embalada pela música, o que irritou Marcelo.

– Como ela pode ser tão indiferente? Ficar tão alegre enquanto eu estou sofrendo? Eu fiz tudo por ela, até morri por culpa dela. Faz tão pouco tempo e ela nem liga. Parece até que ficou feliz com minha morte.

Nesse momento, ele viu uma luz muito clara aproximar-se e logo uma mulher aparentando cerca de quarenta anos, muito bonita, trajando um lindo vestido azul que ia até os pés, entrou no quarto.

Ele notou logo que não se tratava de uma pessoa encarnada, porque ela o viu de pronto e sorriu.

– Quem é você? – Indagou ele, admirado.

– Sou Cora. Uma pessoa amiga que deseja ajudá-lo.

– Estou muito bem e não preciso de ajuda.

– Você está ferido. Precisa de tratamento.

– Isso foi por causa do acidente, mas está melhorando. Com o tempo ficarei bom.

– Vim buscá-lo para fazer um tratamento.

– Você quer me separar de Aline. Eu sei.

– Eu quero que você fique curado. Quando estiver bem, se quiser poderá voltar.

– Eu não posso ir. Tenho de cuidar dela sozinha nesta cidade estranha.

– Ela sabe se cuidar. Sem atendimento, seu estado pode piorar.

– Não adianta insistir. Eu não quero ir.

– Seria melhor para você. O que espera conseguir ficando ao lado dela do jeito que está? Sempre que se aproxima dela, passa sua angústia, suas dores, seu mal-estar, sua tristeza. Ela sente-se mal.

– Ela se sente assim por causa da culpa. Você sabe, ela foi a causadora da minha desgraça.

– Não é verdade. Você foi o causador do seu acidente.

Ele irritou-se:

– Eu sei que você veio porque quer me separar de Aline. Eu ouvi aquele sujeito dizer que iriam me tirar do lado dela. Acho que você faz parte daquele grupo. Podem fazer o que quiserem, eu não vou. Não saio daqui de forma alguma.

– Você só irá comigo se quiser. Devo adverti-lo, porém, de que será muito melhor ir comigo do que insistir em ficar em um lugar que não é o seu.

– Deixe-me em paz. Daqui eu não saio.

Ela afastou-se e desapareceu. Marcelo suspirou aliviado. Pouco depois, um rapaz alto, forte, cabelos escuros, trajando um terno cinza, entrou no quarto e

Marcelo olhou-o preocupado.

– Não se assuste amigo. Desculpe a intromissão, mas acho que você precisa de ajuda.

– Se veio me pedir para deixar Aline pode desistir. Ela é minha mulher e daqui eu não saio.

– Você está certíssimo. Seu lugar é ao lado dela. Eu vim porque vi que você está sendo envolvido por pessoas que não desejam seu bem.

– A quem se refere?

– Àquela mulher que esteve aqui há pouco. Ela faz parte daquele grupo onde sua mulher foi hoje à tarde.

– Logo vi. Foi o que pensei.

– Ela é perigosa. Com essa conversa mansa, vai envolvendo e acaba conseguindo o que quer.

– Ela quer me separar de Aline, mas não vai conseguir.

Ele riu irônico:

– Ela tem força e se você não se preparar, ela logo voltará com mais força e você terá de ceder.

– Nunca! Eu não teria aonde ir longe de Aline.

– Você gosta mesmo dela.

– Adoro. Não a deixarei nunca.

– Essas histórias de amor me comovem. Eu também amei muito e sofri demais. Entendo o que você está passando. Até sei o que vai acontecer. Uma mulher jovem, bonita, cheia de vida como Aline, um dia vai aparecer um outro, ela vai se interessar e quando você menos esperar, estará casada de novo.

Marcelo fechou os punhos com raiva:

– Isso nunca vai acontecer. Não vou deixar.

– Estou aqui para ajudá-lo. Você precisa fazer com que sua mulher lhe dê o valor que merece. Notei que ela nem se incomodou com sua morte. Você pensou que ela o amasse!

– Pensei. Nunca imaginei que ela pudesse fazer o que fez. Mas ainda assim, eu não quero perdê-la.

Ele aproximou-se dando uma palmadinha nas costas de Marcelo e dizendo:

– Você não vai perdê-la. Eu estou aqui para ajudá-lo.

– Obrigado. Até que enfim, encontrei um amigo.

– Isso mesmo. Um amigo para o que der e vier. Meu nome é Vitor.

– Eu sou o Marcelo.

– Foi bom tê-lo encontrado. Você precisa conhecer meus amigos. Juntos poderemos fazer qualquer coisa.

– Gostaria de conhecê-los, mas não quero sair daqui. Aline pode fazer uma besteira.

– Há tempo para tudo. Logo ela estará dormindo e nós poderemos ir.

– Mesmo assim, não quero ir. Custei para encontrá-la e se eu sair, outros poderão tomar o meu lugar. Aquela mulher, por exemplo.

– Não se preocupe. Eu posso colocar perto dela um alarme e se algo acontecer, voltaremos imediatamente.

Marcelo hesitou.

– Você tem esse poder?

– Claro! Se fizer o que eu digo, terá esse poder e muito mais.

Marcelo olhou-o admirado:

– Você deve ser importante mesmo.

O outro ergueu a cabeça com altivez e respondeu:

– Eu pertenço a um grupo que tem muita força.

– Eu estou um tanto perdido. Desde o meu acidente, não tenho estado bem. Sinto dores e, de vez em quando, a cabeça roda, parece que vou perder os sentidos.

– É por esse motivo que quero apresentá-lo a meus amigos. Eles vão cuidar de você e logo ficará bom.

– Eu gostaria, mas não posso sair daqui.

– Olhe, ela já se deitou. Assim que adormecer poderemos ir.

Aline estava cansada e com sono. Virou-se de lado e logo adormeceu. Marcelo viu quando ela deixou o corpo e imediatamente quis abordá-la, porém Vitor o impediu, dizendo:

– Não faça isso. Deixe-a ir. Ela está acompanhada de um amparador.

– Não estou vendo ninguém.

Vitor colocou a mão direita sobre a testa dele que imediatamente viu o espírito de Aline se distanciando, abraçada a uma mulher jovem e bela, iluminada por uma luz azul.

– Quem é essa mulher? Ela está levando Aline. Não vai roubá-la de mim?

– Não. Aline está apenas dormindo. Essa mulher a está protegendo e o aconselho a não se aproximar dela.

– Por quê?

– Ela trabalha para a luz.

– E você trabalha para quem?

– Para os que como nós queremos cuidar dos nossos problemas. Os servos da luz são cheios de regras. Têm conversa mansa, levam-nos para longe e nos prendem. Então, somos obrigados a fazer tudo o que eles mandam.

– Deus nos livre.

– Isso mesmo. Nós não queremos ninguém nos dizendo o que fazer, unimo-nos e somos capazes de cuidar dos nossos problemas. Não são só eles que têm poder, nós também temos. Nosso grupo é poderoso. Venha, agora podemos ir.

Marcelo hesitou:

– Não sei. E se eles nos prenderem também?

Vitor riu incrédulo:

– Nem pense nisso. Lá somos uma democracia, lutamos pela nossa liberdade. Venha comigo, garanto que não vai se arrepender. Estaremos de volta antes de Aline.

– Nesse caso, eu vou.

– Assim é que se fala.

Vitor segurou o braço de Marcelo e, juntos, volitaram rumo ao desconhecido. Marcelo estava deslumbrado. Desde que desencarnara nunca havia deslizado pelo espaço.

Via-se transportado aos lugares, sem saber como havia transposto a distância. Pensava e, de repente, via-se no lugar. Assim entrara naquele avião, assim descobrira o flat de Aline.

Vitor deveria ser mesmo poderoso para conduzi-lo daquela forma. A princípio andaram sobre a cidade adormecida vendo o céu cheio de estrelas, mas logo entraram em uma onda de neblina, e Vitor recomendou:

– Esta zona é um tanto perigosa. Mas não tenha medo, eles não poderão nos ver.

Marcelo viu vultos escuros, pessoas mal vestidas parecendo doentes, assustou-se, mas acalmou-se ao notar que eles deslizavam sem serem vistos.

A neblina se foi e ele divisou uma fortaleza, cercada por altos muros. Vitor parou em frente ao grande portão dizendo:

– Chegamos.

Marcelo olhou em volta preocupado. Pareceu-lhe haver regredido no tempo e voltado à Idade Média.

Vitor disse o nome e o portão se abriu. Eles entraram. Marcelo sentiu um arrepio de medo vendo o imenso portão fechar-se novamente.

O lugar não era nada alegre. Havia homens de uniforme por toda a parte. Vitor parecia muito à vontade, cumprimentando-os.

– Venha, desejo apresentá-lo a um amigo. Mimo é um dos diretores desta casa.

– Estou preocupado. Tem certeza de que estaremos de volta antes que Aline acorde?

– Nunca duvide da minha palavra. Eu disse que o levaria de volta e vou cumprir.

– Desculpe-me. É que estamos muito longe. Eu não saberia voltar sozinho.

– Eu vou levá-lo. Conheço bem o caminho. Venha.

Foram andando pelo imenso pátio até um dos lados do prédio e pararam diante de uma porta que se abriu assim que eles subiram o degrau que a antecedia.

Entraram em um corredor de pedra, iluminado por archotes, até um saguão onde havia uma mesa e um homem sentado, manipulando uma máquina muito parecida com um computador.

Vendo-os chegar, Vitor cumprimentou-o, apresentou Marcelo e pediu:

– Quero falar com Mimo.

– Ele os está esperando. Podem entrar.

Vitor conduziu Marcelo para uma porta toda trabalhada dizendo:

– A sala dele é aqui.

Não precisou dizer nada e a porta abriu-se; eles entraram. A sala era luxuosa, cheia de tapeçarias e veludos, os móveis pesados e de madeira caprichosamente trabalhada, as cores escuras, tornando o ambiente pesado que a luz de alguns lampiões tornavam um tanto irreal.

Marcelo não gostou do que viu. Sentado em um divã, estava um homem calvo, gordo, de meia-idade, vestido com uma roupa de veludo, fumando em um aparelho parecido com o de ópio, soltando baforadas no ar.

Em seu rosto redondo, os olhos argutos e magnéticos prendiam a atenção. Vitor aproximou-se, saudando-o e dizendo:

– Trouxe um amigo que precisa de ajuda.

Mimo fixou-os e seu rosto tornou-se amável, quase terno, quando respondeu:

– Fez bem. O amigo está mesmo muito necessitado. Aproxime-se.

Animado pelo tom suave, quase carinhoso, Marcelo aproximou-se.

Mimo designou o lugar a seu lado dizendo:

– Sente-se aqui, meu filho. Vamos ver o que posso fazer por você. Conte-me tudo.

Marcelo obedeceu e, assim que se sentou, foi acometido de forte emoção. Recordou-se de tudo o que lhe acontecera desde que encontrara a carta de Aline, deixando que a emoção tomasse conta de si mesmo. Chorou desesperado, enquanto Mimo passava a mão pela sua cabeça.

– Chore, meu filho. Desabafe. Você tem razão de

se revoltar. O que essa mulher fez com você foi terrível. Ela não teve pena de sua dor. Pagou com ingratidão tudo quanto fez por ela. Estou vendo o que você passou. Pobre menino. Ela não merece seu amor. Ela tem que pagar.

– Não. Eu a amo. Só quero que ela me veja e que fique comigo.

– Apesar de tudo quer ficar com ela? É uma mulher que não o merece.

– Mas eu não posso viver sem ela. Eu quero que ela fique comigo.

– Nesse caso, podemos fazer com que ela venha para cá.

– Como pode ser isso?

– Podemos acabar com o corpo dela. Assim ela virá para cá e ficará com você.

Marcelo assustou-se:

– Mas eu a amo. Não posso querer que ela morra.

– Nesse caso não podemos fazer nada. Essa é a única forma de ela vir ficar com você.

Marcelo suspirou triste sem saber o que dizer. Bem que ele gostaria que Aline viesse ter com ele, mas a esse preço, seria justo?

– Foi justo o que ela fez com você? – Indagou ele.

Marcelo percebeu que Mimo lera seu pensamento. Era de fato muito poderoso. Ele teve medo do que poderia acontecer a Aline. Por isso respondeu:

– Não quero chegar a esse ponto. Só desejo ficar ao lado dela para sempre.

– Nesse caso terá de esperar que chegue a hora dela.

– Estar ao lado dela é tudo quanto quero. Se quer me ajudar, não deixe que ninguém nos separe e eu ser-lhe-ei eternamente grato.

Mimo deu uma aspirada no aparelho de ópio, depois disse sorrindo:

– Aqui ninguém precisa da sua gratidão. Nós trabalhamos à base de troca. Fazemos favores e as pessoas nos fazem favores. É tudo muito sério e organizado. Só não admitimos traição. Aqui a palavra vale mais que tudo. Eu posso conseguir o que você quer, do jeito que quiser, mas é bom saber que terá de nos prestar um serviço em troca.

– Que tipo de serviço?

– O que for preciso. É um trato justo, não acha?

Marcelo hesitou um pouco, depois concordou:

– É, acho que é.

– Aqui nós não obrigamos ninguém. As pessoas são livres para decidir. Volte para a casa dela, pense bem, mas se aceitar nossa ajuda, saiba que terá de corresponder conforme nosso trato.

Marcelo concordou e Vitor aproximou-se:

– Obrigado mestre. Marcelo ainda não se recuperou do acidente. Suas feridas sangram, sente dores. Posso levá-lo à enfermaria para um curativo?

– Vamos atendê-lo por cortesia. Pode levá-lo.

Eles agradeceram e saíram. De volta ao pátio, Marcelo respirou aliviado. Vitor conduziu-o a uma ala do prédio onde ele foi atendido e encaminhado a uma enfermeira.

– Mirela, este é Marcelo. Precisa de ajuda.

Ela voltou-se e fixou-o emocionada:

– Renato! Quanto tempo!

Marcelo olhou-a admirado. Era uma mulher de uns trinta anos, pele clara, olhos azuis e cabelos castanhos, muito bonita. Seu rosto era-lhe familiar. De onde a conhecia? Não se lembrava.

– Você está enganada. Meu nome é Marcelo.

Ela abraçou-o trêmula e respondeu:

– Você ainda não se lembra! Mas eu nunca o esqueci.

– Eu disse que você está enganada. Nós não nos conhecemos.

– Não vou insistir. Tudo acontecerá a seu tempo. Venha, vou ajudá-lo.

Conduziu-o a sala ao lado dizendo:

– Deite-se na maca.

Ele obedeceu. Olhou em volta e viu que havia vários aparelhos atrás da maca, ligados entre si. Mirela apertou um botão e a sala ficou iluminada por uma luz de cor azul.

Marcelo sentiu a cabeça rodar e quis levantar, mas ela o segurou:

– Relaxe. Não tenha medo. Estamos limpando suas feridas. Acalme-se. Logo se sentirá melhor.

Marcelo reviveu o momento do acidente, mas aos poucos a sensação de pânico foi passando.

– Respire fundo e não se preocupe com nada. Relaxe.

Ele sentiu-se mais calmo e notou que a queimação que sentira nas feridas havia passado. Ela acendeu uma luz verde e Marcelo começou a sentir uma sensação de paz que há muito não sentia.

Mirela começou a passar as mãos sobre o corpo dele, sem tocá-lo. De suas mãos saía uma energia laranja que penetrava em seu corpo, provocando-lhe a sensação de vigor.

Ele não conseguiu saber quanto tempo durou o tratamento, mas quando ela acendeu as luzes e perguntou como ele estava se sentindo, respondeu:

– Parece um verdadeiro milagre. A dor e o mal-estar desapareceram.

A um gesto dela, Marcelo sentou-se. Ela desligou alguns aparelhos e perguntou:

– Você também terá de ficar aqui?

– Não. Vim só conhecer. Vou voltar já para o lado de minha mulher.

– Você está casado?

– Estou. Mas minha esposa ainda vive no mundo. Eu sofri um acidente de carro e vim para cá. Mas não me conformo. Embora ela não possa me ver, vou ficar lá, com ela.

Mirela olhou-o triste:

– Você precisa aceitar a separação. Não é bom insistir em uma coisa que não tem como continuar. Chegará o dia em que terá de deixá-la quer queira ou não.

Marcelo trincou os dentes:

– Isso nunca acontecerá. Obrigado pela ajuda. Estou me sentindo aliviado. Veja, as feridas estão cicatrizadas. Nunca esquecerei o que fez por mim.

– Gostaria de fazer muito mais. Infelizmente, no momento, não posso.

– Preciso ir. Vitor está me esperando. Vamos voltar à Terra.

Mirela hesitou um pouco, depois disse:

– Cuidado com as pessoas daqui. Você fez algum trato com alguém?

– Não. Por que está me dizendo isso?

– Porque nem sempre as coisas são o que parecem.

– Bem, preciso ir. Mais uma vez obrigado por tudo.

Ele dirigia-se para a porta, mas Mirela segurou-o pelo braço:

– Por favor, não conte ao Vitor o que eu lhe disse. Eles podem não gostar.

– Fique sossegada. Não direi nada.

Mirela fixou-o emocionada e em seus olhos havia o brilho de uma lágrima quando disse:

– Apesar de tudo, vê-lo foi uma gratificante emoção.

Marcelo sentiu uma onda de ternura envolvê-lo e abraçou-a com carinho:

– Não sei explicar, mas parece que já vivemos outros momentos como este.

– Já sim. Um dia você se lembrará e, quem sabe, poderemos falar do passado e rever nossos sentimentos.

– Sinto que isso é verdade. Por que será que não me lembro?

– Porque seu coração ainda está mais ligado aos que ficaram na Terra do que a sua vida astral. Quando isso passar, você vai lembrar.

– Por que não me conta tudo?

– Porque é você que precisa recuperar sua memória. Isso tem de acontecer de uma forma natural. É melhor não forçar.

– Nesse caso já vou. Obrigado. Estou me sentindo

muito melhor. Gostaria de fazer alguma coisa por você em agradecimento.

– Eu também preciso de ajuda. Reze por mim.

– Não sou muito de rezar, mas vou tentar.

Ela abriu a porta e Marcelo saiu. Vitor o esperava e, vendo-o, disse contente:

– Nossa, como você melhorou! Perdeu aquele aspecto aterrador.

– Essa enfermeira faz milagres. Estou me sentindo bem melhor, ótimo.

Vitor fixou-o com certa preocupação e perguntou:

– Ela chamou-o de Renato, disse que o conhecia. Você se lembrou de onde?

– Não.

– Ela não contou nada?

– Não. Achei curioso, mas se fosse verdade eu teria lembrado. Ela deve ter se enganado.

– Pode ser mesmo.

– O tratamento dela é poderoso. O que fez comigo parece um milagre.

– Ela tem o dom de curar as pessoas. Precisamos ir embora. Vamos.

Marcelo concordou. Vitor segurou seu braço e foram volitando. Dentro de pouco tempo estavam de volta ao apartamento de Aline.

Entraram no quarto dela, que dormia tranqüila. Da sua nuca saía um cordão prateado que se perdia na distância.

– O que significa isso? – Indagou Marcelo, admirado.

– Nada de mais. O espírito dela ainda não voltou ao corpo.

– Ela dorme todas as noites, mas eu nunca tinha visto isso antes.

– É porque você agora melhorou, está mais sensível. Bom, mas eu preciso ir. Pense bem no que o mestre lhe disse. Vou ficar ligado a você. Se desejar me ver é só me chamar que virei.

– Obrigado por tudo. É muito bom ter um amigo.

– Pode contar comigo.

Ele se foi e Marcelo sentou-se ao lado da cama. A aventura daquela noite havia sido fantástica. Lembrou-se de Mirela e sentiu certo enternecimento.

Quem seria ela? Algum dia teria representado alguma coisa em sua vida? Não saberia dizer. Mas a emoção aparecia quando se lembrava dela.

De repente, ele teve sua atenção despertada. Aline estava entrando pela janela fechada. Estava linda, seu corpo espiritual envolvido em luz.

Marcelo fitou-a embevecido. Parecia uma deusa. Mas ela passou por ele e acomodou-se no corpo adormecido, suspirando levemente. Depois, virou de lado e continuou dormindo.

Ainda sob a forte emoção do momento, Marcelo acomodou-se ao lado dela na cama, abraçou-a e por sua vez adormeceu.

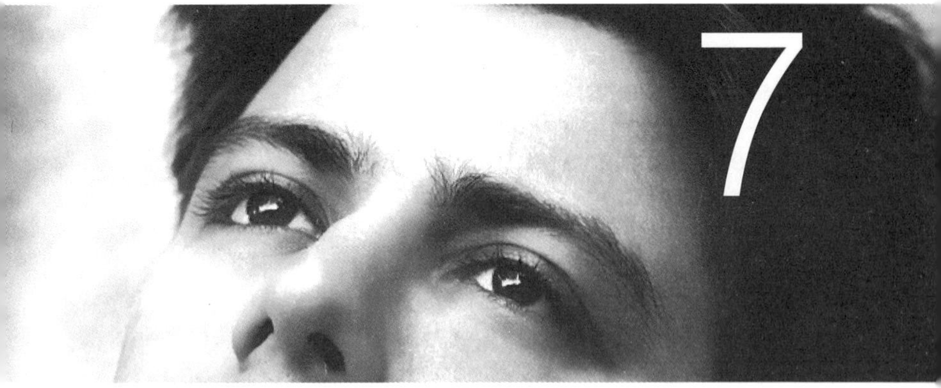

7

Rodrigo chegou ao escritório mais cedo e dirigiu-se logo à sala de projetos. Na noite anterior havia trabalhado até tarde e não conseguira acabar o trabalho. Tinha de apressar-se porque o prazo estava vencendo e a multa contratual era alta.

Fazia um mês que Arlete havia começado a trabalhar em sua empresa e ele estava muito satisfeito. Ela cuidava da parte administrativa e financeira com competência e seriedade, deixando-o livre para fazer seu trabalho com tranqüilidade.

Além disso, trazia toda documentação em ordem, com capricho e dedicação. Nunca a empresa estivera tão bem gerenciada como nas mãos dela.

Satisfeito, Rodrigo sentou-se diante da mesa de trabalho revendo o que fizera no dia anterior e começou a trabalhar.

Pouco depois, a porta abriu-se e um homem entrou sem bater. Rodrigo olhou-o surpreendido:

– *Seu* João! O que quer aqui?

– Primeiro quero saber: o que aquela mulher está fazendo aqui?

Rodrigo não entendeu e perguntou:

– Mulher, que mulher?

– A irmã daquela safada da Aline.

– O senhor está nervoso sem razão. Sente-se, vamos conversar.

– Não quero ninguém daquela família na empresa de meu filho. Mande-a embora.

Rodrigo olhou-o com ar sério. Sentou-se novamente e respondeu:

– Não posso fazer isso.

– Como não?

– Primeiro, porque quer o senhor queira ou não, Aline é a única herdeira dos bens de Marcelo. Segundo, porque Arlete ofereceu-se para me ajudar no lugar da irmã. Ela é muito competente e eu não posso ficar sem a sua ajuda.

João, nervoso, passou a mãos nos cabelos:

– Não posso acreditar no que está dizendo. Ela abandonou o lar, foi a culpada pela morte de meu filho, não pode herdar seus bens.

– Marcelo morreu em um acidente de carro e Aline nem estava presente. A lei não reconhece nela nenhuma culpa. Portanto, ela é sua única herdeira.

– Eu e minha mulher não vamos aceitar isso. Há de haver justiça nesta Terra. Vou entrar com uma queixa crime contra ela.

– Faça como quiser, *seu* João, mas será inútil. Vai gastar dinheiro à toa.

– De que lado você está? Pensei que fosse amigo de Marcelo. Agora vejo que nunca foi.

– O senhor está sendo injusto.

– Se fosse amigo dele não aceitaria essa mulher nesta empresa. É uma traição sem tamanho.

– Não penso assim. Acho que o senhor deveria refletir melhor antes de condenar Aline. Nós não sabemos as razões que ela teve para ir embora.

– Certamente fugiu com outro. O que mais poderia ser? Por que uma mulher casada com um homem que a adorava, dava-lhe uma vida de rainha, fazia-lhe todas as vontades, iria embora? Só pode ser por uma paixão desenfreada, uma loucura.

– Pelo que sei não foi isso o que aconteceu. Aline não está vivendo com ninguém. Está trabalhando.

– É o que dizem seus familiares para encobrir seu erro. Mas em casa todos sabemos a verdade.

– O senhor está sendo maldoso.

– Você está aprovando o que ela fez.

– Eu não aprovo nem desaprovo, uma vez que não estou dentro dela para saber os motivos que a levaram a fazer isso.

– Você está mais é arranjando uma desculpa para poder justificar sua atitude dando emprego à irmã dela.

Rodrigo procurou conter a indignação com a atitude dele. Não queria levar adiante aquela discussão, primeiro porque era o pai de Marcelo, e estava ferido pela dor da perda do filho, e segundo porque precisava estar com a cabeça leve para poder terminar o trabalho.

Respirou fundo e respondeu:

– O senhor pensa diferente de mim. Respeito seu ponto de vista. Não vamos discutir. O senhor ainda não disse o que veio fazer aqui.

– Eu vim para tratar dos negócios de Marcelo.

– Nesse caso é melhor procurar um advogado porque pelo que sei a família de Aline já abriu o inventário.

– Não podiam fazer isso sem nos consultar.

– Tanto podiam que fizeram. Segundo a lei, Aline é a única herdeira dos bens de Marcelo. Se não acredita, aconselho-o a procurar informar-se.

– Vai ver que foi você quem os orientou a fazer isso na calada da noite, aproveitando-se de que estávamos mergulhados na dor.

Rodrigo estava no auge da irritação e a custo conseguiu dominar-se:

– Olha, *seu* João, eu o respeito muito, sei que está

sofrendo, mas isso não lhe dá o direito de me ofender. Vá para casa, procure se acalmar, e outro dia voltaremos a conversar.

João levantou-se, lançou um olhar irritado, e disse nervoso:

– Pensei encontrar um amigo, estava enganado. Não tenho mais nada para falar com você. De agora em diante vou procurar meus direitos perante a lei. Você não perde por esperar.

Ele saiu pisando duro e batendo a porta com força. Rodrigo sentou-se angustiado. Arlete entrou em seguida:

– Desculpe-me, mas vocês falavam alto e não pude deixar de ouvir.

– Foi difícil me controlar. Se ele não fosse o pai de Marcelo...

– Foi melhor assim. *Seu* João estava fora de si. Nunca procurou se informar sobre o que aconteceu. Preferiu transformar sua dor em ódio e jogar tudo sobre Aline e nossa família.

– Escolheu o pior caminho. Isso só vai levá-lo a uma dor maior.

– Pensam que só eles estão sofrendo. Não sabem o quanto meus pais estão chocados e Aline está sofrendo.

Rodrigo olhou-a nos olhos e disse sério:

– Eu também tenho me perguntado o porquê de Aline ter ido embora daquele jeito.

– Aline desde pequena desejou ir morar nos Estados Unidos. Começou estudar inglês tão cedo e com tanto empenho que fala esse idioma com perfeição. Não queria namorar nem casar, mas ir para lá. Marcelo se apaixonou e a seguia por toda a parte. Começaram a namorar após muita insistência dele. Ele a cercou de tanto carinho que a conquistou. Meus pais não queriam que ela deixasse o país e fizeram de tudo para que ela se casasse com ele.

– Sempre me pareceu que eram felizes juntos.

– Ela gostava dele, mas penso que não o suficiente

para esquecer completamente seus planos. Diante da família ela não os mencionava, mas comigo se abria, falando do seu entusiasmo com tudo o que era relacionado àquele país.

– Talvez se tivessem tido filhos ela teria esquecido tudo isso. O instinto maternal é muito forte.

– Segundo sei, apesar de Marcelo desejar ter filhos, Aline sempre os evitou sem dizer nada a ele. Sei que ela tomava pílulas.

– Nesse caso, Aline não foi sincera com ele. Eu fui testemunha do quanto ele desejava ser pai.

– Apesar de casada, penso que Aline nunca deixou de pensar em realizar seus sonhos de criança. E foi isso o que ela fez. Arranjou um emprego em uma companhia em Miami, não disse nada a ninguém e se foi.

– Marcelo era muito apegado a ela. Imagino como ficou chocado ao encontrar a carta. Imaginou que podia tentar impedi-la de embarcar, pegou o carro e deu no que deu. Talvez se Aline houvesse conversado com ele, dito a verdade, teria sido melhor.

– Minha irmã sempre enfrentou seus problemas de frente, mas no caso de Marcelo, não sei se teria dado certo. Ele telefonava várias vezes por dia, não dava folga, ficava o tempo inteiro em volta dela. Nunca permitiria que ela fosse embora.

– É por esse motivo que eu nunca vou amar ninguém. Tenho horror à dependência.

– Você nunca se apaixonou?

– Nunca. Nem vou me apaixonar. A vida a dois é muito difícil. A mulher é muito diferente do homem.

– Você é contrário ao casamento.

Havia uma certa provocação nos olhos dela, ao que ele respondeu sorrindo:

– Sou, mas não contra as mulheres.

– Pela quantidade de telefonemas femininos dá para notar.

– Tenho muitos amigos e gosto da vida social. Mas

você parece o oposto. Nunca nos encontramos nos lugares da moda.

– Eu prefiro um bom livro ou uma conversa inteligente com amigos. Não freqüento lugares da moda nos quais as amizades são superficiais. Costumo selecionar meus amigos.

Rodrigo olhou-a pensativo.

– Eu deveria ter dito que tenho muitos conhecidos, porque de fato, amigos verdadeiros são raros. Mas voltando ao nosso assunto, você acha que Aline se arrependeu?

– Ela ficou muito chocada com a morte trágica de Marcelo. De certa forma sentiu-se culpada, mas por outro lado disse que não o amava mais e que não era justo continuar vivendo com ele. Lamenta o que aconteceu, mas resolveu continuar vivendo lá, gosta do emprego, da cidade. Quer tocar a vida para frente.

– Talvez seja melhor mesmo ela não voltar, pelo menos por enquanto. Os pais de Marcelo não vão poupá-la.

– Sem falar das recriminações de meus pais. Eles são pessoas simples, gostavam muito de Marcelo, pensavam que casando Aline com ele, estariam isentos de problemas futuros. Não conseguem entender o que ela fez.

– Com o tempo eles vão esquecer. Já a família de Marcelo será mais difícil. Estão muito revoltados.

– Dá para entender. Perder um filho é a maior dor que um ser humano pode sentir. Agora, vamos esquecer e trabalhar. A vida continua e temos de seguir em frente.

Rodrigo concordou e voltou à mesa para continuar trabalhando. A conversa com Arlete tivera o dom de fazê-lo esquecer a irritação que as palavras de João haviam provocado.

Mais disposto, retomou o seu projeto e começou a trabalhar.

Seu João deixou o escritório do filho ruminando a raiva. Rodrigo não era o amigo de Marcelo que ele pensara que fosse. Onde já se viu ficar do lado de Aline?

Ele não podia perdoar isso. Arlete, trabalhando na sala que fora de Marcelo era ultrajante. Era como colocar no lugar do filho, seu próprio inimigo. Mas isso não podia ficar assim.

Com mãos trêmulas procurou na carteira o cartão de um advogado que lhe haviam dado; encontrando-o, decidiu procurá-lo imediatamente.

Foi até lá e infelizmente para ele, a resposta que obteve não foi a que desejava. As palavras do advogado confirmaram o que Rodrigo lhe havia dito.

Marcelo se casara em comunhão de bens e Aline era sua única herdeira. João não poderia fazer nada e o advogado aconselhou-o a esquecer o assunto.

João chegou em casa inconformado. Ivone o esperava ansiosa. Assim que o marido entrou perguntou:

– E então?

– Você não pode imaginar o que aconteceu.

– Pela sua cara vejo que deu tudo errado.

Ele sentou-se, tirou o lenço, enxugou o suor e suspirou nervoso.

– Fala homem, como foi? – Insistiu ela.

– Quando entrei na sala do Marcelo sabe quem estava lá com ares de dona? Arlete!

– A irmã daquela desavergonhada?

– Essa mesma. Está trabalhando no lugar do nosso filho, como se o escritório fosse dela.

– Como é que Rodrigo aceitou uma coisa dessas?

– Foi isso que fui perguntar a ele. Mas sua resposta me deixou com muita raiva. Disse que Arlete era muito competente e que havia assumido no lugar de Aline por ela ser a herdeira de Marcelo.

– O quê? Ela ficou com tudo que era de nosso filho?

– Ficou.

– Isso é um insulto. Ele deve estar se remexendo no caixão.

– Rodrigo ainda quis defender aquela assassina e eu saí de lá muito nervoso.

– Nós não podemos permitir que isso continue. Você precisa procurar um advogado.

– Eu já fui e ele disse que não podemos fazer nada. Eles eram casados em comunhão de bens. Aline é a herdeira de tudo.

Ivone não se conformou. Lágrimas de revolta desceram pela sua face, e ela exclamou:

– Deus não há de permitir que eles fiquem impunes e ainda com tudo o que era dele.

– Segundo a lei não podemos fazer nada.

– O que está acontecendo aqui? Por que a mamãe está chorando?

Márcio havia entrado e eles não haviam notado. Olhando o filho, Ivone chorou ainda mais. Foi João quem respondeu:

– A irmã de Aline tomou posse de tudo o que era de Marcelo. O advogado disse que é um direito de Aline e não podemos fazer nada.

Márcio abraçou a mãe, que o olhou dizendo:

– Meu filho, agora só temos você. Tem que fazer alguma coisa em nome de seu irmão. Isso não pode ficar assim.

Márcio era o irmão dois anos mais novo que Marcelo e fisicamente parecia-se com ele. Ficou abraçado à mãe, sentindo o coração apertado. Seu irmão havia sido seu ídolo. Enquanto ele era tímido, Marcelo era expansivo, extrovertido e o ajudara muitas vezes em suas dificuldades pessoais.

A morte do irmão atingira-o profundamente. A vida toda se apoiara tanto nele que agora sentia-se meio perdido, sem rumo.

Trincando os dentes respondeu com raiva:

– Tem razão, mamãe. Isso não pode ficar assim.

– Nós não vamos poder fazer nada – interveio João –, a lei está do lado deles.

– Se a lei não permite, tentaremos outro caminho. – Tornou Márcio.

Os dois olharam-no interessados e Ivone perguntou:

– Qual?

– Tenho um amigo que freqüenta um lugar onde eles fazem milagres.

João meneou a cabeça negativamente:

– Isso é bobagem. Não creio que possa funcionar.

– Pois eu acredito. – Rebateu Ivone. – Dora descobriu que o marido tinha uma amante, estava a ponto de sair de casa. Ela foi em um terreiro, fez tudo que mandaram, pouco tempo depois a outra sofreu um acidente, quase morreu, acabou indo embora para longe e o marido dela voltou para casa com o rabo entre as pernas. Ela me contou.

– Pode ter sido coincidência. – Disse João.

– Não foi não. O Walter trabalha nesse Centro, e desde que começou a ir lá, a vida dele mudou para melhor. Foi promovido, o salário aumentou, ele está muito satisfeito. Há tempos me convida para ir também. Eu nunca quis. Mas agora, penso que chegou a hora.

– Acho melhor não ir a um lugar desses. Não gosto dessas coisas. – Tornou João.

– Pois eu acho que você deve ir. Afinal, estamos sendo roubados pela mulher que matou nosso filho. Se a justiça dos homens não faz nada, temos de procurar a justiça de Deus.

– Isso mesmo, mãe. Hoje mesmo falarei com ele e irei até lá. Estou certo de que vamos conseguir reverter essa situação a nosso favor.

– Isso mesmo, meu filho. Não podemos deixar que essa assassina fique com tudo o que era de Marcelo.

Naquele mesmo dia, Márcio procurou o amigo e contou-lhe o que estava acontecendo, finalizando:

– Pensei em procurar ajuda no seu terreiro.

– Acho uma boa idéia. Pai José é muito procurado para resolver esses casos de família. Amanhã é dia de trabalho. Passe em casa às sete e meia e iremos juntos.

Márcio concordou satisfeito. Até então ele sofrera os acontecimentos como vítima sem poder fazer nada. Agora, havia uma possibilidade de pelo menos castigar os culpados pela morte do irmão. A justiça seria feita.

8

Depois que Marcelo deixou a sala, Mirela sentou-se pensativa e algumas lágrimas rolaram pelo seu rosto.

Rever Renato, mesmo ele ainda não se lembrando dela, trouxera de volta o grande amor que sentia por ele, que os anos não haviam conseguido apagar.

No século dezenove, em uma pequena cidade do sul da França, Mirela crescera em meio a três irmãos, em uma propriedade da família que se dedicava à viticultura.

Aos quinze anos, Mirela tornara-se uma moça de rara beleza, grandes olhos azuis, pele clara, cabelos castanhos escuros, corpo esbelto e bem-feito, atraindo admiração por onde passava.

Então foi cortejada por um nobre italiano, dono de um castelo em Veneza que, apaixonado, pediu-a em casamento. Ela não queria porque ele era bem mais velho, porém seus pais, ambiciosos, forçaram-na a se casar.

Apesar de não amar o marido, ela acabou aceitando que ele a amasse, porquanto rodeava-a de tantas atenções e carinho que ficava difícil rejeitá-lo.

Após o casamento, ela foi morar com ele em seu palácio e quatro anos depois o casal já tinha um casal de filhos. Marco, o mais velho e Giuliana.

Com os anos, Mirela tornara-se mais bonita e, quando desfilava com o marido e os filhos pela cidade, era muito admirada.

Assim um gondoleiro apaixonou-se perdidamente por ela que nunca o notara.

Levado pela paixão, Renato começou a segui-la por toda a parte, a princípio discretamente, mais tarde com certa insistência.

Uma tarde em que ela saiu a passeio com os dois filhos e a pajem, eles entraram na gôndola em que Renato trabalhava. Animado por ter sua amada tão perto, ele cantou canções de amor com tal força que Mirela, fixando-o, sentiu dentro de si uma emoção nova.

A partir daí, ela começou a notar sua presença e descobriu como ele a seguia por toda a parte. No começo, Mirela achou graça, notou a beleza do rapaz, sua voz apaixonada cantando lindas canções de amor. Sentiu que ele a amava e sua presença começou a tornar-se indispensável ao redor.

No aniversário de Mirela, Giulio, seu marido, querendo agradá-la, contratou músicos para sua festa. Renato estava entre eles.

Vendo-o, ela emocionou-se e procurou controlar seus sentimentos. Em um momento em que foi tomar ar no terraço, Renato passou por ela, que conversava com uma amiga, e sem que ninguém notasse colocou em sua mão um bilhete.

Trêmula de emoção, Mirela escondeu-o no seio. Depois foi até seu quarto, fechou a porta e leu:

Senhora,

Estou ficando louco de amor. Não suporto mais estar perto sem poder tocá-la. Sei a distância que nos separa, mas anseio por um beijo seu. Depois posso morrer, pois nada mais desejo da vida.

Renato.

Mirela estremeceu de prazer imaginando como seria o beijo. Esse desejo passou a fazer parte de sua vida.

Por esse motivo, quando Giulio viajou para Roma, ela não resistiu. Mandou um bilhete para Renato, marcando um encontro em sua casa no meio da noite e, com a ajuda de uma criada, preparou tudo com discrição.

Na hora marcada, Renato foi introduzido em seu quarto e os dois atiraram-se um nos braços do outro, e em profunda emoção confessaram seu amor.

Mirela nunca havia sentido nada assim e ficou assustada. Pensou que era hora de parar. Mas não conseguiu. Sempre que o marido se ausentava, os dois amantes se encontravam e a cada dia mais e mais se amavam.

Mirela desejava ir embora com Renato, ansiava por viver ao lado dele sem precisar esconder-se, mas havia as crianças e ela não tinha coragem de deixá-los. Arrastá-los nessa aventura seria impossível.

Giulio era um homem bom, mas não aceitaria sua traição e muito menos que seus filhos fossem levados por ela. Certamente a mataria e a Renato.

Foi então que aconteceu o inesperado. Certa madrugada, Giulio regressou inesperadamente e ao entrar no quarto do casal encontrou Mirela nos braços de Renato.

Ao ver a cena, Giulio revoltou-se, aproveitando-se do estupor dos traidores, apanhou o revólver na cômoda e apontou-o para Renato, dizendo:

– Traidor maldito, na minha ausência você se aproveitava de minha mulher. Vou acabar com você.

Apavorada, Mirela colocou-se na frente de Renato dizendo aflita:

– Pelo amor de Deus, não faça isso!

O rosto de Giulio contraiu-se em um ricto de dor:

– Eu queria acreditar que ele havia entrado contra sua vontade. Que havia sido um assalto. Mas agora vejo que não. Você o está defendendo!

– Perdoe-me, Giulio. Mate-me, mas o deixe ir. Por favor.

Giulio sentiu um atordoamento e por alguns instantes cambaleou. Foi o suficiente para Renato pular sobre ele, tomar o revólver e atirar.

Mirela gritou, Giulio caiu e Renato fugiu pela janela, descendo com cuidado sem que ninguém o visse.

Os criados correram, tentaram socorrê-lo, mas foi inútil. Giulio não resistiu. À polícia, Mirela disse que fora um ladrão que havia tomado seu revólver e atirado.

A polícia investigou, mas não conseguiu descobrir o assassino. A pajem sabia do seu romance com Renato, mas dedicada à patroa, calou-se, embora desconfiasse da verdade.

Mirela resolveu voltar para a cidade onde vivia sua família. Vendeu o castelo, comprou uma vila no sul da França e mudou-se para lá com os filhos. Estava bem rica e poderia dar boa educação aos filhos e manter bem a família.

Renato a seguiu pouco depois, e passado algum tempo, aproximou-se da família dela. Eles continuaram se encontrando e, por fim, com a aprovação de todos os familiares dela, casaram-se e viveram muitos anos juntos.

Recordando-se de tudo isso, Mirela pensava que a felicidade daqueles anos lhes custara muito caro depois que regressaram ao mundo espiritual.

Renato morreu aos sessenta anos e Mirela, inconformada com a viuvez, cinco anos depois, vitimada por uma pneumonia, deixou a vida física.

Ao acordar no astral, viu-se amparada por dois enfermeiros e recolhida a um local de recuperação. Contudo, ao ver que a morte fora apenas uma mudança de estado, desejou encontrar Renato.

Perguntava por ele a todos que estavam a sua volta, sem conseguir resposta. Ninguém sabia onde ele estava.

Esse pensamento tornou-se uma verdadeira obsessão para ela. Tendo certeza de que ele não se encontrava naquele local, quis ir embora, mas não obteve permissão para deixar o hospital.

– Você ainda não está bem, precisa continuar o tratamento. – Dizia-lhe o enfermeiro.

– Estamos muito perto da crosta terrestre. – Dizia outro. – Você não está preparada para sair por aí. É muito perigoso.

– Tenha paciência. – Dizia-lhe o diretor do hospital. – Quando você estiver bem, vamos ajudá-la a localizar a pessoa que procura.

Mas Mirela não queria esperar. Para encontrar Renato faria qualquer sacrifício. Tentou várias vezes, e como não obteve permissão, sentiu raiva, revoltou-se. Começou a não fazer nada que eles pediam.

Uma noite, ouviu uma voz masculina que lhe disse:

– Eu sei onde Renato está.

– Quem está falando? Não estou vendo.

– Não pode me ver porque estou fora daí. Não posso entrar porque senão eles me prendem, como fizeram com você.

– Quer dizer que estou presa mesmo?

– Claro. Ainda duvida?

– Eles dizem que quando for possível vão ajudar-me a encontrar Renato.

– E você acredita? É mentira!

Mirela começou a chorar inconformada. A voz continuou dizendo:

– Agora não posso falar muito. Mas quando todos estiverem descansando, vá até o jardim e fique o mais perto que puder do muro. Eu estarei esperando do lado de fora e entrarei em contato para dizer como fazer.

– Está bem. Irei.

Mirela sentiu que o tempo custava a passar. Mas quando viu que tudo estava em silêncio, saiu e foi até o jardim, ficando ao lado do muro. Em seguida, a voz disse suavemente:

– Vamos embora.

– Como vou sair? O muro é alto e tem alarme.

– Não se preocupe com isso. Tenho tudo preparado. Você só precisa imaginar que está do lado de fora. Faça isso com toda a força que puder.

Ela obedeceu e, no mesmo instante, viu-se do lado de fora. A luz do alarme começou a piscar e um vulto a puxou enquanto o dono da voz dizia:

– Vamos antes que eles nos impeçam.

Enlaçou-a pela cintura e começaram a volitar com rapidez. Mirela sentia-se sem ar de tanta emoção.

Quando se acalmou um pouco, olhou o homem que a conduzia. Ele era alto, magro e seus traços pareciam-lhe familiar.

– Quem é você? – Indagou.

– Apenas um amigo.

– Sabe onde Renato está?

– Sei.

– Ele está bem?

– Não. Tem estado muito inquieto porque você não lhe dava paz.

– Como assim?

– Não fazia outra coisa senão pensar nele.

– Ele sentia? Continua pensando em mim?

– Não posso dizer mais nada. Temos de ficar calados. Estamos atravessando um local muito perigoso. Você precisa cooperar. Imagine que está escondida e que ninguém pode vê-la.

Mirela obedeceu. Logo viu um bando de pessoas maltrapilhas, de fisionomias desagradáveis, e sentiu grande mal-estar. Assustada, fechou os olhos e imaginou que ninguém a estava vendo.

Pouco depois seu acompanhante lhe disse:

– Pode relaxar. Estamos fora deles e perto do nosso destino.

– Como é esse lugar onde Renato está?

– É um grupo de pessoas que trabalham em favor da justiça. Lá você verá.

Depois de atravessar um lugar onde havia muita neblina, divisaram uma fortaleza medieval, circundada por um muro muito alto.

– Chegamos. – Disse ele.

Aproximaram-se da porta. Ele disse o nome e o enorme portão se abriu, eles entraram em um imenso pátio, onde havia muitos homens uniformizados andando de um lado a outro em várias atividades.

– Onde está Renato? – Indagou Mirela, assustada.

– Está aqui, mas antes temos de conversar com Mimo, que é o diretor, e conseguir permissão para vê-lo.

Mirela sentia o coração ansioso, mas ao mesmo tempo apertado. Não gostou daquele lugar.

Foram até uma porta que se abriu e andaram por um corredor de pedra até a sala de Mimo, que os esperava sentado em um coxim.

Vitor saudou-o e apresentou Mirela.

– Ela foi esposa de Renato e deseja vê-lo.

Mimo fixou nela seus olhos penetrantes e disse:

– Sente-se aqui, a meu lado.

Trêmula ela obedeceu.

– Você deseja ver Renato, mas antes preciso dizer-lhe que ele está sob a custódia de um companheiro nosso a quem ele deve obediência.

– Como assim, não estou entendendo.

– Vou refrescar sua memória. Já esqueceu do adultério que vocês cometeram e depois tiraram a vida de seu primeiro marido?

Mirela estremeceu e sentiu vontade de fugir. Levantou-se assustada.

– Sente-se. – Ordenou ele, com voz firme.

– Nossa organização ajuda os que sofreram injustiças a cobrarem seus direitos. Giulio nos procurou pouco depois que vocês mataram-no, pedindo vingança. Estava indignado pela traição. Ele sempre a tratou com respeito e não merecia o que lhe fizeram. Além de tudo ainda lhe tiraram a vida. Por esse motivo, demos-lhe nosso apoio. Durante muito tempo ele tentou fazer alguma coisa contra vocês, mas não conseguiu, porquanto o amor que ele sentia pelos filhos e a felicidade que vocês tinham o impedia de chegar mais perto. O amor que os unia os defendia do ódio de Giulio.

Ele fez uma pausa, enquanto Mirela, trêmula de terror, não conseguia dizer nada. Depois, continuou:

– Ele soube esperar. Quando Renato deixou o corpo, Giulio o estava esperando na beira do túmulo. Ajudamos Giulio a trazê-lo para cá e ele foi condenado a servi-lo como escravo. Agora você veio, quer vê-lo, mas teremos de pedir permissão para Giulio.

– Ele não vai deixar... – Conseguiu balbuciar Mirela.

– Talvez não.

Ela levantou-se, exclamando aflita:

– Eu não quero ficar aqui. Preciso ir embora. Quero voltar para onde eu estava.

Mimo riu, aspirou um pouco em um aparelho que parecia conter ópio e, soltando a fumaça, disse:

– Tarde demais. Você agora ficará aqui. Também tem contas a ajustar com Giulio.

Mirela tentou correr, porém Vitor a conteve.

– Calma. Não adianta fugir. É melhor enfrentar de uma vez.

Mirela respirou fundo e respondeu:

– Nesse caso quero falar com Giulio.

– Leve-a até ele. – Concordou Mimo.

Vitor tomou-a pelo braço e conduziu-a por um corredor escuro, depois desceram vários degraus até alcançarem um subterrâneo escuro e fétido.

Continuaram caminhando e, aos poucos, ela começou a divisar as celas onde havia alguns prisioneiros.

Por fim pararam diante de uma delas e Mirela viu Giulio parado na porta, do lado de fora, enquanto notava Renato do lado de dentro.

Em um segundo Giulio pegou Mirela pelo braço e eles se viram dentro da cela. Mirela, vendo Renato, gritou aflita:

– Renato, meu amor. Até que enfim o encontrei!

Ele aproximou-se, abrindo os olhos e, tentando enxergá-la, disse:

– Mirela! Onde está? Como chegou a este inferno?

– Estou aqui, meu querido!

Ela desvencilhou-se do braço de Giulio e correu para Renato, abraçando-o.

Giulio saltou sobre eles, separando-os violentamente.

– Como tem coragem de continuar afrontando-me desta forma? Chegou a hora de pagarem por tudo o que me fizeram.

Mirela notou que Renato estava mal. Magro, pálido, parecia uma sombra do que fora. Sem poder conter-se ela gritou:

– Giulio! Nunca imaginei que você pudesse ser tão perverso.

– Eu, perverso? Vocês me traíram, acabaram com minha vida, ele tomou meu lugar, diante de você, dos meus filhos e você ainda o defende? O injustiçado fui eu, o perverso foi ele! Estou apenas fazendo justiça.

– Não planejamos o que aconteceu. Eu me apaixonei por Renato e ele por mim. Foi mais forte do que nós. Não pudemos evitar.

– Se eu soubesse antes os teria matado. Mas no fim quem morreu fui eu, com minha própria arma. Mas se a justiça dos homens falhou a minha não vai falhar.

– Faz muito tempo que você o prendeu. Não acha que chega? Até quando pretende levar isso adiante?

– Até quando eu quiser. Afirmo que não sinto vontade nenhuma de lhes dar liberdade. Vocês nunca mais serão felizes. Isso eu garanto.

Mirela atirou-se sobre ele nervosa:

– Nós nos amamos. Você não pode fazer isso.

– Posso e farei.

– Por favor, eu imploro, deixe-nos ir. Peço-lhe em nome do amor que um dia sentiu por mim.

– Esse amor há muito não existe mais. Morreu

naquele dia. Hoje só sinto ódio. Muito ódio. Venha Mirela. De hoje em diante você vai me servir.

– Quero ficar com Renato.

– Vai ficar comigo. É do meu lado que terá de ficar. Venha.

– Mirela, não vá. Fique comigo. Não me deixe. Precisamos conversar. – Gritou Renato, desesperado.

Mas Giulio não lhe deu tempo de reagir. Arrastou-a para fora e conduziu-a a seus aposentos.

– É aqui, comigo que você vai ficar. De agora em diante se ocupará só de mim, do meu conforto, de me alegrar, de tudo o que eu quiser.

Recordando tudo isso, Mirela passou a mão pela testa como que querendo esquecer o que veio depois.

Durante os primeiros tempos, ela procurou ver Renato, mas não conseguiu. Então, passou da revolta à idéia de conquistar Giulio para tentar conseguir o que queria.

Começou a fingir que estava esquecendo Renato e a mostrar mais simpatia por Giulio, fingindo interessar-se mais pelos problemas dele.

Havia momentos em que Giulio não se sentia bem, tendo crises de falta de ar, de angústia, ficava pálido, suava frio, caía em depressão.

Nesses momentos, Mirela tentava ajudá-lo na esperança de que ele se tornasse menos exigente. Começou a notar que quando colocava as mãos sobre ele, saíam delas alguns raios de luz verde que o envolviam e pouco depois ele melhorava.

As pessoas logo descobriram essa particularidade e ela começou a ser procurada para ajudá-las. Satisfeita por poder fazer algo de bom, Mirela atendia a todos que a procuravam com amor e, aos poucos, foi sendo vista com carinho.

Mimo, tomando conhecimento dessa atividade dela, permitiu que ela ocupasse uma salinha e trabalhasse no atendimento dos que sofriam.

Isso foi um grande alívio para ele, que recebia muitas

queixas. Muitos dos seus habitantes sofriam de algum mal e ele não sabia como fazer para se livrar deles.

Mirela contribuiu para que ele tivesse menos problemas e Mimo começou a apreciá-la.

Uma tarde, depois de ela ter atendido algumas pessoas, sentou-se pensativa. Estava lá há alguns anos e durante todo o tempo sentira muito arrependimento por tudo quanto ela e Renato haviam feito.

Ela continuava a amá-lo como sempre, porém, o preço que estavam pagando pelo crime cometido estava sendo muito alto. Se pudesse voltar atrás, teria agido de outra forma. Sabia que não teriam forças de resistir a esse amor, mas em vez de cometer adultério, teria se separado do marido para só depois se relacionar com Renato.

Estava pensando nisso quando viu uma luz azulada formar-se no canto da sala. A figura de uma mulher apareceu. Ela reconheceu-a de imediato:

– Senhora Gioconda! Também deseja vingar-se de mim?

– Não, minha filha. Vim em paz. Sei que você está arrependida do que fez a meu filho Giulio. E o tem auxiliado apesar de ele estar cheio de ódio.

– Giulio era um homem bom. Eu fui culpada pela mudança dele.

Gioconda abanou a cabeça negativamente e respondeu:

– Não. Se ele não tivesse a maldade dentro dele não teria pensado em vingança. Você o tem ajudado muito. Suas mãos têm o poder de curar e eu vim pedir que me ajude, porquanto preciso tirar Giulio daqui e só poderei fazer isso se ele desejar ir. Mas ele ainda está preso a vocês dois e se ele conseguir perdoar ou pelo menos esquecer a vingança, aceitará vir comigo.

Lágrimas desciam pela face de Mirela, que respondeu emocionada:

– Senhora, farei tudo o que puder para ajudá-lo. Desejo de coração que ele consiga nos perdoar e seguir seu caminho. Giulio merece ser feliz. Um dia ele vai me esquecer e encontrar uma mulher que o ame de verdade e seja para ele a esposa que eu não soube ser.

– Obrigada, minha filha. Estou certa de que fazendo isso, você acabará conquistando também sua liberdade e a de Renato.

Ela se foi, e Mirela, comovida, firmou propósito de dedicar-se a conseguir o perdão de Giulio.

A partir desse dia, ela passou a tratá-lo com mais carinho e aos poucos ele foi aceitando sua amizade. Havia momentos em que ele esquecia o passado e voltava a ser como antes.

Uma manhã em que estavam juntos na sala dela, Mirela, mentalizando Gioconda, aproximou-se de Giulio e, colocando as mãos sobre ele, pediu:

– Giulio, é hora de você seguir seu caminho e eu o meu. Chega de ódios e culpas. Eu estou muito arrependida do que lhe fiz e nunca mais voltarei a cometer esse erro, esteja onde estiver. Mas não temos como voltar atrás e fazer diferente. E a vida nos empurra para a frente. Não podemos ficar parados no tempo. Alguns dias atrás sua mãe me procurou pedindo ajuda.

– Minha mãe pediu ajuda a você?

– Pediu. Eu pensei que ela houvesse vindo para me cobrar, mas não. Ela veio porque sentiu meu arrependimento e ela sofre porque você mergulhou na vingança. Sua mãe é um espírito iluminado e sofre por vê-lo neste lugar. Deseja levá-lo para um lugar melhor, onde você poderá encontrar paz, felicidade.

– Ela disse isso?

– Disse. Mas só poderá levá-lo quando você esquecer a vingança, perdoar-nos e desejar libertar-se do seu passado.

Giulio ficou pensativo, as imagens felizes de sua infância na casa paterna passaram pela sua mente e ele suspirou saudoso:

– Estou cansado, Mirela. Chega de lutar. Mas não

sei se poderei sair daqui. Na busca da vingança contraí obrigações para com este grupo. Talvez eu não possa me libertar.

Antes que Mirela pudesse responder, um clarão azulado formou-se e Gioconda apareceu de braços estendidos.

Giulio atirou-se em seus braços, soluçando como uma criança.

– Mãe, perdoa-me, perdoa-me...

– Filho querido. Deus o abençoe.

– Eu quero ir com você. Estou cansado desta vida.

– Diga que não quer mais guerra e sim a paz. Liberte Renato e Mirela e você estará livre para seguir comigo para um mundo melhor.

Giulio olhou para Mirela, dizendo comovido:

– Eu a perdôo, Mirela. Há muito que deixei de odiá-la. Quero ir embora, esquecer toda essa dor, esse ódio que acabou comigo.

– Perdoe Renato. Liberte-o também. – Pediu Mirela.

– Eu o perdôo. Afinal, o passado está morto e eu quero seguir adiante.

No mesmo instante, Renato entrou na sala, olhando-os admirado:

– Você me libertou, Giulio?

– Sim. Eu os perdoei e desejo esquecer o passado. Minha mãe veio buscar-me.

Gioconda abraçou o filho e disse, emocionada:

– Finalmente ele aprendeu a perdoar. Eu agradeço a vocês por terem cooperado. Farei o que puder para ajudá-los daqui para frente. Podem contar comigo. Agora vamos. Fiquem com Deus.

Ela desapareceu abraçada ao filho. Renato atirou-se nos braços de Mirela, beijando-a com amor.

– Finalmente estamos juntos. Não pode imaginar como desejei este momento.

– Sim, Renato. Estamos juntos. Mas ainda não sei se poderemos sair daqui, pensar em nós.

No mesmo instante, Vitor apareceu na porta dizendo:

– Mimo espera os dois para conversar. Vamos.

Renato olhou para Mirela temeroso:

– Ele não vai nos deixar ir embora.

– Acalme-se, Renato. Ele não tem nada contra nós.

– Vamos. – Disse Vitor. – Mimo não tem paciência para esperar.

Mirela deu a mão a Renato e ambos acompanharam Vitor. Entraram na sala onde Mimo os esperava no lugar de sempre. Ele despediu Vitor com um gesto, designou um sofá à sua frente e disse:

– Aproximem-se. Sentem-se. Vamos conversar.

Os dois obedeceram e esperaram calados. Mimo aspirou um pouco de ópio, soltou uma baforada e tornou com voz calma:

– Giulio desertou e não cumpriu com os deveres que tinha para com nosso grupo. E, pelo que sei, você, Mirela, contribuiu para que ele se fosse. Nesse caso, terá de nos servir no lugar dele.

– Vocês me trouxeram para cá por causa dele. Não fui eu quem se comprometeu com vocês.

– Mas para se ver livre dele e ajudar Renato, incentivou-o a passar para o lado da luz. É justo que a dívida dele passe para você.

Renato interveio:

– Nós já pagamos pelos nossos erros. Queremos cuidar da nossa vida.

– Poderão fazer isto depois de pagarem o que nos devem.

Renato ia retrucar, mas Mirela tomou-lhe a dianteira:

– Está certo. De que forma poderemos pagar essa dívida?

Mimo deu outra tragada, soltou nova baforada, depois disse:

– Você continuará mais algum tempo na cura das doenças dos nossos companheiros. Renato irá com um dos nossos fazer o trabalho que Giulio tinha de nos fazer.

Antes que Renato respondesse, Mirela perguntou:

– Durante quanto tempo teremos de ficar aqui?

– Depende do desempenho de cada um. Mas me parece que vocês têm muito interesse em sair daqui. Não conhecem a vida fora destas paredes, não sabem dos perigos que correrão. Estamos rodeados de espíritos de baixa vibração. Vocês deveriam estar gratos por lhes permitir que permaneçam aqui, protegidos, amparados. O que pensam fazer saindo daqui?

Renato olhou para Mirela sem saber o que dizer. Foi ela quem respondeu:

– Talvez tenha razão. É melhor ficarmos aqui até que pensemos o que fazer.

– É uma decisão sábia. Certamente desejam ficar juntos e eu lhes arranjarei um lugar na nossa comunidade.

Os dois agradeceram e saíram. No momento pareceu-lhes a melhor decisão.

A partir daí, passaram a viver juntos em um quarto que Mimo lhes ofereceu e, apesar da tristeza do lugar e dos problemas ao redor, os dois se sentiam felizes juntos.

Entretanto, Renato não gostou do trabalho que lhe foi destinado. Tinha que acompanhar dois companheiros até a crosta terrestre, realizando vinganças e armadilhas a pessoas, em nome da justiça.

Insatisfeito, ele se recusou a continuar no trabalho. Era contra seus princípios. Foi ameaçado de prisão e Mirela teve medo que os separassem novamente. Ela sabia que quem não acatava as ordens de Mimo era preso e muitos desapareciam misteriosamente.

Apavorada, ela lembrou-se da promessa de Gioconda e a mentalizou pedindo ajuda. Horas depois ela apareceu diante dos dois dizendo:

– Ouvi seu chamado. Antes de vir, fui consultar nossos maiores sobre o caso. Descobri que Renato corre perigo ficando aqui. Vim buscá-lo.

– Não posso. – Respondeu ele, nervoso. – Não quero me separar de Mirela.

– Não tenho permissão para levar os dois. Mirela precisa ficar aqui mais algum tempo. Está sendo muito proveitoso para ela o trabalho que está fazendo. Você pode vir comigo desde já. Mas, quando chegar a hora, ela também poderá deixar este lugar.

Mirela olhou Renato e tentou conter as lágrimas que teimavam em cair, respirou fundo e disse:

– Vá com ela, Renato. Não quero que nada de mal lhe aconteça.

– A separação será temporária. – Tornou Gioconda. – Por enquanto não é possível ficarem juntos, mas chegará o dia em que, tendo vencido seus desafios, poderão finalmente seguir um ao lado do outro.

Renato abraçou Mirela com força.

– Não. Prefiro sofrer seja o que for a ficar longe de você.

– Você ouviu o que Gioconda disse. Por enquanto não podemos ficar juntos. Nós erramos muito. Precisamos aprender a agir melhor e hoje eu sei que quando estivermos mais conscientes dos valores verdadeiros do espírito, poderemos ficar juntos e sermos felizes. Mas agora, vá com ela. Nosso amor vencerá todas as barreiras, não tema.

Ele ainda tentou objetar, mas Mirela o convenceu.

– Vamos. – Pediu Gioconda. – Mimo sentiu minha presença e Vitor está vindo para cá. Não dá para esperar mais.

Ela abraçou Renato que, com os olhos cheios de lágrimas, aceitou seguir e, em um gesto de amor, atirou-lhe um beijo com a ponta dos dedos.

Assim que desapareceram, Vitor entrou dizendo:

– Vim buscar Renato.

– Chegou tarde, Vitor. Ele se foi.

Vitor resmungou algumas ameaças e saiu praguejando. Mirela deu de ombros. Ela sabia que Mimo não faria nada contra ela porque precisava muito que ela continuasse a ajudar as pessoas, permitindo assim que ele tivesse mais paz.

Algum tempo depois, Gioconda a procurou para dizer-lhe que Renato havia reencarnado. Ela ficou triste, preocupada com o tempo que ainda teria de esperar para tê-lo de volta. Ao que Gioconda respondeu:

– Ele voltará antes do que você pensa. Devido às circunstâncias não ficará muito tempo na carne.

Ela estava certa. Renato voltara, porém era como se continuasse longe. Ele não se lembrava do passado nem do amor que os unia.

Recordando tudo isso, Mirela se perguntava ansiosa:

– Teria perdido Renato para sempre?

Para encontrar uma resposta, precisaria esperar, porquanto só o futuro poderia dizer.

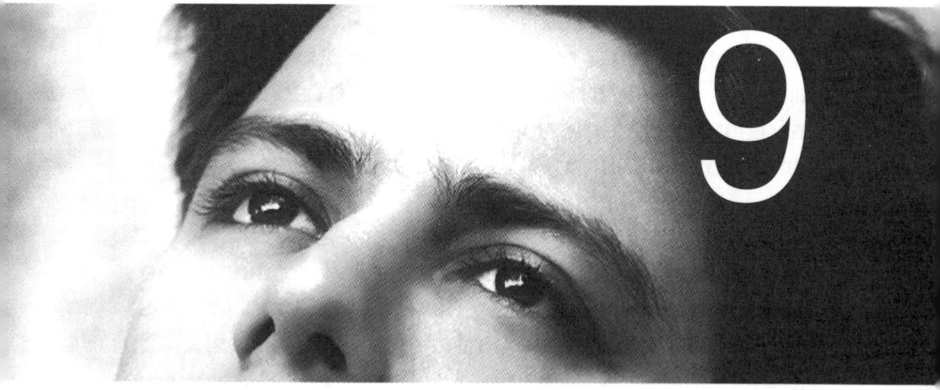

9

Na noite seguinte, faltavam poucos minutos para começar os trabalhos no terreiro de Pai José, quando Márcio entrou com seu amigo.

– Espere aqui que quando for a hora eu o chamo. – Disse ele.

Márcio concordou, olhando em volta com curiosidade. Não era a primeira vez que ele ia a um terreiro e admirou-se com a quantidade de pessoas à sua volta.

Mal podia esperar. Não se conformando com a morte de Marcelo, sempre sonhara poder fazer alguma coisa para vingá-la. Havia chegado a hora e ele estava muito ansioso.

Só uma hora depois, Walter o chamou:

– Vamos. Pai José o está esperando.

Coração batendo forte, Márcio o acompanhou. Ao som dos tambores, vários médiuns cantavam, enquanto alguns, incorporados por seus guias, atendiam as pessoas.

Márcio foi conduzido a uma sala em separado. Walter havia lhe dito que Pai José só atendia os casos em que os outros médiuns não haviam resolvido, mas Walter havia lhe pedido que o atendesse e, por uma deferência especial, o espírito concordara.

A sala estava iluminada apenas por algumas velas coloridas, e a um canto havia um altar com várias imagens, algumas ervas e alguns objetos que ele não conhecia. O médium estava em pé, vestido com uma roupa escura, fumando um charuto e, vendo-o entrar disse:

– "Si" aproxime, meu filho. – Márcio obedeceu e ele continuou: – em que posso "ajudá"?

– A mulher de meu irmão fugiu e deixou uma carta dizendo que ia para outro país. Ele chegou em casa sem saber de nada, leu a carta, ficou tão desesperado que saiu para ver se a impedia de embarcar, sofreu um acidente e morreu.

Márcio sentia as lágrimas descerem pelo seu rosto, mas não se importou. Respirou fundo e continuou:

– Foi um sofrimento para toda a minha família. Mas Aline, a mulher de Marcelo nem se importou. Continua morando em Miami como se nada houvesse acontecido. Meu irmão tinha uma firma que ia muito bem, e pela lei ela herdou tudo. Colocou a irmã para tomar posse do que era dele. Isso não é justo. Foi por causa dela que Marcelo morreu. Se ela não tivesse ido embora, ele não teria morrido.

– Por que "ocê" veio me "procurá"?

– Pela lei não podemos fazer nada, mas vocês podem. Meu irmão era um marido maravilhoso, fez tudo por essa mulher e ela foi ingrata. Eu quero que ela perceba o erro que cometeu, reconheça sua culpa e pague pelo que fez. E também, que os bens de Marcelo voltem para nossa família.

Pai José sugou o charuto, soltou algumas baforadas e ficou em silêncio. Depois de alguns minutos, disse:

– Seu irmão ama muito essa "muié", mas ela "num" amava ele.

– Isso mesmo.

– "Mai" ele "tá" lá, do lado dela. Não pensa em "deixá" ela. "Num" se importa com mais nada. Só "qué ficá cum" ela. "Pra dizê" a verdade, não "podemo fazê" nada contra ela. Ele "num" vai "deixá". "Num" tem nenhuma raiva pelo que ela fez, só tristeza.

– Isso não é justo! Ele não pode continuar a amar uma mulher que o abandonou, com certeza por outro homem, e que causou a sua morte.

– Ela "num tá cum" outro "home". Ela foi embora "pruque num" amava mais ele.

Márcio passou a mão nos cabelos, nervoso:

– Será que não tem nenhum jeito? Ela vai continuar no bem-bom e nós sofrendo pela morte dele?

– "Cum" ele do lado, ela "num" vai "ficá" no bem-bom. Ela "num" vai "podê" ser feliz, "arranjá" outro "home" nem progredir na vida. Ele "qué" que ela fique só "pra" ele. Acho que "ocê num" precisa se "preocupá". Seu irmão "tá" fazendo tudo. "Mai nóis podemo atrapaiá" a irmã dela na firma. Isso dá "prá fazê".

– Então faça isso, Pai José.

– "Bão, ocê" vai "tê" que "trazê argumas" coisas "pro trabaio".

Walter aproximou-se com um bloco e Pai José ditou o que queria. Depois fez o preço. Márcio, então, disse nervoso:

– É muito dinheiro. Nós lutamos com dificuldades.

– Nesse caso é "mió num fazê" nada. Ou "faiz" direito ou "num dá pra fazê".

– Está bom. Acha que vai dar cento?

– O que prometo, cumpro. Mas tem que "confiá".

– Está certo. Vou ver se arrumo o dinheiro.

Ele saiu pensativo. Pai José descrevera a situação de Marcelo e se a vida continuava mesmo depois da morte, seu irmão só poderia estar ao lado de Aline. Ele nunca a abandonaria.

Mas ele não achava que ela estaria sofrendo. Marcelo faria tudo para que ela fosse feliz. Desde que a conhecera, ele não havia feito outra coisa.

Por outro lado, Arlete haveria de sentir o peso de sua raiva. Isso o deixou cheio de alegria.

Assim que chegou em casa, Ivone o esperava ansiosa:

– E então, meu filho?

Em poucas palavras ele contou-lhe tudo e finalizou:

– Dá para acreditar que apesar de tudo o tonto do Marcelo continua ao lado dela, protegendo-a?

Ivone meneou a cabeça negativamente:

– Se ele estiver consciente no outro mundo, é o que ele faria mesmo. Você acha que vale a pena gastar tanto dinheiro?

– Acho. Afinal, não é justo que aquela assassina e sua família fiquem com o que era de Marcelo.

– Isso é verdade. Mas será que esse Pai José é bom mesmo? Não estaremos gastando dinheiro à toa?

– Bom, o Walter diz que sim. Mas eu não sei.

– Seu pai não vai querer ajudar. Sabe como ele é com dinheiro.

– Mas se não fizermos nada, tudo vai continuar do jeito que está.

– É verdade. Mas se seu pai não der o dinheiro, não teremos como pagar.

– O jeito é tentar convencê-lo.

Mais tarde, quando João voltou para casa, os dois tentaram convencê-lo a dar o dinheiro. João, porém, recusou, dizendo:

– Esse pai de santo está querendo nos explorar.

Márcio objetou:

– Mas pai, isso é nada diante do que vale a firma de Marcelo.

– Você fala como se eles pudessem mudar as leis. Eu não acredito que esse homem consiga o que está prometendo.

– Pois eu acho que vale a pena tentar. – Interveio Ivone. – Dinheiro nunca é demais. Depois, será uma forma de punirmos essa gente que desgraçou nosso filho.

– Não sei, não. Acho loucura. O advogado me garantiu que não há nada que se possa fazer. Decididamente não vou dar esse dinheiro. É melhor vocês pararem com essas superstições.

Eles quiseram insistir, mas João cortou firme:

– Não vou dar e chega deste assunto. Não quero mais ouvir falar nisso.

No dia seguinte, quando Márcio se encontrou com Walter, foi logo perguntando:

– E então? Já arranjou o dinheiro?

– Não. Meu pai não quer dar. Diz que será inútil, que não dará certo.

– Ele diz isso porque não entende dessas coisas. Eu, que tenho ido lá, posso dizer que as pessoas estão muito contentes com o que receberam.

– Eu sei. Se eu tivesse esse dinheiro, faria tudo, mas sou estudante, dependo do meu pai.

– E sua mãe, não consegue pedir emprestado a alguma amiga? Afinal, não é uma quantia tão alta assim.

– É. Vou falar com ela, pode ser que minha tia Alaíde empreste. Vamos ver.

– Faça isso. Quando o dinheiro voltar para vocês, poderão pagar com juros.

Enquanto isso, Aline continuava se dedicando muito ao trabalho na empresa, tentando recuperar a alegria de viver.

Há três meses, ela e Rachel estavam freqüentando um curso de paranormalidade no Instituto Ferguson e estudando os fenômenos psíquicos.

Diante da afirmação de que a vida continua depois da morte, ela se assustara muito, porquanto sabia que se Marcelo continuasse vivo do outro lado da vida, não sairia do seu lado.

Uma noite, no fim da aula, ela, muito aflita, foi conversar com o professor:

– Pode dar-me alguns minutos do seu tempo?

– Posso. Vamos até a outra sala.

Aline acompanhou-o calada. Uma vez sentada na sala, disse nervosa:

– Doutor Morris, a aula de hoje deixou-me nervosa.

– Por quê?

Em rápidas palavras, Aline contou a sua história e finalizou:

– Estou certa de que Marcelo continua a meu lado. Tenho medo. Não sei lidar com isso. Sinto medo. O apego dele sempre me incomodou, mesmo quando estava vivo, mas agora me assusta.

Doutor Morris sorriu, deixando a mostra uma fileira de dentes alvos e bonitos. Era um homem elegante, de meia-idade, olhos vivos, cabelos grisalhos e muita simpatia.

– Acalme-se. Ele não pode fazer-lhe nenhum mal.

– Ele apareceu para mim no avião, estava horrível, dizendo que nunca mais ia me deixar. Pensei que fosse um pesadelo, agora acho que era ele mesmo, ferido do acidente, sangue escorrendo. Foi horrível!

– Tente lembrar-se dele como quando estava aqui e bem. Não alimente essa imagem. Certamente o espírito dele já deve ter melhorado.

– Mas eu não quero que ele fique perto de mim. O que posso fazer para evitar isso?

– Continue fazendo tratamento energético. Estou certo de que nossos amigos espirituais, que nos ajudam nesta instituição, vão conversar com ele, fazendo-o compreender que agora é hora de ele cuidar de si mesmo e aceitar a separação.

Aline abanou a cabeça, desanimada:

– Ele não vai aceitar. É determinado.

– Mas você poderá nos ajudar muito mantendo a atitude adequada.

– Eu?! O que posso fazer?

– Conversar com o espírito dele. Quando sentir algo diferente, como arrepios, tristeza, dor, raiva, sem nenhum motivo justificável, imagine que seu marido está na sua frente e converse, explique por que você o deixou, fale dos seus sentimentos, peça-lhe que siga seu próprio caminho e a deixe seguir o seu. As pessoas são livres para seguir o que a vida deseja delas e quando chega a hora elas precisam ir e não há nada que as possa impedir.

– Seria muito bom que Marcelo compreendesse isso.

– Fale com sinceridade. Pense que mesmo quando as pessoas adoram ficar juntas, chegará um momento em que cada uma deverá ir para um lado, aprender coisas novas, renovar energias, desenvolver seus potenciais. Feliz daquele que ama e nessa hora consegue deixar o ser amado ir libertando-o para que ambos possam amadurecer.

– Farei isso e desejo de coração que Marcelo siga em paz. Sou grata a ele pelo carinho com que sempre me tratou, desejo que seja muito feliz, porém, confesso que não consegui amá-lo como ele merecia.

– Não se culpe. Cada um é como é. Seu espírito ansiava por crescer, não se conformava em viver a vida da forma que seu marido queria.

– É verdade. Ele me sufocava, tentando adivinhar o que eu pensava ou queria, telefonava várias vezes durante o dia e eu não me sentia livre para fazer o que tivesse vontade. Não que eu desejasse grandes aventuras, mas eu queria desfrutar do prazer de dar uma volta, sem ter de dizer o que estava fazendo, explicar onde estava, programar o que comer, aonde ir.

– Sei como é isso. O apego excessivo inutilizou as possibilidades que tinha de ser feliz ao lado dele.

– Estou me sentindo aliviada. Obrigada por me ouvir. Vou seguir seus conselhos.

– Faça isso. Gostaria de acompanhar esse caso. Qualquer coisa diferente que acontecer, procure-me.

Aline despediu-se e deixou a sala mais calma. Encontrou Rachel na livraria:

– Onde estava? Procurei-a por toda a parte.

– Estava conversando com o professor, esclarecendo algumas dúvidas.

– Sobre a aula?

– Não, sobre meu problema pessoal. Saber que a vida continua depois da morte deixou-me inquieta. A presença do espírito de Marcelo a meu lado assustou-me. Doutor Morris ouviu-me, ensinou-me a lidar com essa situação. Sinto-me aliviada.

– Ainda bem. Para mim aconteceu o oposto. Foi gratificante saber que a morte não é o fim e que continuaremos vivos em algum lugar quando chegar a nossa hora. Afinal, todos nós, algum dia, teremos de enfrentar essa fatalidade.

As duas saíram do Instituto conversando animadamente. Na rua separaram-se e cada uma foi para seu carro.

Naquela noite elas não haviam combinado de sair e Aline decidiu parar no supermercado, pois sua despensa estava vazia.

Deixou o carro no estacionamento, entrou, apanhou um carrinho e começou a escolher alguns produtos. A imensa variedade e o capricho da arrumação atraíam sua atenção. Acabou comprando mais do que precisava.

Satisfeita, pagou as compras no caixa e foi para o estacionamento. Quando estava colocando as compras no carro, ouviu alguns estouros e alguém saltou sobre ela, dizendo:

– Abaixe-se, vamos.

Assustada, Aline obedeceu e ouviu passos de pessoas correndo. Fez menção de levantar, mas o homem que havia saltado sobre ela continuava agachado com a mão esquerda sobre suas costas e ela notou que na mão direita ele segurava um revólver.

Seu coração disparou, suas pernas tremiam, mas ela conseguiu balbuciar:

– Quem é você? O que está acontecendo?

– Fique quieta e não se levante. Sou policial.

Aline obedeceu. Mais alguns tiros, correrias, gritos e por fim alguém gritou.

– Tudo sob controle.

O homem levantou-se, olhou em volta; depois, voltando-se para Aline, disse:

– Tudo bem. Pode se levantar agora.

Ainda com as pernas bambas, Aline levantou-se. Na sua frente um homem alto, moreno, cabelos castanhos, olhos verdes. Aparentando cerca de trinta anos, vestindo um elegante terno cinza, ele a olhava sorrindo.

Um pouco além, policiais, uniformizados, algemavam dois rapazes, colocando-os dentro de uma viatura.

Um dos policiais aproximou-se deles dizendo:

– Parabéns, Gino. Como sempre agiu rápido. – Depois, fixando-se em Aline, continuou: – você saiu de repente e meu colega não teve tempo de impedi-la. Você poderia ter levado um tiro.

– Eu não vi nada. Como poderia saber que havia perigo? Estava fazendo compras em um supermercado.

Gino interveio:

– A ação foi muito rápida e você estava distraída.

Aline, um pouco mais calma, olhou para Gino e sorriu levemente:

– Obrigada. Você me salvou.

O policial afastou-se, juntando-se aos companheiros e a viatura deixou o local.

– Meu nome é Gino Marchione.

– Aline Dangelo.

– Nome italiano, como o meu.

– Meus avós eram italianos. Eu sou brasileira.

– Os meus avós também são italianos. Vieram para a América há muitos anos.

Aline olhou em volta procurando o carrinho com o resto de suas compras que havia desaparecido.

– Eu vi para onde foi.

Ele afastou-se e voltou em seguida trazendo o carrinho e levantando o porta-mala do carro que havia abaixado quando a empurrara para baixo.

– Obrigada mais uma vez.

Ela acomodou as compras e fechou o porta-malas.

– Depois do que passamos estamos precisando de um café. Aceitaria tomar um comigo?

– Para dizer a verdade, sinto vontade de ir logo

embora daqui. Tem certeza de que não vai acontecer mais nada?

– Tenho. Os dois que tentaram assaltar o mercado foram presos. Mas se quiser poderemos ir a outro lugar.

– Obrigada, mas é melhor eu ir para casa.

– Nesse caso, vou acompanhá-la até lá.

– Não se incomode, não é preciso.

– Você ainda está nervosa. E, não me custa nada ir atrás de você até sua casa.

– Eu moro perto daqui.

– Mais uma razão para eu levá-la. Quero vê-la em segurança em casa.

Aline concordou e entrou no carro. O espírito de Marcelo, que acompanhara tudo, estava irritado.

Não lhe passou despercebido o interesse de Gino por Aline e notou os pensamentos dela com relação a Gino. Ela o achou atraente, agradável.

Acompanhando-a por toda a parte, ele nunca havia notado que ela se sentira atraída por nenhum dos rapazes com os quais conversava.

Ele não saberia precisar o que era, mas havia no ar alguma coisa nova que o inquietava. Esse Gino era perigoso e ele faria tudo para afastá-lo de Aline.

Durante o trajeto ela observava Gino. Era um homem bonito, seus olhos eram penetrantes, seu rosto forte, mas quando sorria, sua fisionomia parecia a de um menino.

Marcelo remexia-se no assento nervoso. Por que Aline pensava tanto naquele intruso?

Ela chegou em casa, entrou na garagem e Gino, que havia parado no meio-fio, desceu do carro. Aline fez-lhe sinal para que entrasse na porta principal, depois desceu do carro, deu a volta e Gino esperava no hall.

– Quer que a ajude a carregar as compras?

Aline pensou um pouco, depois respondeu:

– Só se aceitar tomar aquele café comigo.

– Feito.

Marcelo teve vontade de saltar sobre ele, mas se conteve. Queria ver até aonde eles iriam.

Os dois, carregando as sacolas, foram até o apartamento de Aline, que abriu a porta convidando-o a entrar.

– Se eu soubesse que iria ter companhia, teria comprado algo especial.

– Esse café já é especial.

Aline sorriu:

– Você salvou minha vida. Merece mais do que isso.

Ela colocou a bolsa sobre o sofá e foi preparar o café. Gino a observava com interesse.

Ela colocou as canecas, o pote de creme, o açúcar e algumas bolachas. O cheiro gostoso do café encheu o ar e Aline tirou a jarra da cafeteira e serviu.

– Com açúcar, creme?

– Os dois.

– Eu também gosto dos dois.

Sentaram-se, saboreando o café.

– Não posso esquecer o que aconteceu. – Tornou Aline. – Eu não tinha percebido nada e de repente você caiu sobre mim. De onde você saiu?

– Eu estava dentro do meu carro, estacionado um pouco atrás do seu, de tocaia, esperando que os assaltantes saíssem. Vi quando eles correram e tentaram entrar no carro, saí, arma em punho. Eles me viram e eu senti que iam atirar, mas você estava entre nós colocando suas compras no carro. Saltei sobre você a tempo. Felizmente apareceram os policiais e conseguiram prendê-los.

– Você não usa uniforme?

– Não. Eu pertenço ao setor de inteligência da polícia. E você, faz tempo que está em Miami?

– Apenas alguns meses. Vim contratada por uma empresa daqui para trabalhar.

– Sua família também veio?

– Não. Vim sozinha.

Aline pensou em Marcelo e uma sombra de tristeza anuviou seu rosto. Gino notou:

– Você ficou triste de repente, deixou algum amor no Brasil?

– Não. Eu fui casada, mas meu marido morreu em um acidente de carro.

– Sinto muito. Você veio para cá a fim de esquecer essa perda?

– Não. Desde menina eu sonhava vir morar nesta cidade. Esse foi o motivo mais forte que me fez vir.

Marcelo olhou-os com raiva. Ela falava como se nunca o houvesse amado. Ingrata. Esquecera os momentos de felicidade que desfrutaram juntos. Não teve coragem de dizer que fugira de casa como uma criminosa e que seu gesto tresloucado havia ocasionado a morte do marido.

Os dois continuaram conversando, falando sobre a cidade, seus costumes, as diferenças culturais entre Brasil e Estados Unidos, comparando-as com a Europa.

Aline sentia-se à vontade como se já conhecesse Gino há muito tempo, enquanto ele tinha a sensação de que aquela cena já havia acontecido antes em algum lugar.

Marcelo, inquieto, desejava que Gino fosse embora, porém, ele não parecia ter pressa. Irritado, aproximou-se dele dizendo em seu ouvido:

– Você está abusando. Vá embora, chega de conversa. Onde pensa que está? Não quero você aqui. Aline é minha, muito minha.

Gino sentiu alguma inquietação e remexeu-se na cadeira:

– A conversa está tão agradável que eu estou abusando. Estou atrapalhando você?

– Não. Eu havia programado ficar em casa esta noite.

– Se você tiver o que fazer, pode me mandar embora.

– Não se preocupe. Se eu desejasse ficar só, pode estar certo de que lhe diria. Desde que cheguei fiz algumas amizades. Mas como conversamos, os costumes brasileiros são diferentes dos americanos. Meus amigos são ótimos, bons companheiros, mas se relacionam do jeito deles. Já você, talvez por ser descendente de italianos, é muito parecido com os brasileiros. Tanto que nos conhecemos hoje e para mim parece que somos amigos de longa data.

– Folgo em saber disso porque eu também sinto o mesmo. Tenho a impressão de que a conheço e de que já estivemos juntos conversando.

Marcelo andava de um lado a outro nervoso. Precisava fazer alguma coisa, tirar aquele intruso dali. Aproximou-se de Gino, olhando-o com raiva, e disse-lhe ao ouvido:

– Vá embora daqui já. Não quero que volte nunca mais. – Notando que Gino estremeceu, ele continuou: – vá embora. Não quero que fique. Você tem que ir agora.

Marcelo jogou sobre Gino toda sua raiva, fazendo-o sentir uma dor forte na barriga.

– O que foi? – Indagou Aline. – Você empalideceu.

– Não foi nada. Senti um arrepio.

Aline pensou em Marcelo. Ele estaria ali? Preocupada, ela disse:

– É tarde. É melhor você ir.

– Está certo. Mas, quero seu telefone.

Ela apanhou a bolsa e trocaram cartões. Depois ele despediu-se, beijando-a levemente na face.

Aline estremeceu e sentiu uma onda de calor invadir seu corpo. Ele se foi e ela preparou-se para dormir.

Seu pensamento estava em Gino. Recordava-se de cada gesto, de cada palavra que haviam trocado. Reconhecia que ele era muito atraente.

Marcelo ficou muito irritado por saber que Aline estava se interessando por outro. Pensava que ele estivesse morto, porém ela sabia que ele estava “vivo”, era seu marido e ela não podia fazer isso.

Ela deitou-se pensando em Gino e ele sentou-se na cama, a seu lado, preocupado: “Como iria fazer para afastar definitivamente Gino do caminho dela?”.

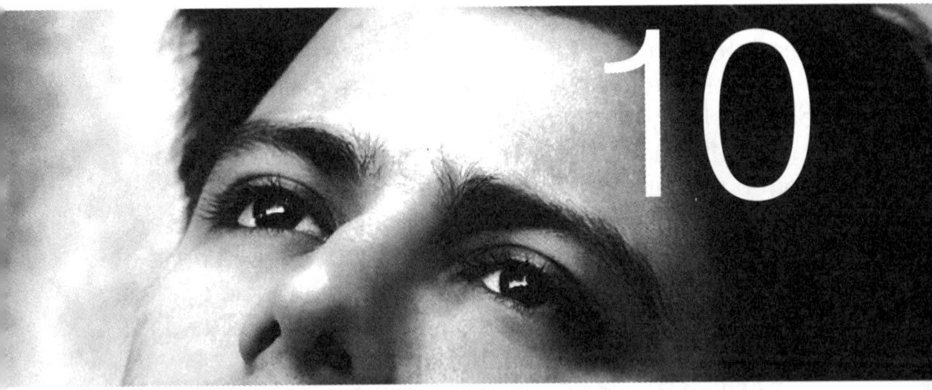

10

Fazia uma semana que conhecera Gino e apesar do interesse que ele demonstrara em obter seu telefone, não havia ligado.

Aline sentia-se um pouco decepcionada. Depois de muito tempo sentira-se atraída por ele e esperara ansiosamente sua ligação.

Certamente, havia se enganado. Ele não sentira o mesmo interesse que ela. Resolveu esquecer.

Marcelo estava satisfeito. Preocupado, tentara por vários meios envolvê-lo em complicações de trabalho até que seu chefe o mandou para outra cidade fazer uma investigação.

Se dependesse de Marcelo, Gino nunca mais voltaria ao apartamento de Aline.

Ao chegar na empresa, Aline encontrou Rachel, que lhe perguntou:

– O que aconteceu com seu telefone? Tentei falar com você ontem à noite e não consegui. A telefonista me disse que estava fora de área.

– Bem que eu notei que nos últimos dois dias ele não tocou nenhuma vez. Vou pedir à portaria do meu prédio para verificar. O que você queria?

– Alguns amigos ligaram nos convidando para jantar. Como não consegui falar com você, acabei indo sozinha.

Depois de providenciar a verificação do telefone, Aline pensou que talvez Gino houvesse tentado ligar.

Sentiu-se mais animada. Se fosse assim, ele ainda poderia ligar.

No fim da tarde, ao chegar em casa, Aline foi falar com o porteiro e perguntar do telefone.

– Fui verificar, mas não havia nada. Estava tudo bem.

– Minha amiga tentou falar comigo ontem à noite e não conseguiu. Tem certeza de que está funcionando?

– Tenho. Fiz teste. Mas chegando lá, você liga para cá e verá que está perfeito.

Aline entrou em casa, apanhou o telefone e funcionou perfeitamente. Marcelo, que a esperava em casa sorriu. Esse telefone não iria funcionar de novo. Não enquanto Gino estivesse tentando ligar.

Ele havia tentado várias vezes, mesmo estando fora da cidade. Marcelo esperava que Gino desistisse.

Aline tomou um banho, estava preparando algo para comer quando a campainha tocou. Ela foi abrir e deparou com Gino, corou de prazer.

– Desculpe vir sem avisar, mas há dias estou tentando falar com você. Seu telefone estava com defeito e eu estava trabalhando fora da cidade.

– De fato, meu telefone não estava bom. Fez bem em vir. Entre.

Ele entrou, beijou-a na face delicadamente e disse:

– Estava ansioso para falar com você.

– Eu esperei que ligasse.

– Cheguei esta tarde e vim imediatamente para cá. Quer jantar comigo?

– Eu estava preparando um lanche.

– Deixe para amanhã. Faça-me companhia no jantar.

– Está bem. Sente-se enquanto vou me arrumar um pouco.

Marcelo olhava os dois com raiva. Aline sentia-se animada e arrumou-se com capricho. Ao voltar à sala, Gino levantou-se:

– Você está linda!

– Obrigada.

Aline estava irradiando alegria. Marcelo não podia entender. Por que ela estava tão derretida por aquele desconhecido? Ela o vira apenas uma vez. Nunca pensou que Aline fosse tão volúvel.

Nervoso tentou impedir que saíssem, aproximou-se dela dizendo nervoso:

– Você é minha mulher. Não pode sair com ele. Está sendo leviana. Não quero que saia.

Mas as energias dele sequer se aproximaram dela. Por que não conseguiu influenciá-la? Então chegou perto de Gino, dizendo:

– Vá embora. Deixe-a em paz. Ela é comprometida, não pode sair com você.

Mas da mesma forma que Aline, Gino não sentiu nada, continuou empolgado, sentindo o prazer da companhia.

Eles saíram e Marcelo os acompanhou. Foram a um restaurante agradável, com música ao vivo e pista de dança.

Os dois jantaram, depois foram dançar. Vendo-os abraçados, Marcelo não se conformava. Por que não conseguia separá-los?

Mandava sobre eles energias negativas querendo que se sentissem mal, que parassem e fossem embora. Mas por mais força que fizesse, não conseguiu nada.

Os dois continuavam alegres, felizes, sentindo prazer em estarem juntos. Aline, nos braços de Gino, deixava-se embalar pela música romântica, e achou natural quando ele a apertou de encontro ao peito, encostando o rosto no dela.

Então para eles o tempo parou. Aline queria que aquela noite não acabasse. A princípio, ficou um pouco assustada com a força da atração que sentia. Mas depois entregou-se ao prazer daquele momento, notando que Gino também sentia o mesmo.

Era mais de uma hora da manhã quando deixaram o restaurante. Sentada ao lado dele no carro, Aline comentou:

– Que lugar delicioso. Adorei.
– Só o lugar?
– A companhia contribuiu.
– Estava com medo que não dissesse isso.
Ela riu contente. Ele continuou:
– Temos que repetir a dose. O que acha?
– Claro.
– Amanhã?
Ela pensou um pouco e respondeu:
– Você quer dizer hoje?
Ele riu.
– Por que não?
– Vamos ver.
Chegaram em casa e ele acompanhou-a até a porta.
– Não teria um café para mim agora?
– É tarde. Fica para outro dia.
Ela abriu a porta e estendeu a mão:
– Boa noite.

Ele enlaçou-a e beijou-a nos lábios demoradamente. Aline sentiu as pernas tremerem e seu coração bateu descompassado.

– Boa noite. – Respondeu ele. – Sonhe comigo. Vou sonhar com você.

Beijou delicadamente a mão dela, que entrou e fechou a porta ainda sentindo a respiração ofegante. Não se lembrava de haver sentido uma emoção como aquela.

Enquanto se preparava para dormir, recordava-se de todos os momentos daquele encontro com prazer e emoção.

A um canto do quarto, Marcelo estava inconformado. Precisava fazer alguma coisa. Mas o quê?

Lembrou-se de Vitor. Talvez ele pudesse ajudá-lo. Pensava em procurá-lo, mas tinha medo de não conseguir achar o lugar onde ele vivia.

Pensou nele com insistência até que, satisfeito, viu-o entrar no quarto.

– Ainda bem que veio. Precisa me ajudar.

– Eu sabia que isso iria acontecer. Eu não disse? Ela é jovem, acha que vai se conformar em ficar sozinha?

– Mas eu não quero. Você tem de me ajudar a separá-los. Eu tentei e não consegui. Por quê?

– Talvez porque o amor tem muita força.

– Que amor? Não creio que ela possa amá-lo. Só o viu duas vezes.

– Isso é o que você pensa. Eles podem se conhecer de outras vidas.

– Não aceito isso. Aline é minha e não vou deixá-la para outro. Você disse que seus amigos têm poder, estou certo de que poderão me ajudar a separá-los.

– Isso depende.

– De quê?

– De você prestar alguns serviços à comunidade.

– Estou pronto a fazer o que for preciso.

– Mas você não quer se afastar dela. Assim fica impossível.

Marcelo pensou um pouco depois respondeu:

– Se for preciso, se me garantirem que ela não vai ficar com ele, faço qualquer sacrifício.

– Nesse caso vamos conversar com Mimo.

– Agora?

– Não. É tarde. Amanhã à noite virei buscá-lo. Pode esperar.

– Eu tenho pressa.

– Antes preciso conversar com Mimo, ver se pode nos atender.

– Está bem. Estarei esperando.

Vitor se foi e Marcelo deitou-se ao lado de Aline que dormia tranqüila. Olhou-a embevecido. Não ia aceitar que ela fosse de outro. Aproximou-se e embora não pudesse roçar seus lábios, pousou-os sobre os dela com paixão.

Aline estremeceu, sentiu a presença de Marcelo, voltou para o corpo assustada, viu-o na cama, debruçado sobre seu rosto e quis gritar, mas não conseguiu emitir nenhum som.

Quando conseguiu abrir os olhos, olhou em volta, mas não viu ninguém. Acendeu a luz do abajur, levantou-se, tomou um copo d'água. Estava trêmula, apavorada.

Marcelo ainda estava lá. Lembrou-se dos conselhos que haviam lhe dado no Instituto:

– Se notar a presença dele, tente conversar, convencê-lo a se afastar e ir em busca da ajuda espiritual.

– Acho que não terei coragem.

– Se não conseguir, reze, peça ajuda aos guias.

Aline fechou os olhos e rezou, pedindo proteção dos espíritos. Marcelo estava triste com a reação dela. Por que estava com medo dele? Desejava dizer-lhe que continuava vivo, que sempre a protegeria.

O espírito de Cora entrou, e Marcelo encolheu-se no canto do quarto querendo passar despercebido.

Cora aproximou-se de Aline, colocou as mãos sobre sua cabeça e delas saíam raios de luz azul brilhante que a envolveram. Aline sentiu um brando calor no corpo e ficou mais calma.

Afinal, haviam lhe dito que Marcelo desejava protegê-la e nunca iria fazer-lhe mal. Depois, sentiu sono, mas não teve coragem de deitar-se novamente na cama. Ele poderia estar lá ainda. Apanhou o travesseiro, uma coberta e foi deitar-se no sofá da sala.

Cora aproximou-se de Marcelo, que a observava receoso:

– Como vai, Marcelo?

– Se você veio para me levar embora, pode esquecer. Não vou deixar Aline.

– Não desejo forçá-lo a nada. Mas penso que seria muito melhor para ambos se você fosse comigo. Posso levá-lo a um lugar muito bom, que vai ajudá-lo a se equilibrar, a se sentir melhor.

– Nunca vou deixar Aline. Ela me pertence.

– Isso é uma ilusão. Ninguém é de ninguém. Cada um é dono apenas de si. Você se furtaria de muitos problemas se fosse comigo agora.

– Você quer me separar dela.

– Não. Eu quero que você fique bem, compreenda o que aconteceu e possa ajudá-la de verdade.

– Não insista. Não quero e não vou.

– Seja feita sua vontade.

Ela afastou-se, passou pela sala, viu que Aline estava dormindo tranqüila e se foi.

Marcelo ficou parado, pensativo, sem coragem de ir à sala ver Aline. Aquela mulher era poderosa. Ele viu as luzes que saíam de suas mãos.

Lembrou-se de Mirela. Ela também emitira luzes, embora menos brilhantes. Mas haviam curado suas feridas. Seus amigos também eram poderosos e estavam dispostos a ajudá-lo a ficar ao lado de Aline. Isso era tudo o que ele queria.

Na noite seguinte, Gino ligou para Aline que não quis sair com ele. Sentia-se cansada, preocupada com a presença de Marcelo em sua casa. Temia que ele ficasse com raiva de Gino e de alguma forma lhe fizesse algum mal.

Mas ficaram conversando durante muito tempo. Aline sentia-se cada vez mais atraída por ele, percebia que era recíproco. Gino era um homem inteligente, culto, cuja conversa fácil e agradável encantava Aline.

Marcelo observava com raiva sem poder intervir. Ele bem que tentou, porém, não conseguiu aproximar-se de Aline. Era como se ao redor dela houvesse uma barreira e por mais que ele tentasse não conseguia ultrapassá-la.

Eram onze horas da noite quando Vitor chegou e Marcelo apressou-se a cumprimentá-lo e a indagar:

– E então, falou com Mimo? Ele vai me ajudar?

– Isso eu não sei. Mas ele vai nos receber hoje. Vamos embora.

– Acho bom. As coisas por aqui andam muito mal. Aquela mulher intrometida voltou, queria me levar, mas eu não quis. Depois de ontem não sei o que ela fez, mas não consigo me aproximar de Aline.

– Ela fez uma barreira.

– Isso mesmo. Não há um jeito de acabar com isso?

– Sua mulher é protegida dela. É melhor não fazer nada por enquanto. Vamos falar com Mimo.

Eles saíram. Uma hora depois chegaram na fortaleza. Entraram e foram conduzidos à sala de Mimo, que os recebeu como da outra vez.

– Você quer falar comigo? – Indagou.

– Eu preciso de ajuda.

Em poucas palavras, Marcelo contou-lhe o que estava acontecendo. Mimo ficou silencioso por alguns segundos. Depois respondeu:

– Você sabe que trabalhamos na base da troca.

– Eu sei. Estou disposto a colaborar.

– Não sei se você está mesmo... Afinal é tão agarrado a sua mulher que é bem capaz de não dar certo.

– Se você me prometer que vai afastar aquele sujeito de lá, eu farei tudo o que for preciso.

– Para isso terá de ficar aqui e provar que está dizendo a verdade.

– Como assim?

– Ficar e fazer primeiro o serviço, depois faremos nossa parte.

Naquele instante, Marcelo sentiu que aquela situação já havia acontecido antes. Viu-se diante de Mimo, seu corpo estava diferente, mas sabia que era ele mesmo.

Foi rápido e logo tudo voltou a ser como antes. Mas ele assustou-se um pouco.

– Então, aceita?

– Sim.

– Já tenho um serviço para você. Ficará aqui até concluí-lo. Vitor, o quarto ao lado do seu está desocupado. Leve-o lá e coloque-o a par do regulamento. Amanhã vou chamá-lo para as instruções.

Eles deixaram a sala e Vitor considerou:

– O chefe aceitou. Você conseguirá o que deseja.

– Tem certeza?

– Tenho. Mas precisa fazer tudo o que ele mandar. Aqui a disciplina é rígida.

Voltaram ao pátio e Vitor levou-o ao quarto, entregou-lhe uma lista com as disciplinas, horários. Depois disse:

– Estou cansado. Vou para o meu quarto. Aproveite para descansar. Amanhã certamente terá um dia cheio.

Depois que ele se foi, Marcelo olhou em volta. Era um quarto pequeno, escuro, com uma cama de solteiro, uma mesa e duas cadeiras. Não havia nenhum objeto de adorno. Do teto pendia uma luz amarelecida que deixava o ambiente mais triste.

Marcelo recostou-se na cama pensando em Aline. O que estaria fazendo? Teria saído com Gino? Era provável, mas dentro de pouco tempo, eles estariam separados. Estava certo disso.

Fechou os olhos tentando descansar. Naquele instante, o rosto de Mirela apareceu diante dele.

– A enfermeira. – Pensou.

Mas desta vez ela lhe pareceu diferente, mais jovem, mais bonita e Marcelo sentiu vontade de beijá-la.

Desde que conhecera Aline, nunca mais se sentira atraído por mulher nenhuma. O que estaria acontecendo com ele?

Mirela aproximou-se, ele foi envolvido em um turbilhão de emoções. Abraçou-a e mergulhou em seus braços. Estavam em um casarão antigo, luxuoso, e se beijavam apaixonadamente. Foram para a cama e Marcelo perdeu a noção do tempo. A noite inteira passou revivendo aquela paixão.

Acordou e pensou que fora um sonho. Vitor abriu a porta do quarto dizendo sério:

– O que aconteceu, perdeu a hora? Não leu as recomendações?

Marcelo levantou-se de um salto.

– Desculpe-me. Não sei o que aconteceu comigo. Tive uns sonhos esquisitos, perdi a noção do tempo.

Vitor olhou-o curioso. Notou que ele estava um pouco diferente. Os traços de seu rosto haviam se modificado. Estaria se recordando do passado?

Vitor gostaria de saber o próprio passado, mas até então não conseguira. Havia regressado do mundo há mais de sessenta anos e nunca tivera nenhuma lembrança.

– Apresse-se. Mimo está nos esperando.

Marcelo levantou, arrumou-se rapidamente e acompanhou Vitor. Ao passarem pelo pátio, Marcelo sentiu uma sensação desagradável e parou.

– O que foi? – Indagou Vitor.

– Não estou bem. Quero sair daqui.

– Por que isso? Somos seus amigos, esqueceu? Vamos ajudá-lo no que deseja.

Marcelo ficou pensativo por alguns instantes, depois perguntou:

– Em que lugar ficam os presos?

– Quem lhe disse que temos presos aqui?

– Ninguém. É que eu estou vendo grades e pessoas atrás delas.

– Você está vendo coisas demais. Acho que ainda não acordou.

– Ao contrário, penso que agora estou acordando. Acho que já estive aqui antes e minha estada não foi boa.

– Você está confundindo as coisas. Eu o trouxe aqui pela primeira vez, lembra-se?

– Lembro-me. Naquele tempo eu não sabia. Agora sinto que conheço este lugar. Quero ir embora. Não vou falar com Mimo.

– Não vai fazer uma desfeita dessas a ele que está nos esperando. É melhor irmos até lá, conversar, você explica o que está acontecendo. Ele vai esclarecer tudo.

– Tenho medo.

– Eu garanto. Não vai acontecer nada. Vamos conversar com ele. Depois, se quiser ir embora, poderá.

Mas não pode sair assim, sem dar nenhuma satisfação. Ele pode se ofender e se zangar. Isso sim, será ruim para você.

– Está bem. Eu vou. Mas depois quero ir embora.

Vitor concordou. Entraram na sala de Mimo, que continuava sentado no coxim, como das outras vezes, fumando e soltando as baforadas no ar.

Assim que se aproximaram, Marcelo o fixou e imediatamente gritou:

– Foi você! Eu me lembro! Você me jogou naquela prisão mal cheirosa e escura e permitiu que ele me atormentasse.

Mimo fixou-o e respondeu calmo:

– Eu tinha um trato com Giulio e o cumpri. Até hoje não sei como escapou. Imagino que alguém o tirou às escondidas. Certamente, um emissário do cordeiro. Mas não adiantou o haverem escondido na carne. Você voltou por sua própria conta.

– Voltei porque não sabia de nada disso. Mas agora desejo ir embora. Não quero pedir mais nada a você.

– É tarde. Pois um emissário meu já está trabalhando ao lado de Aline para separá-la daquele homem, conforme pediu.

Marcelo torceu as mãos, aflito. Em sua mente misturavam-se as cenas do seu sonho com o afeto que sentia por Aline. Ficou confuso. O que estava acontecendo com ele? Estaria enlouquecendo?

– Você não está louco – afirmou Mimo –, está confundindo o que aconteceu no passado, com o presente. Você mudou. Agora ama Aline e deseja ficar com ela.

– É. Aline é minha. Quero ficar com ela.

– Então, por que quer desistir? Ela está se apaixonando por outro. Quer que ela se case com ele? Se não fizermos nada, é o que vai acontecer.

– Não. Não quero. Aline é minha.

– Então – continuou Mimo com voz suave –, nós podemos conseguir isso para você.

– Você vai me prender de novo.

– Não. Meu compromisso com Giulio terminou. Eu não tenho nada contra você. A não ser que não cumpra o trato que fizemos.

Marcelo ficou pensativo por alguns instantes, depois respondeu:

– Está bem. Se é assim, farei o que deseja. Mas quero sua palavra que depois me deixará livre.

– Eu já disse isso. Mas você precisa cooperar, prestar serviço para nós.

– Está bem. O que deverei fazer?

– Sente-se. Vou lhe explicar.

Marcelo sentou-se e esperou atento o que ele ia dizer.

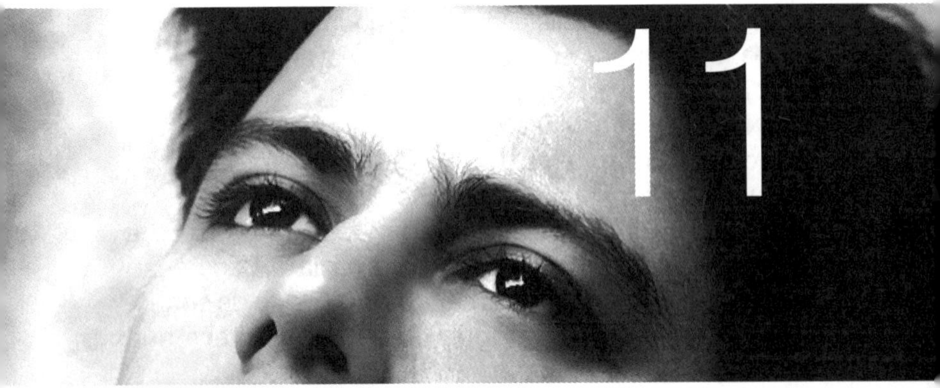

11

Aline olhou no espelho e sorriu satisfeita. Estava linda em seu vestido de seda azul, os cabelos soltos e bem penteados, olhos brilhantes de prazer.

Gino viria buscá-la para jantar e ela estava muito alegre. Parecia ter voltado à adolescência.

A campainha da porta tocou, ela foi abrir e notou que Gino estava muito elegante. Beijou-a na face, dizendo:

– Como você está linda!

– E você muito elegante. Quer entrar um pouco?

– Se já está pronta, podemos ir. Desejo levá-la a um lugar muito bonito. Vamos jantar, dançar e ver o dia amanhecer.

– Podemos ir.

Aline apanhou a bolsa e saíram. Ela sentia que aquela noite tinha algo especial. Havia alguma coisa no ar que a deixara feliz, alegre.

Gino a olhava e em seus olhos podia-se notar um brilho novo, que fazia sua fisionomia tornar-se mais suave, terna.

A noite estava quente, o céu limpo, sem nuvens, e as estrelas brilhavam em volta de uma lua cheia belíssima.

Eles foram a um lugar à beira-mar, com uma varanda que ficava sobre as águas e a vista era maravilhosa. As luzes dos prédios refletiam-se nas águas, os iates iluminados, que passavam à distância, tornavam a paisagem mais bela.

Na varanda envidraçada, janelas abertas, embaixo das quais havia vasos com flores, estavam algumas mesas, dentro no salão, mais mesas.

Um conjunto tocava atrás da pista de dança e a iluminação suave, meia penumbra, fazia a decoração parecer ainda mais bela, tornando o ambiente de sonho.

Ao sentar-se na varanda, Aline não conteve sua admiração:

– Que lindo!

– Também acho!

Sentaram-se, pediram uma bebida e Gino começou a falar:

– Não sei o que está acontecendo comigo. Estou com trinta e cinco anos. Sou um homem experiente. Mas desde que nos conhecemos não faço outra coisa senão pensar em você. Gostaria de dizer-lhe muitas coisas, mas quando estou perto de você, emociono-me, não consigo dizer o que gostaria.

– Sei como é isso.

– Sabe? Será que sente alguma atração por mim?

– Sinto. E para ser sincera, isso está me assustando um pouco.

– Por quê? Não confia em mim?

– Nós nos conhecemos há pouco tempo. Não sei como você realmente é.

Ele segurou a mão dela, levando-a aos lábios com carinho.

– Pois eu tenho a impressão de conhecê-la há muito tempo. Para mim é como um reencontro.

Naquela semana no Instituto, Aline ouvira falar muito sobre vidas passadas, e essas palavras tiveram o condão de fazê-la pensar que isso poderia ser verdade. Ela também sentia que podia confiar nele.

– Talvez tenhamos nos conhecido em outras vidas.

Ele olhou-a sério e perguntou:

– Você acredita em vidas passadas?

– Tenho estudado o assunto no Instituto Ferguson. Já ouviu falar dele?

– Já. Estive lá no ano passado, fazendo alguns cursos.

– Que coincidência!

– Esse assunto me interessou desde que meu sobrinho de quatro anos começou a dizer que ele antes se chamava Álvaro e que havia sido pai do meu avô, que tivera esse nome. A princípio, pensávamos que ele estivesse inventando, mas depois ele passou a mencionar certos fatos acontecidos com meu bisavô, alguns dos quais só eram conhecidos de minha avó e nunca mencionados em família, ficamos intrigados.

– Então, você procurou o Instituto?

– Foi. E, descobri muito mais do que fora buscar. Encontrei provas da vida após a morte, o que mudou radicalmente minha forma de ver a vida. Meu sobrinho hoje está com sete anos e conforme foi crescendo não menciona mais o assunto. Aliás, no curso que fiz, me disseram que isso poderia acontecer. E você, por que foi ao Instituto?

– Agora não gostaria de mencionar o assunto. Mais tarde lhe contarei tudo.

– Está bem. Notei tristeza em seus olhos. Se não quiser não precisa dizer. Vamos pedir o jantar e dançar. Quero que se sinta alegre e feliz.

Ela sorriu:

– Eu estou feliz.

Eles fizeram o pedido e foram dançar. Abraçados, rosto colado, Aline esqueceu de tudo. Nos braços dele sentia-se protegida e uma sensação de prazer a envolvia, embalada pela música romântica e pela beleza do lugar.

Eram duas horas da manhã quando deixaram o restaurante. Já no carro, Gino abraçou-a e beijou-a longamente várias vezes. Depois, descansando a cabeça no peito dele, Aline começou a falar e contou-lhe tudo sobre sua vida. Seus sonhos, seu casamento, a vontade de mudar e por que procurara o Instituto. Finalizou:

– Desde que estive lá, tenho me sentido protegida. Não sonhei mais com ele nem tive medo. Eu continuo estudando. Quero saber mais, preciso compreender melhor a vida. Eu estava me sentindo culpada pelo acidente que o vitimou. Mas agora sei que não tive culpa de nada e isso me deu grande alívio.

– Penso que o amor que sentia por ele não foi o bastante para fazê-la esquecer seus projetos.

– De fato. Desde o começo do nosso casamento eu me criticava porque ele me rodeava de tantas atenções, demonstrava tanto amor, e eu me sentia sempre em falta por não lhe dar o que ele merecia.

– O que ele sentia não era amor, era apego. Você para ele era uma muleta na qual se apoiava.

– Eu nunca tinha olhado por esse lado. Mas de fato, ele não decidia nada, não fazia nada sem antes me consultar. E quando eu não apoiava, ele desistia.

– Você casou com ele e viveu sete anos sem amor, mais por gratidão, devido à maneira como ele a tratava. Ele a manipulou de tal jeito que você sentiu-se na obrigação de retribuir. Mas isso não a satisfez e você não agüentou mais.

– De fato, eu estava no meu limite. Todas as tardes quando ele entrava em casa eu sentia até certa aversão e me criticava, porquanto ele não merecia. A ruim era eu.

Gino apertou-a de encontro ao peito e beijou-lhe os cabelos com carinho.

– Você fez muito bem de sair desse círculo vicioso que a estava infelicitando. O amor não é isso, é alegria, companheirismo, amizade, onde cada um tem a liberdade de ser como é.

– Suas palavras me fazem entender melhor tudo o que aconteceu. E tiram um peso do meu coração.

Ninguém pode amar por obrigação. O amor é espontâneo, aparece.

Gino beijou-a nos lábios longamente, depois disse, com voz que a emoção enrouquecia:

– Eu estou sentindo que neste momento encontramos o amor. Ele vai iluminar nossa vida de agora em diante.

Ela não respondeu, mas enquanto se beijavam novamente, sentiu que era verdade. Que finalmente havia encontrado o amor.

Enquanto isso, em São Paulo, Márcio chegou em casa satisfeito e procurou por Ivone.

– Mãe, finalmente a tia emprestou o dinheiro.

– Seu pai não pode saber, senão vai ser o diabo.

– Não precisamos contar. Eu pedi a ela que guardasse segredo.

– Mas como vamos pagar?

– Não se preocupe. Ela também acha desaforo eles ficarem com tudo o que era de Marcelo. Disse que podemos pagar depois. Esta noite mesmo vou levar ao Centro.

– Vamos ver se funciona. Seu pai garante que isso é impossível.

– Não seja negativa. Eles disseram que precisamos acreditar.

– Vou tentar.

Aquela noite mesmo, Márcio voltou ao terreiro e entregou o dinheiro. Falou com Pai José, que ficou de fazer tudo o mais rápido possível.

Satisfeito, ele voltou para casa. Não viu que duas sombras escuras acompanharam-no satisfeitas.

– Esse está no jeito. – Disse um sorrindo.

– Está mais do que maduro. Mas se não fosse eu trabalhar a tia, ela não teria dado o dinheiro. É sovina como só ela.

Márcio não percebeu nada diferente. Em sua mente previa o que faria com o dinheiro quando os bens do irmão voltassem para suas mãos. Então o pai iria ver que ele estava com a razão.

Alguns dias depois, Arlete chegou na empresa um pouco mais cedo. Havia preparado um relatório demonstrativo para Rodrigo e queria apresentar-lhe antes que ele começasse a trabalhar nos projetos, porque quando iniciava não gostava de ser interrompido.

Pouco depois, quando ele chegou, ela já o esperava e depois dos cumprimentos pediu-lhe para ir à sua sala.

Uma vez lá, sentados um na frente do outro, ela apresentou o relatório onde ele pôde ver com clareza os resultados positivos daqueles meses de trabalho.

– Eu sabia que estávamos crescendo, mas não esperava tanto. – Disse ele, satisfeito.

– Eu imaginava. Este último projeto ficou maravilhoso. Você realmente tem talento.

Os olhos dela brilhavam e Rodrigo notou o quanto ela era bonita. Sua presença no escritório havia contribuído para harmonizar o ambiente.

Os clientes admiravam-na e ela tinha um jeito especial de lidar com eles, com classe e respeito, que davam à empresa um aspecto de eficiência e capacidade, inspirando confiança.

Ele colocou a mão sobre a dela dizendo:

– Sem você eu não teria conseguido nada disso. Obrigado por você ter vindo me ajudar.

– Eu o fiz por minha irmã.

– Eu sei, mas fazendo isso você me ajudou. Quando Marcelo morreu, senti-me sem chão. Além de perder meu amigo de infância, não entendo nada da parte administrativa.

– Entenderia se quisesse. Contudo, entendo que qualquer pessoa poderia fazer isso, enquanto os projetos que você faz seria difícil encontrar alguém com essa capacidade.

– Não repita isso que posso acreditar.

– Minha mãe deseja que você vá jantar em nossa casa no sábado. Ela disse que está com saudades. Depois da morte de Marcelo, você nunca mais foi em casa.

Apanhado de surpresa, Rodrigo olhou-a sério e não respondeu logo. Arlete fixou-o e perguntou:

– Você ficou sentido conosco por causa do que Aline fez?

– Não se trata disso. A família de Marcelo não se conforma com o que aconteceu. Veio pedir-me contas por você estar trabalhando comigo. Então eu preferi não ir nem à casa deles nem a sua.

– Você também julga Aline culpada pela morte de Marcelo?

– Claro que fiquei chocado. Eu acreditava que eles viviam às mil maravilhas. Você sabe, depois que eles se casaram, eu afastei-me um pouco do casal. Sou solteiro, não tenho compromisso com ninguém e, casados, a vida deles era outra. Um casal precisa de privacidade.

– Entendo.

– Mas depois refleti e pensei que as coisas não deveriam estar tão bem quanto me parecia. Preferi não julgar. Eu não estava dentro dela para saber o que sentia.

– Sei. Se você prefere não ir à nossa casa, fique à vontade. Mamãe vai compreender.

– Gosto de d. Dalva. Não desejo que ela pense que tenho alguma coisa contra sua família. Mas se eu for à sua casa não terei como não ir à casa do *seu* João.

– Faça como quiser.

– Não fique sentida comigo.

– Não se preocupe. Não sou tão suscetível. Agora, vou voltar ao trabalho.

Depois que Arlete deixou a sala, Rodrigo passou a mão nos cabelos, pensativo. Não se sentiu bem em recusar o convite para jantar. Afinal, mesmo que Aline houvesse agido mal, sua família não tinha culpa. Sabia o quanto eles ficaram chocados com o acontecimento.

Sentou-se diante da mesa onde trabalhava, disposto a esquecer o assunto, mas não estava fácil.

Concentrou toda a atenção no desenho que estava à sua frente e começou a trabalhar. Pouco depois, a auxiliar de Arlete entrou na sala nervosa:

– Doutor Rodrigo, corra. Dona Arlete caiu da escada e não está podendo se levantar.

Rodrigo saiu correndo e encontrou-a no chão, gemendo de dor.

– Acho que quebrei alguma coisa. Está doendo demais.

– Vou levá-la ao hospital. – Voltando-se para a auxiliar disse: – pegue minha pasta que está sobre a cadeira. Leve ao estacionamento.

Em seguida, abaixou-se e perguntou:

– Onde é a dor?

– No braço direito e na canela.

– Passe o braço bom no meu pescoço, vou carregá-la até o carro.

Ela obedeceu. Com cuidado, ele passou o braço pela cintura dela que gemeu um pouco.

– Tenha um pouco de paciência. Logo você estará sendo aliviada.

Felizmente, o estacionamento era no mesmo prédio. Neusa, a auxiliar, já estava esperando ao lado do carro com a pasta pedida.

– Abra a pasta e pegue a chave do carro que está no zíper e abra a porta de trás.

Com as mãos trêmulas, Neusa obedeceu. Rodrigo colocou Arlete estendida no banco. Depois ,entrou no carro e partiu rápido para o hospital, que não ficava muito distante dali.

Uma vez lá, Rodrigo conversou com o ortopedista, que por sinal era seu conhecido, pedindo-lhe que cuidasse dela. Tiradas as radiografias, foi constatado que ela luxara o braço, mas quebrara a perna.

Rodrigo acompanhou-a penalizado, segurando a mão dela quando a dor era mais forte.

Duas horas depois, perna engessada do tornozelo ao joelho e braço enfaixado e suspenso, ela foi dispensada. Não foi preciso ficar internada.

Observando de longe estavam dois vultos escuros, trocando risos e palavras entre si:

– Essa vai ficar de molho por uns tempos.

– Podemos descansar. Daqui a alguns dias voltaremos para pensar o que faremos depois que ela ficar boa.

– Vamos embora. Este lugar é guardado, não podemos entrar e quanto mais depressa sairmos é melhor.

Auxiliado por uma enfermeira, Rodrigo instalou Arlete no banco da frente, porquanto ela não conseguiu entrar atrás.

– Vou levá-la para casa.

– Você deveria ter ligado para mamãe, ela tomaria um táxi e viria me buscar.

– De forma alguma. Ela iria se assustar e depois eu quero deixá-la em casa, e ver se está tudo bem.

– Mas você não desejava ir até lá.

– Pois eu estava errado. Vocês não podem ser responsabilizados pelo que aconteceu com Marcelo.

– Obrigada pelo que está fazendo por mim.

– Preciso cuidar de minha assistente.

Quando chegaram, Rodrigo tocou a campainha e Dalva abriu. Vendo-o sorriu contente:

– Rodrigo! Quanto tempo. Como vai?

– Bem. d. Dalva, Arlete levou um tombo no escritório, quebrou a perna e luxou o braço. Mas está bem.

– Meu Deus! Está bem mesmo? Onde está ela?

– No carro. Está com a perna engessada e preciso de ajuda para tirá-la de lá.

Dalva foi até o carro nervosa:

– Arlete, minha filha, o que aconteceu?

– Não sei como foi. Estava descendo a escada e quando vi estava no chão.

– Na escada, santo Deus! Poderia ter sido pior.

– Rodrigo me levou ao hospital, fui muito bem atendida, mas ainda sinto dores no corpo.

– Vamos levá-la para dentro.

– É melhor entrar com o carro no jardim.

Ele concordou. Uma vez lá dentro, abriu a porta do carro e disse:

– Dona Dalva, vou carregá-la, mas a senhora precisa segurar a perna engessada porque é pesada e pode doer muito.

Com cuidado eles levaram-na até o quarto e colocaram-na sobre a cama. Rodrigo tirou um pacote do bolso e entregou-o a Dalva dizendo:

– São os remédios que ela precisa tomar. A receita está dentro. Ela tomou um analgésico e se as dores ficarem mais fortes a senhora dá outro.

– Está doendo muito, minha filha?

– Um pouco. Mas o pior já passou.

– Vou trazer um café com leite. Vai ver nem almoçou.

– Não mesmo. Mas não quero nada, estou com um pouco de enjôo. O Rodrigo também não almoçou, deve estar com fome.

– Vou trazer um lanche e algumas torradas salgadas. Ajudam a passar o enjôo. Você gosta de café simples ou com leite?

– Não se incomode d. Dalva. Tenho de voltar ao escritório. Vou sair logo e comer alguma coisa.

– De maneira alguma. Sente-se. Não vou demorar.

Depois que ela se foi Arlete disse:

– Amanhã cedo vou ligar para Neusa e pedir que me traga minha pasta e alguns documentos. Pretendo trabalhar aqui enquanto não puder ir ao escritório.

– Não é preciso. Você deve descansar.

– Hoje não posso, mas amanhã, se ela puder me ajudar, vou providenciar os pagamentos mais urgentes e ela levará para que assine. Há coisas que não podem esperar.

– Se me ensinar eu poderei fazer. Você não vai poder usar seu braço direito.

– Não se preocupe. A Neusa poderá fazer o que for preciso.

Dalva voltou com uma bandeja, além do café havia alguns sanduíches e torradas. Ela colocou-a sobre uma mesinha de apoio ao lado da cama. Serviu o café para Rodrigo, dizendo:

– Coma um sanduíche. O pão ainda está quente.

Ele apanhou um sanduíche e Dalva estendeu o prato com torradas para Arlete:

– Coma pelo menos uma. Vai consertar seu estômago.

Ela apanhou uma com a mão esquerda e Dalva ajudou-a a sentar-se, colocando dois travesseiros em suas costas. Devagar, ela foi comendo a torrada.

Estava um pouco pálida e Rodrigo, após comer o lanche e tomar o café, levantou-se dizendo:

– Obrigado, d. Dalva, estava delicioso. Arlete precisa descansar. Vou voltar ao escritório. – Tirou um cartão do bolso e entregou-o a ela. – Este é o endereço e o telefone de minha casa. Se precisar de alguma coisa, ligue para mim. Não se acanhe. Pode ser a hora que for.

– Obrigada. Não sei como lhe agradecer.

– Não é preciso. – Voltando-se para Arlete, continuou: – procure descansar, dormir. Amanhã é outro dia.

– Isso mesmo. Obrigada por tudo.

Ele desceu as escadas e Dalva o acompanhou até a porta:

– Doutor Rodrigo, o senhor precisa me dizer quanto foi a despesa. Amanhã, o Mário mandará o dinheiro para o escritório.

– A despesa corre por minha conta. Além de Arlete haver se acidentado na empresa, tem me prestado muitos serviços, mais do que eu poderia esperar. Depois, Aline é sócia da empresa. Tem tido notícias dela?

– Tenho. Apesar da tristeza pelo que aconteceu, está satisfeita com a empresa onde trabalha. Além do ótimo salário, deram-lhe um carro, apartamento para morar e está sendo muito bem tratada.

– Ainda bem. Então ela não pensa mesmo em voltar a morar no Brasil?

– Não pensa mesmo. Afinal, realizou o sonho de

toda sua vida. Adora viver lá, fez amigos, só lamenta o que aconteceu com Marcelo. Ela nunca imaginou que isso pudesse ocorrer.

– Pelo menos ela conseguiu o que desejava. Ainda bem. Repito, d. Dalva, se precisar de alguma coisa ligue para mim. Amanhã, se eu puder, voltarei para saber como Arlete está.

– Venha jantar com a gente.

– A senhora já vai ter trabalho demais cuidando de Arlete, que não poderá andar. Virei depois do jantar.

Dalva sorriu e ele apertou a mão que ela lhe estendia e se foi. Tinha pressa de ir ao escritório ver como estavam as coisas e se possível trabalhar um pouco em seu projeto.

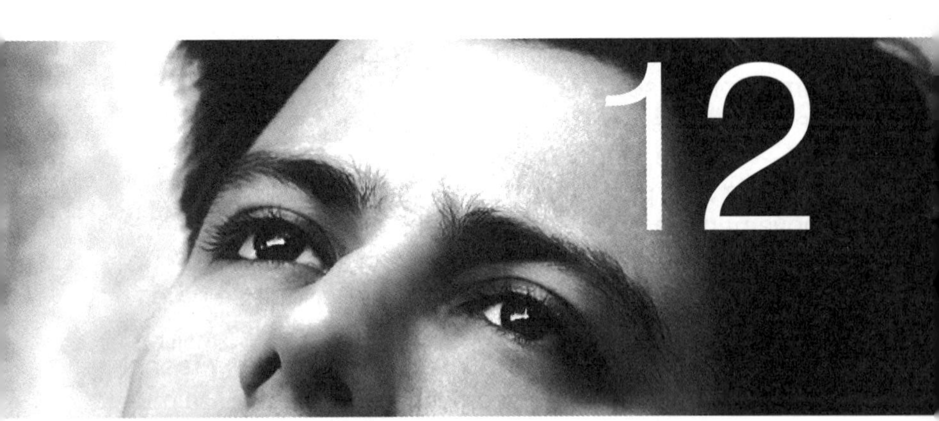

12

Sentado na frente de Mimo, Marcelo esperava que ele falasse.

– Vitor vai levá-lo ao encontro de Antonio, que lhe dirá o que deve fazer. Ele se encontra em um posto nosso, próximo à crosta terrestre, e eu prometi que mandaria alguém para ajudá-lo. Você tem o tipo de energia para desempenhar sua missão.

– O que terei de fazer?

– Fazer o que ele determinar. Ele lhe dará os detalhes da sua tarefa. Vocês deverão partir ao cair da noite. Para esse lugar é melhor ir ao escurecer.

Marcelo queria perguntar mais, porém Vitor puxou-o pelo braço:

– Vamos embora. A entrevista acabou.

Marcelo saiu e, uma vez no pátio, perguntou:

– O que faremos até a hora de ir?

– Eu tenho algumas coisas a fazer. Vá para o quarto.

Vitor entrou em uma das portas, Marcelo recordou-se dos sonhos que tivera com Mirela e teve vontade de procurá-la. Lembrava-se de onde a enfermeira trabalhava e encaminhou-se para lá.

Na ante-sala, havia duas pessoas esperando e ele sentou-se disposto a falar com ela quando aparecesse.

Quando a porta abriu, ela apareceu e, vendo-o, emocionou-se. Marcelo estremeceu, levantou-se e teve vontade de abraçá-la.

– Espere, depois falaremos.

Fez sinal para que os outros dois entrassem e fechou novamente a porta. Marcelo sentou-se novamente.

Que emoção era aquela que o acometia quando pensava nela? De onde a conhecia? Por que de repente, sentia um calor forte quando pensava nela?

– Não estou aqui por acaso. – Pensou ele. – Tenho de descobrir o que está acontecendo comigo. Essa mulher me atrai e ao mesmo tempo me assusta. Eu amo Aline. Nunca tive outra mulher. Por que agora esta atração tão forte? Nunca tive para com Aline uma paixão igual. Vai ver que este lugar está me enlouquecendo. Só pode ser isso.

É melhor eu ir embora, sair daqui, não entrar naquela sala. Mas se eu for, Mimo vai me castigar, eu prometi a ele que o serviria em troca do que eu quero.

Vou esperar o anoitecer e ir embora com Vitor e esquecer esta mulher. É melhor eu sair agora...

Ele levantou-se, mas naquele momento lembrou-se do sonho, dos beijos apaixonados que haviam trocado e não teve coragem de sair dali.

Lutando com as dúvidas e as lembranças do passado, Marcelo viu a porta se abrir novamente e os dois homens saíram.

Mirela estava parada diante dele e disse:

– Vamos entrar, Renato.

– Renato? Por que me chama assim? Meu nome é Marcelo.

Ela não respondeu, entrou, e ele a acompanhou. Mirela voltou-se e encarou-o dizendo:

– Quando nos conhecemos seu nome era Renato.

– Você está me deixando mais confuso do que já estou. Esta noite sonhei com você. Estávamos em um castelo antigo e...

– Fazíamos amor. Você está começando a lembrar-se.

– Não pode ser. Eu amo Aline. Por ela vim até aqui.

Mirela aproximou-se dele, abraçou-o e respondeu:

– Você veio aqui porque eu o chamei com meu amor! Muito antes dessa mulher que você diz amar, nós nos amamos. E esse amor ainda está dentro do nosso coração. Foi mais forte do que tudo e continua vencendo o tempo e nos aproximando.

Naquele momento, Marcelo esqueceu de tudo e via na sua frente apenas o rosto bonito de Mirela, lábios entreabertos, peito arfando, olhos apaixonados. Beijou-a com paixão, apertando-a junto ao peito.

A emoção tomou conta dos dois, que trocaram longos beijos apaixonados. Depois, ainda trêmulo de emoção, Marcelo disse:

– Não sei o que está acontecendo comigo. Que feitiço é este que você tem a ponto de fazer-me perder a cabeça e esquecer Aline?

– Não há feitiço algum. É nosso passado que volta, trazendo as emoções daqueles tempos. Nós nos amamos. Eu sou a mulher da sua vida. Estou aqui há anos, quando poderia ter ido viver em um lugar melhor. Mas não fui porque sabia que era aqui, onde nos vimos pela última vez, que você voltaria para meus braços. Tenho estado a sua espera há muito tempo.

– Não consigo entender tudo isso.

– Venha. Sente-se ao meu lado. Vou contar-lhe tudo.

Ela acomodou-se em um sofá e ele sentou-se a seu lado. Segurando a mão dele, Mirela falou sobre o passado. Contou tudo.

À medida que falava, suas palavras encontravam eco em seu coração, porém, ele não conseguia aceitar. Apesar de haver sonhado com ela, de saber que no prédio havia uma prisão, ele hesitava.

Pensava que ela estava tentando envolvê-lo em um sortilégio qualquer, a fim de separá-lo de Aline. Isso ele não haveria de consentir.

Aquela mulher que o visitara, também tentara separá-lo de sua esposa. Se aquilo fosse verdade, por que não se lembrava? Essa história de reencarnação poderia ser um engodo.

Sem esperar que ela terminasse, Marcelo tirou a mão que ela segurava e levantou-se:

– Você está mentindo. Quer me separar de Aline!

O rosto de Mirela entristeceu, mas ela não desviou o olhar e respondeu:

– Você ainda não recuperou as lembranças da vida passada. O que estou dizendo é a mais pura verdade. Sinto que está começando a se recordar. Só não conseguiu ainda porque está apegado ao que lhe aconteceu agora.

Ela levantou-se também, aproximou seu rosto do dele e, sem desviar os olhos, desafiou:

– Diga que não sente vontade de me beijar como antigamente. Que os momentos de amor que vivemos ainda não fazem vibrar seus sentimentos.

Os olhos dela brilhavam emocionados e Marcelo estremeceu e abraçou-a, beijando seus lábios repetidas vezes. Depois, de repente, largou-a gritando nervoso:

– Que espécie de sortilégio você está usando para me deixar assim? Eu amo Aline. É ela que eu quero!

Mirela olhou-o triste e respondeu com voz calma:

– Há muito estou esperando por você. Posso esperar o tempo que for preciso. Contudo, ultimamente tenho recebido um chamamento muito forte para deixar este lugar. Até agora tenho resistido, mas não sei até quando poderei fazer isso. Estou cansada de viver aqui, onde a maldade ronda cada passo. Anseio ir para um lugar melhor, mais de acordo com meus sentimentos.

– Não sei do que está falando. Não tenho nenhum compromisso com você. Pode ir para qualquer lugar que não me importo.

– Pode ser que algum dia se importe tanto que não fará outra coisa senão me procurar e talvez não seja fácil me encontrar.

– Não acredito em nada do que me diz. Hoje mesmo vou embora e depois de cumprir o que prometi a Mimo, não voltarei mais aqui. Também não me sinto bem neste lugar.

Mirela segurou o braço dele e perguntou:

– Você se comprometeu a trabalhar para Mimo?

– Foi uma troca. Ele vai me ajudar e terei de prestar um serviço. É justo.

– Você não devia ter pedido nada a ele.

– Por quê?

– Seria melhor não se comprometer. Pode não dar certo e então sofrerá as conseqüências. Ele lhe disse que tipo de serviço deverá prestar?

– Não. Só que devo ajudar a uma pessoa, e pretendo cumprir tudo direito.

– E se não conseguir?

– Claro que conseguirei. Você fala como se Mimo não fosse um homem de bem.

– Não foi isso que eu quis dizer. Mimo é o chefe deste lugar e merece nosso respeito. Mas a tarefa pode ser difícil e você não conseguir.

– O que pretende? Que eu desista de tudo? Não vou fazer isso e acho melhor não se meter em minha vida.

– É que me interesso pelo seu futuro.

– Não precisa, sei cuidar de mim. Vou para meu quarto. Vitor pode estar me procurando.

Ele deixou a sala e Mirela suspirou triste. Quanto tempo ainda teria de esperar para que Renato voltasse para seus braços?

Se ele se metesse em novas complicações, talvez tivessem de ficar separados muito mais tempo do que esperava.

Mirela não suportava mais viver naquele lugar. Há muito sentia vontade de ir embora, respirar em um ambiente melhor onde a amizade, a bondade, a alegria e a beleza existissem.

Nesse instante, notou uma claridade no canto

do aposento e viu aparecer uma linda mulher de meia-idade.

– Quem é você? – Indagou ela, assustada.

– Meu nome é Cora. Vim de um lugar que é igual ao que você deseja viver. Há muito você já poderia ter ido para lá. Mesmo vivendo neste lugar sombrio, você tem permanecido no bem.

– A senhora é uma emissária da luz. – Respondeu Mirela, ajoelhando-se.

Cora aproximou-se e levantou-a dizendo:

– Não faça isso. Não mereço. Chame-me apenas de Cora. O lugar onde eu moro é muito bonito. De dia dá para ver o azul do céu e à noite, o brilho das estrelas. As casas são rodeadas de jardins, cobertos de flores perfumadas e as pessoas são amigas e se esforçam para ficar no bem. Há trabalho e lazer, oportunidade de progresso e alegria.

Mirela suspirou encantada:

– Que maravilha! Viver nesse lugar cheio de beleza e de amizades. Aqui, apesar de viver rodeada de pessoas, tenho estado muito só.

– Você está mergulhada no passado. Mas é hora de seguir adiante. Se você olhar para frente, progredir, crescer, poderá ajudar efetivamente a pessoa que você ama.

– Tenho medo de perdê-lo de vista. Quando nos separamos, passei muito tempo sem o encontrar.

– Vim convidá-la a seguir comigo. Lá, em nossa comunidade temos meios não só de localizar as pessoas que amamos, onde quer que se encontrem como até, se for possível, intervir a favor delas.

– É uma proposta tentadora. Mas não sei se devo aceitar. Logo agora que Renato está aqui.

– Ele ainda está apegado ao que deixou na Terra. Penso que você terá mais condições de ajudá-lo estando conosco do que permanecendo aqui.

– Tem certeza de que não o perderei de vista?

– Se for comigo e fizer o que nossos maiores aconselharem, não vai perdê-lo. Renato está precisando de ajuda. Só um coração como o seu, que o ama incondicionalmente, poderá ajudá-lo a sair dessa ilusão em que se encontra.

– Ele ainda não se recorda do nosso passado.

– Porque está apegado a uma mulher que nunca o amou. Se concordar, posso levá-la comigo agora. Fazendo isso, estou certa de que vai ajudá-lo muito mais do que permanecendo aqui. Você precisa se renovar, alimentar-se de energias mais afins com seus verdadeiros sentimentos.

– Eu gostaria de ir, mas não agora. Renato está aqui e eu temo...

– Que ele vá meter-se em confusão. Bem, se isso acontecer, não vamos poder fazer nada. Ele é responsável pelos seus atos e terá de colher os resultados do que fizer. Foi por esse motivo que vim agora. Se você for comigo, talvez possamos conseguir impedi-lo de fazer o que não deve.

– Pensa que conseguiríamos?

– Pelo menos poderemos tentar. O que espera conseguir ficando aqui? Que condições você tem de intervir no que eles pretendem fazer?

– Nenhuma. Há muito Mimo sabe que não aprovo o trabalho deles. Permite que eu viva aqui porque o ajudo, cuidando das pessoas e evitando que ele tenha aborrecimentos. Mas não tenho permissão para sair nem para visitar outros lugares. Sou uma prisioneira.

– Então, o que está esperando? Vamos embora.

– Assim, já? O prédio está vigiado. Não poderemos sair sem permissão.

Cora sorriu e respondeu:

– É simples. Veja.

Ela passou o braço pela cintura de Mirela e em poucos segundos elas estavam volitando fora dos muros daquela fortaleza, elevando-se rapidamente.

Mirela, inebriada, olhava o céu azul e sentia-se leve, deslizando com Cora. Em seu peito uma emoção agradável a enchia de prazer.

Viajaram assim por algum tempo até que começaram a divisar altos muros.

– Chegamos. – Disse Cora.

Pararam diante de um portão, Cora disse o nome e ele abriu, elas entraram.

Mirela, admirada, estava diante de um jardim imenso, cheio de flores coloridas que enchiam o ar de um delicado perfume.

Mais adiante, uma praça e alguns prédios, tudo muito bonito e harmonioso. Cora passou o braço pelo de Mirela dizendo:

– Vamos.

Encaminharam-se para um dos prédios e entraram.

Depois que deixou Mirela, Marcelo foi para o quarto. Estava confuso, emoções contraditórias envolviam-no. O que estaria acontecendo com ele? Por que não conseguira controlar-se diante de Mirela?

Ela era muito bonita, mas em sua vida conhecera mulheres até mais bonitas do que ela e nenhuma delas o fizera trair Aline.

Lembrou-se de que dormira mal na noite anterior. Estava cansado. Seria bom descansar. Deitou-se e procurou dormir.

Extenuado, logo pegou no sono, mas em seguida começou a sonhar que estava em um barco brincando com duas crianças e Mirela olhava-o divertida.

Sentia que já havia vivido aquela cena. Mas quando, onde? Em volta, água e alguns palácios envelhecidos.

Lembrou-se de que Mirela havia dito que teriam vivido em Veneza. Mas ele não acreditava em reencarnação. Contudo, aquele lugar era mesmo parecido com Veneza.

Talvez estivesse sugestionado pela narrativa de Mirela. Teve de admitir que nos últimos tempos muitas coisas estranhas haviam acontecido com ele. Em que acreditar?

Marcelo debateu-se em indagações sem encontrar resposta satisfatória até o momento em que Vitor entrou para buscá-lo.

– Está na hora. Temos de ir.

Marcelo, atordoado levantou-se e acompanhou-o.

– O que aconteceu, você está com uma cara...

– Estou confuso. Mirela contou uma história que mexeu comigo.

– Você acreditou?

– Não. Mas apesar disso, o que ela disse não sai da minha cabeça.

– Mimo precisa saber que ela anda contando histórias. Ele não vai gostar.

– Ela falou em uma vida passada que vivemos juntos. Mas eu não acredito em reencarnação.

– Pois deveria. Todos nós vamos reencarnar um dia.

– Me parece impossível.

– Mas é verdade.

– Pois eu gostaria de voltar à Terra para viver ao lado de Aline.

– Se você nascer de novo, vai esquecer todo o passado. Eu voltei há anos e ainda não consigo me lembrar da minha vida anterior.

– Isso tudo me parece loucura.

– Quando eu voltar, falarei com Mimo sobre Mirela. Agora você precisa esquecer tudo isso e concentrar-se no trabalho que deverá fazer.

– Para onde vamos?

– Para a crosta terrestre.

– Nesse caso poderei ver Aline.

– Você terá de se dedicar ao trabalho. Não terá tempo para mais nada.

– Que trabalho terei de fazer?

– Lá você saberá.

Estava anoitecendo quando eles chegaram ao Rio de Janeiro e foram até um subúrbio. Lá, pararam diante de uma casa térrea, modesta. Entraram e logo um homem moreno, forte, lábios grossos foi ter com eles.

– Vitor, estava a sua espera.

– Antonio, este é Marcelo. Veio para ajudá-lo.

Depois dos cumprimentos, Vitor se despediu:

– Ele fica com você, mas eu tenho pressa em voltar.

– Pode ir. Agradeça a Mimo pela ajuda.

Depois que ele se foi, Antonio disse:

– Ainda bem que veio.

– O que deseja que eu faça?

– Venha comigo.

Marcelo o acompanhou ao quarto onde uma mulher ainda jovem estava deitada, pálida, magra, abatida, tão debilitada que Marcelo se sentiu penalizado.

– Ela parece mal.

– Não tanto como eu gostaria.

– Como assim? – Indagou ele, assustado.

– Estou aqui para me vingar e você veio me ajudar.

– O que ela lhe fez?

– Agora, nada. Mas na vida anterior fomos casados e ela me traiu. O filho que pensei ser meu era de outro. Depois que morri em um acidente, descobri tudo porque ela e o amante se casaram. Nunca os perdoei. Desconfio que o acidente que me vitimou foi provocado por eles. Depois que voltei ao astral, procurei-os por toda a parte sem os encontrar. Mas há cerca de dois anos descobri que eles haviam reencarnado e se casado novamente.

– Tem certeza do que está dizendo?

– Claro que tenho. Eu os vejo como eles eram naquele tempo. Um amigo me levou até o Mimo e fizemos um pacto. Eu prestei-lhe alguns serviços e ele prometeu me ajudar. Enquanto isso, trabalhei por minha conta. Consegui que o outro fosse mandado embora do emprego e acabasse morrendo em um acidente de carro. Morreu como eu. Então, aproveitei que ela ficou deprimida e cuidei para que ficasse do jeito que está.

– Ela está mal. Não acha que já se vingou o bastante?

– De que lado você está?

– Do seu. – Apressou-se a afirmar Marcelo. – Mas acho que já conseguiu o bastante.

– Não para mim. Quero que ela venha para cá. Só assim poderei conversar com ela cara a cara e dizer-lhe tudo o que desejo. Tudo estava indo bem e pensei que ia conseguir o que queria, mas então, apareceu, não sei de onde, uma mulher metida a médium e começou a rezar com ela. Trouxe aqui um bando de pessoas que vêm rezar uma vez por semana e fui forçado a me afastar. Apelei para Mimo e agora conto com você.

Marcelo sentia-se inquieto. Não estava com vontade de ajudar Antonio em sua vingança. Mas se não o fizesse, temia o poder de Mimo. Por esse motivo, achou melhor contemporizar.

– O que deverei fazer?

– Eu pretendo convocar alguns amigos especializados em magnetização. Fiquei sabendo que eles poderão realizar o que desejo rapidamente. Mas não posso sair daqui, deixando-a sozinha porque esses espíritas intrometidos podem ganhar terreno e atrapalhar tudo. Eu quero que você fique ao lado dela mantendo o nosso trabalho enquanto me ausento.

– Quanto tempo pensa demorar?

– Ainda não sei. Talvez um ou dois dias. Mas enquanto eu não voltar, você não pode afastar-se dela, a não ser quando vierem rezar. Então, é melhor você sair antes que eles comecem, senão poderá ser afastado de nós.

– Como deverei fazer o que quer?

– Vou lhe mostrar.

Antonio aproximou-se da cama, colocou a mão direita sobre a testa da mulher e passou a dizer:

– Traidora! Você é a culpada da morte de seu marido. Está muito mal, chegou a sua hora.

Da mão de Antonio saíam fios escuros e avermelhados que penetravam na testa e no cerebelo da moça, que se agitava e passava a mão na testa, aterrorizada:

– Eu não vou morrer! – Pensou ela. – Quero viver. Não posso abandonar meu filho. Ele precisa de mim. O que será dele se eu também morrer?

Marcelo esforçou-se para controlar a revolta. Antonio continuava:

– A culpa é sua. Você é uma mulher má, está muito doente. Não vai mais sarar.

Ela soluçava aflita e Antonio dizia satisfeito:

– Isso mesmo. Chore e conforme-se. Eu virei buscá-la logo mais. Você não tem cura. Sua doença é mortal.

Voltando-se para Marcelo ele pediu:

– Agora é sua vez. Vamos ver como se sai.

Marcelo não teve outro remédio senão obedecer. Sem saber por que se sentiu aprisionado em uma cela no prédio de Mimo, ficou aterrorizado.

Antonio esperava e Marcelo procurou fazer tudo igual ao que ele fizera, lutando para não ceder aos escrúpulos que sentia.

Antonio deu-se por satisfeito e decidiu:

– Continue assim. Eu vou partir já. Quero resolver tudo o quanto antes.

Depois que ele se foi, Marcelo aproximou-se da moça, mas não teve coragem para mandar-lhe pensamentos ruins.

Dentro dele travava-se uma luta entre a vontade de socorrer a moça e o receio de enfrentar Mimo. Naquela hora arrependeu-se de haver concordado em trabalhar para ele.

Lembrou-se que Mirela lhe pedira para não fazer nenhum pacto com Mimo. Ela estava certa.

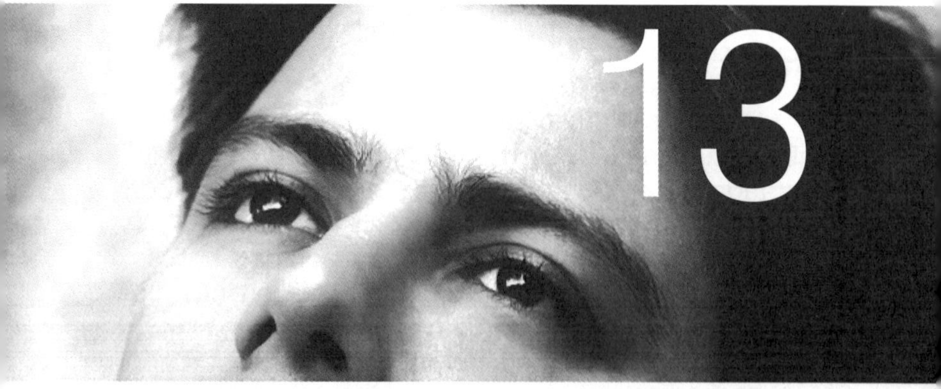

13

Fazia uma semana que Arlete havia se acidentado e durante esse tempo Rodrigo a visitava diariamente. Em vez de mandar Neusa levar os papéis para ela, ele o fazia todas as tardes no fim do expediente.

Dois dias depois do acidente, Arlete já estava de pé. A pedido dela, Dalva transformara o quarto em um escritório, colocando lá uma mesa e um computador que Rodrigo mandara da empresa.

Mário e Dalva tratavam Rodrigo com carinho e respeito e ele surpreendia-se com a delicadeza deles junto aos quais se sentia bem.

Seus pais moravam no interior e mesmo tendo alguns amigos, Rodrigo sentia falta do aconchego familiar. O carinho dos pais de Aline e as conversas agradáveis com Arlete eram-lhe prazerosas.

A princípio, ao chegar ele dizia que já havia jantado, mas ante a insistência de Mário, um dia, ele aceitou jantar com eles e adorou a comida caseira. Estava cansado de comer em restaurantes.

– Não há como a comida de casa! – Disse Dalva. – Você mora sozinho?

– Sim. Mas eu tenho uma faxineira que cuida do meu apartamento.

– Você precisa arranjar alguém que cozinhe. Não é bom comer sempre fora de casa. – Aconselhou Dalva.

– Vou pensar nisso, d. Dalva.

Depois do jantar, ele voltou ao quarto de Arlete, que deixara a pasta pronta para ele levar e continuava sentada na poltrona, mantendo a perna engessada sobre uma banqueta.

Ele acomodou-se na poltrona ao lado dela e disse:

– Sua mãe cozinha muito bem. Se eu continuar comendo deste jeito, vou engordar.

– Não creio. Você não tem tendência a engordar.

Ele abriu sua pasta, tirou uma fita de vídeo e entregou-a a ela, dizendo:

– Trouxe um filme para você. Fico imaginando uma pessoa ágil como você, tendo que ficar no quarto o tempo todo.

– Ainda bem que tenho podido continuar a trabalhar, ainda que esteja lhe dando tanto trabalho.

– Tenho prazer em vir aqui e conversar com vocês. Antes do seu acidente, eu não tinha me dado conta do quanto sentia falta do convívio familiar. Estar com vocês é como estar com os meus.

– Você deve ter amigos.

– Tenho muitos conhecidos, mas poucos amigos. Marcelo me faz muita falta.

– Nós também temos muitas saudades dele. Minha mãe até comentou que sua presença aqui a tem confortado. Ontem, no jantar, era como se Marcelo ainda estivesse aqui.

Os olhos de Rodrigo brilharam emocionados e ele os baixou tentando dissimular. Não queria falar sobre coisas tristes. Arlete precisava de distração.

– Fico contente em poder, de alguma forma, confortar d. Dalva. Ela é a mãe que todos gostariam de ter.

– Marcelo dava-se muito bem conosco. Somos uma família unida, sempre convivemos em paz. Ele costumava dizer que seus pais eram muito diferentes.

– De fato. Eu convivi mais com eles do que com vocês e notei a diferença.

– Infelizmente, eles nos acusam pela morte de Marcelo. Foi um acidente. Para ser sincera, nem sabíamos que Aline planejava ir embora. Para nós foi um drama terrível. Depois do acidente, nem pudemos nos comunicar com ela, pois ainda não sabíamos onde estava.

– Às vezes me pergunto por que ela fez isso.

– Eu entendo. O erro dela foi ter se casado com ele quando sonhava com uma vida diferente. Ele a amava muito e acabou convencendo-a a se casar. Confesso que nós todos ajudamos a que ela aceitasse essa união. Meus pais não entendiam como ela poderia não amar um rapaz bom, bonito, que a amava tanto para ir tentar a sorte em outro país.

– Penso que ela se iludiu e não o amava o suficiente.

– Também acho. Se ela o amasse não se sentiria atraída para recomeçar a vida em outro lugar.

– Seja como for, não é fácil julgar. Às vezes a vida nos chama para outro lugar porque lá temos que cumprir alguma tarefa. Quem pode saber?

– Eu já havia pensado nisso. Muitas vezes tenho me perguntado por que Aline desde pequena tinha essa vontade? A morte de Marcelo foi um acidente. Quem nos garante que isso não aconteceria mesmo que Aline continuasse aqui?

– É difícil responder.

– A vida tem seus segredos. Uma coisa que tem me intrigado foi o que aconteceu com Aline. Na noite em que foi embora, estava dormindo no avião que a levou a Miami e quando acordou viu Marcelo entrar, com sangue escorrendo em sua testa e nas pernas. Ele aproximou-se dela, dizendo:

"Finalmente a encontrei. Não me deixe nunca mais. Diga que ficará para sempre a meu lado".

– Ela gritou assustada, acordou todos os passageiros e custou para se acalmar. Durante os dias que se seguiram, ela sentiu a presença dele, tanto que acabou indo a um Instituto que estuda paranormalidade para se consultar.

– Eu não sabia disso, mas acredito que se a vida continua depois da morte, certamente Marcelo terá ido para junto dela. Era apegado demais.

– Mas ela nos ligou para perguntar se ele estava bem. E ao saber a verdade, chegou a desmaiar.

Rodrigo quis saber como Aline descobrira esse Instituto, o que lhe haviam dito e como ela estava agora. Arlete contou tudo nos mínimos detalhes e finalizou:

– Tudo isso nos deixou intrigados. Nunca fomos interessados em assuntos espirituais. Mas do jeito que Aline fala, nos fez pensar. Ela sempre foi uma pessoa prática, não se ilude com facilidade. O que ela contou deve ter acontecido mesmo.

Rodrigo ficou impressionado. Lembrou-se de sua tia Alice que quando ele era adolescente falava-lhe sobre a vida após a morte e a comunicação dos espíritos.

– Minha tia Alice costumava falar sobre a comunicação dos espíritos, mas eu nunca estudei esse assunto. Ela vivia lendo a respeito e afirmava que há muitos livros escritos por cientistas que pesquisaram e comprovaram que a vida continua depois da morte.

– É o que Aline diz. No Instituto eles estudam e fazem experiências.

– Deve ser interessante. Afinal, todos vamos morrer um dia e seria bom acreditar que vamos sobreviver depois.

Rodrigo ficou sério por alguns instantes e Arlete perguntou:

– O que aconteceu? Você ficou sério de repente.

– Estava pensando na família de Marcelo. Eles estão cheios de raiva e não aceitam a morte dele. Se pudessem saber que ele continua vivo em outro lugar, talvez se sentissem confortados.

– Eles revoltaram-se contra nós. Se houvessem tido mais calma eu poderia lhes falar sobre isso. Mas do jeito que as coisas estão, é impossível.

– É verdade. Outro dia encontrei o Márcio e ele está mais revoltado do que os pais. Era muito apegado ao irmão.

– Eu tentei conversar com ele, mas foi tão agressivo que desisti. Um dia eles vão entender que nós não temos culpa de nada. Que Aline não amava mais Marcelo e foi sincera, apesar de tudo.

Naquela noite, Rodrigo deixou a casa de Arlete pensando em tudo o que conversaram. Fazia uma idéia muito diferente de Aline.

Quando estava com o casal ela falava pouco, enquanto Marcelo a cercava de tantos cuidados e atenções que deixavam a impressão de que ela era uma pessoa tão suscetível que ele precisava dar muitas voltas para contentá-la.

Pelo que Arlete dissera, Aline não era nada disso. A família a tinha como uma pessoa prática, firme, eficiente. Se de fato esse fosse o temperamento dela, certamente se sentiria irritada com o exagero do marido. Ele a sufocava e ela não suportara mais.

Ele mesmo estava sozinho porque não suportava mulheres que passam por cima de tudo para agradar o parceiro e o que é pior, grudam nele como se não existisse mais nada no mundo além dele.

Rodrigo tinha horror de ver-se preso, de ter que dar conta de tudo, até dos pensamentos. Valorizava muito a sua liberdade e, por esse motivo, era avesso ao casamento.

As mulheres andavam à sua volta como abelhas em torno da luz e ele relacionava-se com algumas, sempre esclarecendo que não pensava em se casar.

Não querendo iludir nenhuma delas, quanto mais agia assim, mais elas se sentiam atraídas.

Naquele momento ele entendeu por que Aline deixara o marido daquela forma. Mas será que conseguira livrar-se dele? Até depois de morto ele a seguira.

Rodrigo sentiu um arrepio. Que horror! Por que as pessoas gostam de ficar presas umas as outras? Mais uma vez pensou que seria muito difícil se casar.

Enquanto isso, Marcelo, sozinho com a moça doente, sentia-se dividido entre o medo de Mimo e a vontade de não fazer o que Antonio queria.

Olhou para a moça, magra e pálida, rosto transtornado e fundas olheiras e sentiu-se penalizado e com vontade de ajudá-la.

Mas se fizesse isso, teria que pagar o preço. Além de não poder contar mais com a ajuda de Mimo, estava certo de que seria castigado por não ter obedecido.

Prestou atenção e começou a ouvir os lamentos dela:

– Meu Deus, ajude-me, por favor! Estou sem forças. Não agüento mais este tormento. Por que ninguém me socorre? O que fiz para ser tão castigada?

As lágrimas rolavam pelo seu rosto e ela continuava pensando:

– Talvez seja melhor morrer mesmo. Por que Deus tirou Gerson de mim? Ele não merecia morrer naquele acidente. Depois que ele se foi, a vida perdeu o encanto! Nós nos amávamos tanto! O que será de mim sem ele? Como levar a vida sozinha? Se ao menos eu tivesse coragem para me matar. Mas tenho medo. Se eu fizer isso, talvez não possa ir ao encontro dele. O suicídio é pecado.

Marcelo não suportou. Ele também havia morrido em um acidente e aquela mulher era diferente de Aline, que não se importara com sua morte. Ela amava o marido e não merecia ser tratada daquela forma.

Sem pensar mais, colocou a mão direita sobre a testa dela dizendo:

– Você não pode morrer. Tenha paciência. A morte não é o fim. Seu marido continua vivo em outro mundo.

Ela não ouviu o que ele dizia, mas pensou:

– Onde será que o Gerson está? Será que há vida depois da morte?

– Claro que depois da morte a vida continua. Eu garanto isso. Tenha fé. Você deve lutar para ficar boa.

– Não tenho forças. Estou morrendo.

– É mentira. Você está sendo subjugada por um espírito que deseja levá-la embora. Reaja!

Ela lembrou-se das palavras de Geni quando viera rezar com ela:

"O que você sente não é seu. Está captando energias de um espírito desencarnado!".

– Será que devo acreditar nisso? Será mesmo que um espírito pode fazer com que eu me sinta tão mal?

– Pode fazer isso e muito mais. – Continuou Marcelo.

Nesse instante, Marcelo ouviu vozes e algumas pessoas chegaram. Um deles abriu a porta e Marcelo assustado tratou de esconder-se pensando que Antonio poderia estar entre eles.

Mas não estava. Eram duas mulheres e um rapaz que se aproximaram do leito e uma delas alisou o cabelo da moça e perguntou:

– Como vai Miriam? Está melhor?

– Não. – Respondeu ela, com voz fraca. – Mas estava pensando em você, Geni.

– É? E o que foi que pensou?

– No que você disse sobre a causa da minha doença. Na presença de um espírito que me atormenta.

O rapaz segurou a mão dela dizendo:

– Pense que com a ajuda de Deus, tudo é possível. Confie. Vamos fazer a nossa prece.

Sentaram-se ao redor do leito, deram-se as mãos e Geni evocou a ajuda espiritual.

Marcelo, a um canto, observava e viu que do peito dela saíam raios de luz azul brilhantes que envolviam a doente enquanto raios multicoloridos formavam um círculo ao redor deles, isolando-os.

O rosto de Miriam foi relaxando e sua fisionomia se distendendo. Marcelo notou que do alto desciam sobre a doente, filigranas de luz muito branca e aos poucos ela foi se acalmando.

Marcelo, nunca havia visto nada parecido. Que poder teriam essas pessoas para tanto?

Quando Geni se calou, eles largaram as mãos e o rapaz comentou:

– Hoje aconteceu algo diferente. Miriam está mais lúcida e reagiu melhor ao tratamento.

A outra moça interveio:

– Eu notei no ambiente a presença de um rapaz, que morreu em um acidente de carro.

Miriam ouviu e animou-se:

– Deve ser o Gerson, eu estava pensando se existe mesmo vida após a morte e ele veio para me avisar.

– Acho que não era ele. Esse é mais novo do que seu marido e ainda não está muito bem. Mas apesar disso tentou ajudá-la.

Miriam estava mais animada e sentou-se na cama para conversar. Geni foi à cozinha, fez café com leite, e cortou um generoso pedaço da broa fresquinha que comprara na padaria e levou para Miriam.

– Coma. Você está precisando se fortalecer.

Em vez de recusar como sempre fazia, ela aceitou e comeu tudo de bom grado, o que fez os três sorrirem satisfeitos.

Depois, Miriam deitou-se novamente e sentiu sono.

– Vocês dois podem ir. Sei que têm compromisso. Mas eu vou ficar mais um pouco. Quero aproveitar a melhora dela. Vou cozinhar uma boa sopa e deixar para que ela tome mais tarde.

Os dois saíram e Geni foi à cozinha ver os ingredientes para a sopa. Encontrou feijão e alguns legumes que haviam deixado dois dias antes. Como ela não se levantava, eles faziam as compras e deixavam na geladeira.

Miriam tinha uma situação financeira mediana. O marido lhe deixara dinheiro no banco e a pequena empresa da qual ele tirara o sustento dos dois. Eles compravam no mercadinho perto da casa e ela pagava depois.

Após colocar o feijão na panela de pressão para cozinhar, voltou ao quarto e sentou-se do lado da cama. Miriam dormia tranqüila e Geni sorriu satisfeita.

Marcelo, porém, a um canto do quarto mostrava-se bem preocupado.

Antonio poderia voltar a qualquer momento, por certo notaria a melhora de Miriam e suspeitaria dele.

Aquela mulher sentada ao lado da cama era poderosa. Ele havia visto quando ela fizera a oração, a luz que saía do seu peito e as que desceram do alto sobre eles.

Ele se aproximou dela pensando no que deveria fazer. Talvez se lhe contasse o que estava acontecendo e o perigo que Miriam correria quando ela fosse embora e Antonio voltasse, ela tomaria outras providências.

– Preciso lhe falar sobre a doente... – Começou ele.

Geni sentiu um arrepio e percebeu a presença dele.

– Por que está aqui? O que deseja dela?

Geni concentrou-se e viu Marcelo ao lado dela. Percebeu logo que era o rapaz que sua companheira havia mencionado.

– Quero ajudar. – Respondeu ele. – Ela está sendo perseguida por alguém que deseja vingar-se por fatos que ocorreram em outra vida.

Geni ouviu distintamente e pediu:

– Continue.

– Naquele tempo, eles foram casados e ela o traiu com o que era seu atual marido. Ele causou o acidente que o matou e quer levá-la também.

– Era o que eu suspeitava. Mas sinto que você também tem problemas. Sofre. O que está acontecendo consigo?

– Minha mulher me abandonou, fiquei desesperado e acabei morrendo em um acidente de carro. Ela não me ama mais, contudo eu não posso ficar sem ela. Por esse motivo, juntei-me a um grupo de justiceiros para que me ajudassem. Eles concordaram, mas queriam que eu, em troca, prestasse alguns serviços a eles. O primeiro foi este. Eu deveria ter ajudado na vingança, porém não tive coragem. Ela amava o atual marido e não merecia isso. Agora preciso ir embora antes que eles voltem, senão serei castigado.

Geni entendeu tudo não tanto pelas palavras que ele lhe dizia, mas vendo as cenas enquanto ele falava.

– Você fez bem e eu posso ajudá-lo.

– Eu quero ficar ao lado de minha mulher sem que esse grupo me encontre. Você pode fazer isso?

– Ao lado dela é o primeiro lugar que eles vão procurá-lo. Mas posso escondê-lo em um lugar onde eles nunca vão achá-lo. Depois, quando esse caso estiver resolvido, você vai poder rever sua esposa.

– Terei de ficar muito tempo longe dela?

– O tempo que for preciso para não correr risco. Eles podem aprisioná-lo e não saberemos quando poderemos libertá-lo.

– Não tenho outro remédio senão aceitar. Você me garante que vai ajudar a rever minha mulher?

– Garanto. Tenho amigos que cuidarão de tudo.

– Preciso dizer que não devem deixar a doente sozinha. Quando vocês não estão por perto, o espírito que a está prejudicando aproveita para magnetizá-la sem parar.

– Obrigada pelo aviso. Vou cuidar disso. Agora vou cuidar de você. Chamar uma amiga para que o leve fora do alcance deles.

– O que deverei fazer em troca deste favor?

– Apenas cuidar de você. Tentar melhorar. Quanto mais depressa fizer isso, mais rápido conseguirá o que pretende.

Geni fechou os olhos e começou a evocar uma amiga espiritual. Admirado, Marcelo viu sair novamente do peito dela uma luz nas cores rosa e azul que os envolveu.

Pouco depois, entrou no quarto uma mulher jovem, de rara beleza, sorriso alegre que a beijou na testa e depois estendeu a mão a Marcelo, dizendo:

– Vamos, Marcelo. Hoje você pode ir para um lugar lindo em que seus inimigos não vão poder encontrá-lo.

Marcelo segurou a mão dela, que passou o braço em torno da sua cintura, e começaram a volitar.

Ele estava inebriado. Nunca sentira uma emoção tão grandiosa. Naquele instante esqueceu tudo para viver aquele momento de euforia e satisfação.

14

Dois meses depois, Arlete entrou no escritório depois de uma sessão de fisioterapia, sentindo-se melhor. Finalmente, sua perna já não doía e ela podia caminhar sem dor.

Na porta do prédio, ela encontrou-se com Márcio que estava passando, tentou cumprimentá-lo, porém ele a olhou de maneira desdenhosa e cara fechada.

Arlete sentiu um arrepio percorrer-lhe o corpo e uma sensação desagradável a envolveu. Procurou não dar importância àquele encontro e entrou no escritório.

Vendo-a entrar, Rodrigo aproximou-se:

– Como vai a perna?

– Melhor. Só dói se eu caminhar demais.

A amizade de Rodrigo com Arlete e sua família estreitara-se. Enquanto ela não pôde ir ao escritório, ele ia à sua casa diariamente e quase sempre acabava jantando lá e ficando mais do que o necessário, conversando com Arlete e o resto da família.

– Você não parece bem. Aconteceu alguma coisa?

– Ao chegar encontrei o Márcio que me olhou de um modo que até me senti mal.

– A semana passada ele fez o mesmo comigo. Não respondeu quando o cumprimentei.

– Eu posso entender que ele ainda guarde ressentimento de mim por causa de Aline, mas o que ele pode ter contra você?

– Ele tem se portado de forma estranha. Uma noite, quando eu saí de sua casa ele estava na esquina. Uma vez o pai dele esteve aqui para reclamar por você estar trabalhando comigo. Achou que eu estava traindo Marcelo. Queria inclusive que eu passasse a ele os bens que por direito são de Aline. Eu expliquei que não era possível. Eles queriam que eu cortasse relações com vocês.

– Por esse motivo você não queria ir à minha casa?

– Eu queria evitar complicações. Mas a vida fez com que eu aprendesse o quanto estava errado. A convivência com sua família fez-me perceber a diferença que existe entre vocês e eles.

– Lamento que eles pensem assim.

– Às vezes tenho a impressão de que Márcio está nos espionando.

– Não creio. Por que ele faria isso?

– Não sei. É uma sensação desagradável que eu sinto sempre que penso nele. Ainda agora quando você mencionou o encontro com ele, senti um arrepio.

Arlete admirou-se:

– Foi o que eu senti quando ele me olhou. Vai ver que ele não está muito bem.

– Pode ser isso mesmo.

Depois que passara por Arlete, Márcio foi para casa. Havia ficado na esquina esperando que ela chegasse e vendo-a passar bem-disposta sentiu certa decepção.

Afinal, ele havia pago um bom dinheiro e ela estava bem, de volta ao trabalho e o que é pior, Rodrigo não saía da casa dela. Será que estava apaixonado por ela?

Desde que Arlete quebrara a perna, Márcio passara a acompanhar os acontecimentos, vigiando a casa dela, seguindo os passos de Rodrigo.

O fato de ele ir todos os dias ver Arlete o incomodou. De que adiantara o acidente, se em vez de afastá-la dele o aproximou mais até da família?

Mais de uma vez ele fora reclamar com Pai José, mas ele pedia-lhe para esperar que tudo seria como ele desejava.

Márcio entrou em casa irritado. Ivone se aproximou:

– O que foi, meu filho? Você parece nervoso.

– Estou irritado. Aquele Pai José pegou nosso dinheiro, mas não está fazendo as coisas direito. Agora mesmo vi Arlete toda feliz, entrando no escritório de Rodrigo.

– Será que ele é bom mesmo?

– Isso é o que me pergunto.

– Você precisa voltar lá. Exigir que ele cumpra o que prometeu. Afinal, pagamos muito bem. Ainda nem sei como vou fazer para pagar sua tia. Se ao menos o dinheiro de Marcelo viesse para as nossas mãos...

– É verdade. Hoje à noite voltarei lá para pedir que aja. Chega de esperar. Desta vez terá que ser alguma coisa mais forte.

À noite, pouco antes de começar, Márcio estava no terreiro de Pai José. Assim que ele incorporou no médium, Márcio aproximou-se:

– Pai José, quero lhe falar.

– O que "ocê qué"? Tem muita gente hoje para eu "atendê". "Num" posso "perdê" tempo.

– É sobre o meu caso. Hoje vi Arlete e ela estava muito bem. Recuperou-se, estava feliz. O senhor me prometeu que iria tirá-la do nosso caminho e fazer com que o dinheiro de meu irmão viesse para nossas mãos.

– Eu num prometi isso. Eu disse que era difícil e o que eu poderia "fazê" era "cuidá" dessa moça e "afastá ela". Isso eu fiz.

– Ela sarou e voltou a trabalhar. O pior é que apesar de tudo, o sócio de meu irmão se aproximou mais dela e da família. Ele agora não sai daquela casa. Não foi isso que lhe pedi.

– "Num" tenho "curpa" se eles têm proteção e receberam ajuda "espirituar" dos "esprito de "luiz". Eu fiz minha parte, "ocê num" tem do que "recramá".

Agora vá embora que tem muita gente esperando por mim.

– O senhor não vai me ajudar mais? Vai deixar que as coisas fiquem assim?

– "Ocê vorta" aqui outro dia e "nois cunversa". Hoje "num" posso.

O médium afastou-se e Márcio deixou o terreiro nervoso. Agora Pai José queria tirar o corpo fora. Ele não conseguiu fazer um trabalho forte o bastante e teria que tentar de novo ou devolver o dinheiro.

Voltou para casa e Ivone logo que o viu disse:

– Pela sua cara acho que não conseguiu nada.

– Pai José pediu para eu voltar outro dia. Havia muita gente para ele atender. Eu o abordei antes dos outros e disse-lhe que em vez de afastar Arlete, Rodrigo agora estava mais ligado com a família dela.

– E ele?

– Veio com uma conversa de que já havia feito a parte que lhe cabia, que eles têm proteção dos espíritos de luz.

– Está claro que ele quis sair fora.

– Foi o que pensei. Não acredito que os espíritos de luz vão proteger aquele povo depois do que eles fizeram a Marcelo. Se existe justiça, Aline e sua família devem pagar pela morte dele.

– É o que eu penso. Pobre do meu filho. Deu tanto amor àquela mulher e certamente, a estas horas, ela deve estar nos braços de outro.

Márcio abraçou a mãe, dizendo triste:

– Deixe estar, mãe. Eles vão pagar pelo que nos fizeram.

Eles não viram, mas dois vultos escuros estavam perto dele e sorriram felizes.

– Eles estão em nossas mãos! – Disse um.

– Desta vez vão pagar pelo que nos fizeram. – Respondeu outro.

Ivone passou a mão na cabeça dizendo:

– Não estou gostando dessa história.

– Por quê?

– Não sei. Enquanto você falava comigo, senti um pressentimento ruim. Você, tome cuidado e não brigue com esse Pai José, porque ele pode ficar com raiva e fazer algum trabalho contra nós.

Márcio trincou os dentes com raiva:

– Ele que não se atreva. Se fizer alguma coisa contra nós, darei parte à polícia.

– Você está louco? Eu não quero que brigue com ele.

– Acha que vou deixar que fique com nosso dinheiro e não faça nada? Eu não tenho medo dele. Agora estou começando a pensar que o tombo de Arlete pode ter sido coincidência e ele não teve nada com isso. Pode ser que esteja se aproveitando das pessoas, enganando todo mundo e não tenha nenhum poder.

– Pois eu acho melhor que você não volte mais lá. Não estou gostando nada disso.

– Bobagem. Eu não vou deixar que ele leve nosso dinheiro sem fazer o que prometeu. Vamos esperar, ver o que ele diz em nosso próximo encontro e conforme for tomarei as providências.

Ivone olhou-o, preocupada. Estava sentindo uma sensação de medo muito desagradável.

– Eu quero que deixe as coisas como estão. Não quero que volte lá.

– É fácil falar, mas com que dinheiro pagaremos a tia?

– Daremos um jeito. Deixe estar. Não quero mais que se meta com esse Pai José.

Ivone estava mesmo muito nervosa e Márcio tentou acalmá-la:

– Está bem. Depois falaremos sobre isso.

– Márcio, chega de se meter com essa gente.

– Sei. Fique calma. Farei o que me pede.

Embora tenha dito isso, intimamente ele continuava disposto a enfrentar Pai José e exigir que cumprisse o prometido ou devolvesse o dinheiro.

Dois dias depois, Márcio voltou ao terreiro para falar com Pai José. Esperou até que o chamassem e assim que se aproximou dele procurou mostrar-se calmo.

Havia pensado e resolvera que seria melhor tentar conseguir o que queria com jeito.

– Então, meu filho?

– O senhor sabe o que eu quero. É preciso tirar Arlete da empresa de meu irmão e fazer com que o sócio dele fique ao nosso lado. Do jeito que estão as coisas, ele, que antes se dava bem com nossa família, agora está distante, parece que tem raiva de nós.

– "Ocê quér" que tudo "acunteça" depressa "mai eu perciso" de tempo. As "pessoa num faiz as coisa" como "nóis qué". Carece ter paciência, "sabê esperá".

– Está bem. Tenho sido paciente, mas está demorando demais. O senhor garante que vai dar certo?

– Vou "mandá" meus "home" lá e "vê" o que "podemo fazê". Nossos "trabaio" são bem-feitos. Isso eu garanto. Agora, "si" a pessoa tem proteção, "das veis nun dá prá fazê" tudo que a gente "qué".

– Mas o senhor não tem poder para fazer o que eu quero?

– Já disse que tenho. "Tá" duvidando?

– Não. Mas é que as coisas estão piorando em vez de melhorar.

Pai José tirou algumas baforadas do cigarro de palha que fumava e depois disse:

– "Ocê tá" duvidando de mim. "Tá" me ofendendo. E eu "num trabaio prá" quem me ofende.

– Eu não quis dizer isso. Mas é que as coisas não vão bem.

– Deixe comigo. Vou "mostrá" que sei o que estou afirmando. Agora pode ir.

O tom que ele usou não admitia mais conversa e logo um auxiliar puxou Márcio pelo braço, dizendo:

– Vamos. Acabou.

– Mas ele não disse se vai fazer mais algum trabalho para me ajudar.

– Ele vai fazer e é melhor ir embora. Pai José não gosta que duvidem dele.

Pensando nas palavras que Pai José dissera, Márcio resolveu ir embora e se encaminhou para a saída. Estava próximo ao portão quando parou. Alguém estava chorando copiosamente.

Instintivamente, Márcio procurou perceber de onde vinha o som e notou que atrás da árvore havia uma pessoa soluçando desesperadamente.

Aproximou-se, olhou e viu uma moça que com os dois braços apoiados no tronco da árvore, a cabeça sobre os braços, chorava.

Ele se comoveu, tirou o lenço do bolso e estendeu-o a ela tocando de leve seu braço. Imediatamente ela ergueu o rosto e Márcio notou que era muito jovem e bonita.

Lábios trêmulos ainda, olhos molhados, ela apanhou o lenço e limpou as lágrimas tentando contê-las.

– Se tem vontade de chorar, chore. Não é bom engolir o choro.

Ela despencou novamente nos soluços e Márcio, penalizado, esperou que ela se calasse. Depois, puxou-a pelo braço:

– Venha. Vamos andar um pouco. Não tenha medo. Eu só quero ajudar.

Ela fixou-o e ele notou que seus olhos eram grandes e belos. Sem dizer nada, ela deixou-se conduzir por ele, que colocou o braço dela apoiado no seu e foram andando devagar.

Márcio notou que ela tinha um corpo bem-feito e caminhava com elegância. A poucos passos dali havia uma praça e eles encaminharam-se para lá.

Ao chegar próximo a um banco, sentou-se e puxou-a para que se sentasse ao seu lado. Aos poucos ela foi se acalmando e ele perguntou:

– Então, está mais calma?

– Estou. Obrigada. Desculpe meu descontrole.

– Há momentos na vida em que a gente precisa desabafar. Eu já tive os meus também.

– Você deve estar pensando que sou desequilibrada.

– Não estou pensando nada.

– Obrigada pelo lenço. Veja ele todo molhado, terei de levá-lo para lavar antes de devolvê-lo.

– Não se preocupe com isso. Meu nome é Márcio e o seu?

– Olívia.

– Você mora aqui perto?

– Não. Moro do outro lado da cidade.

– Veio ao terreiro de Pai José?

– Vim. Mas não quero falar nisso agora.

– Tudo bem. Vamos falar de outras coisas. Eu moro a cerca de dez quadras daqui. Quer tomar um café ou um refrigerante?

– Eu gostaria, mas devo estar horrível. Não quero que ninguém mais me veja assim.

– Você está bem. Só os olhos um pouco vermelhos.

– Vou chamar um táxi e ir para casa.

– Eu vim até aqui caminhando. Se quiser andar um pouco até minha casa, apanho o carro e poderei levá-la.

– Não se incomode. Penso que já abusei demais da sua paciência.

Márcio levantou-se e puxando-a pela mão disse:

– Venha. Vamos caminhando. Se não quiser que a leve, respeitarei sua vontade.

Foram andando devagar até que ele parou:

– Eu moro naquela casa do outro lado da rua.

– Nesse caso, vou indo. Não quero que sua família me veja chegar com você.

– Por quê? Sou uma pessoa livre.

– Obrigada por tudo.

– Não vá... Espere, vou tirar o carro.

Ele entrou, apanhou o carro e parou diante dela, abrindo a porta para que ela entrasse. Em sua cabeça havia uma série de perguntas e ele queria encontrar as respostas.

O choro, o fato de não querer falar sobre sua ida ao terreiro envolvia-a em certo mistério que o atraía.

Durante o trajeto, ela foi indicando o caminho e ele procurou falar sobre assuntos amenos. Pensava que precisava ganhar a confiança dela para que se abrisse.

Descobriu que ela gostava de ler, de ir ao cinema, que tinha dezenove anos e fazia faculdade de jornalismo.

Márcio por sua vez contou que era formado em economia, tinha vinte e dois anos e trabalhava em uma empresa há alguns meses, mas não estava satisfeito e procurava um emprego melhor.

Falou da morte do irmão, mas se absteve de falar sobre Aline e o que ele fora fazer no terreiro de Pai José.

Esse era um segredo que não desejava repartir com ninguém. Mas gostaria que ela falasse o que fora fazer no terreiro porque queria lhe perguntar se obtivera resultado indo lá.

Olívia morava em uma bela casa nos Jardins e Márcio percebeu que ela deveria ser de uma família abastada. O que teria ido fazer no terreiro? Desejava perguntar, mas não o fez. Seria melhor esperar que ela espontaneamente dissesse.

Olívia, porém, não tocou no assunto. Fora do carro, parados diante da casa, ela estendeu a mão para ele dizendo séria:

– Obrigada por tudo. Você não sabe o bem que me fez. Para onde deverei mandar seu lenço?

– Não se preocupe com isso. Apesar de nos termos conhecido em um momento difícil para você, eu tive imenso prazer em conhecê-la. Desde que meu irmão morreu tenho sentido muita solidão.

– Do jeito que estou não seria boa companhia para ninguém.

– É justamente por esse motivo que você me atrai. Eu sofro muito a dor da perda. Marcelo era meu ídolo, meu espelho, meu amigo. E vendo-a chorar, logo senti que você estava sofrendo tanto ou mais que eu. Isso de certa forma fez-me perceber que eu estava sendo egoísta, pensando que meu sofrimento era maior que o de todos. Penso que poderemos ser amigos e amenizar um pouco nossa tristeza.

– Está bem.

Ela abriu a bolsa, tirou um cartão com seu nome e telefone e entregou-o a ele.

– Eu não tenho cartão comigo. – Mentiu, justo ele que nunca havia pensado em mandar fazer um. – Mas vou escrever meu telefone.

Tirou um papel da carteira e escreveu seu nome e telefone e entregou-o a ela.

Olívia estendeu a mão que ele apertou depois; ela olhou-o com carinho e levantando-se na ponta dos pés, beijou-o delicadamente na face.

– Mais uma vez obrigada. Se não fosse você, talvez eu não estivesse mais aqui.

Márcio sentiu um aperto no peito sem saber se era pelo beijo ou pelas palavras que ela dissera. Depois, ela entrou e ele voltou para o carro, olhou para a casa, mas ela já havia entrado. Então ligou o carro e durante o caminho de volta não pôde esquecer o rosto dela, seus soluços, a dor que vira em seus olhos e o mistério que a cercava.

Por que uma jovem de boa família, universitária, provavelmente rica, bonita, estaria chorando tanto? Talvez fosse um caso de amor não correspondido, um drama de família como o seu.

Márcio chegou em casa e Ivone correu para perguntar-lhe o que Pai José dissera.

– Ele disse que vai cumprir o que nos prometeu.

– Será?

– Eu insisti, duvidei e ele ficou zangado. Então achei melhor esperar, confiar. É melhor você também não ficar duvidando. Ele sabe de tudo que nós falamos, ele ouve até nossos pensamentos.

– Cruz credo! Eu não quero que ele ouça o que eu penso.

– Mas ele ouve. Por esse motivo, é melhor não duvidar dele, pelo menos dar um tempo para ele fazer o que prometeu.

– Está certo. Não quero dar motivo para ele dizer que não conseguiu porque somos descrentes.

– Você entrou, pegou o carro de seu pai e saiu. Onde foi?

– Uma pessoa no terreiro estava passando mal e fui levá-la em casa.

– Você nunca foi disso. O que ela tem?

– Não sei, mas estava mal, tive vontade de levá-la até sua casa.

– Vai ver que era alguma moça bonita.

– Nada disso. – Mentiu ele. – Era de idade.

Ela meneou a cabeça, duvidando. Márcio foi para o quarto, tirou os sapatos, estirou-se na cama pensativo. O rosto de Olívia não lhe saía do pensamento.

Ele esperaria uns dois dias e lhe telefonaria para saber como ela estava e, talvez, convidá-la para sair, conversar, jantar.

Esperava que ela aceitasse e, talvez, quem sabe lhe contasse o que estava acontecendo, por que estava chorando tanto.

Ele custou a dormir e quando pegou no sono, viu-se perseguido por vultos escuros, sentiu medo e acordou. Foi à cozinha, tomou um copo d'água, deitou-se novamente, mas o sono não vinha. Só muito tarde conseguiu adormecer de novo.

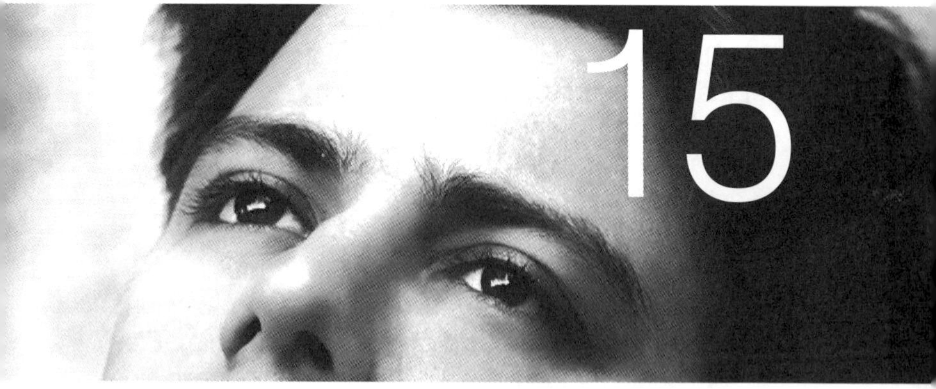

15

Rodrigo chegou ao escritório com dor de cabeça. Não havia dormido bem e acordara cansado. Mesmo assim, foi para o trabalho porque estava terminando um grande projeto e o proprietário ficara de ir vê-lo dali a dois dias.

Vendo-o entrar, Arlete notou logo que ele não estava bem. Após os cumprimentos, perguntou:

– Aconteceu alguma coisa? Você parece indisposto.

– Esta noite tive um pesadelo horrível. Depois meu sono não foi tranqüilo. Se não tivesse que terminar o projeto nem teria vindo.

– Há sonhos que parecem verdade.

– Foi a impressão que tive. Estava sendo perseguido por dois indivíduos, que queriam me agredir e por mais que fugisse, eles sempre descobriam onde eu estava. Acordei apavorado, suando frio e sentindo arrepios pelo corpo. Um deles me dizia que eu ia me arrepender do que estava fazendo. Mas não sei do que ele estava falando.

– Sonho é assim mesmo, não tem coerência. Mas eu também não dormi bem esta noite. Custei a pegar no sono, senti medo, tinha a impressão de que minha casa estava sendo vigiada e que os ladrões iam entrar de uma hora para outra.

Neusa, que estava na sala, interveio:

– Quando vocês começaram a falar, eu fiquei toda arrepiada. Aí tem coisa!

– Que coisa? – Indagou Rodrigo.

– Má influência de espíritos perturbadores. Sempre que estão por perto sentimos arrepios. Olhem só como estou arrepiada!

– Isso é crendice. – Respondeu Rodrigo.

– Talvez não. Quando eu quebrei a perna, minha prima Dora foi a um Centro Espírita rezar por mim. Eles disseram que o tombo havia sido provocado por espíritos interessados em me afastar do trabalho.

Rodrigo admirou-se:

– Você acreditou?

– Naquele momento, não. Mas agora começo a pensar que pode ser verdade.

– Não creio. Você se recuperou e se alguém houvesse tido interesse em afastá-la, isso não teria acontecido.

– Mas desde que eu voltei ao trabalho quando entro aqui sinto arrepios e às vezes dor de cabeça, outras parece que algo ruim está para acontecer. Não sei explicar, mas não estou me sentindo como antes.

– Se fosse comigo, eu procuraria o Centro e faria uma consulta. No ano passado minha mãe não estava bem, foi lá, fez tratamento e ficou boa.

– Vou pensar, Neusa. Se não melhorar, irei. – Disse Arlete.

Depois que Neusa deixou a sala, Rodrigo tornou:

– Você não pensa em ir, não é? Disse isso apenas para não contrariá-la.

– Não. Estou pensando em ir mesmo.

– Acredita que possa estar sofrendo a ação de espíritos? Nesse caso eles estariam invadindo nossa privacidade. Não posso crer que Deus permita semelhante coisa.

– Quando estava na faculdade, fui testemunha de um caso desse tipo com uma colega que sofreu obsessão de espíritos, passou por vários médicos, psicólogos e até psiquiatra, nada deu jeito. Só sarou quando freqüentou um Centro Espírita. Eu nunca mais esqueci. Por esse motivo, não custa ir, para ver o que acontece. Eu não sou religiosa, mas também não tenho nenhum preconceito. Se for para melhorar, eu vou.

– Pois eu não. Só porque tive um pesadelo, passei mal uma noite, não é o caso.

Arlete pediu a Neusa que lhe desse o endereço do Centro.

– Funciona todas as noites, a partir das sete e meia. Se quiser posso ir com você.

– Obrigada, mas não é preciso. Eu não sei ainda quando irei.

Arlete voltou para sala e dedicou-se ao trabalho. As palavras de Neusa , porém, não lhe saíam do pensamento.

No fim da tarde, quando chegou em casa, foi falar com Dalva.

– O que foi que Dora disse quando eu havia quebrado a perna?

– Que você havia sido empurrada por espíritos. Eu fiquei muito impressionada. Por que está perguntando isso agora?

– É que desde que voltei ao trabalho não tenho me sentido bem no escritório. Fico inquieta, sinto arrepios, tenho vontade de vir embora. E hoje o Rodrigo também não estava bem. Disse que teve um pesadelo, não dormiu bem. Neusa estava perto, ouviu nossa conversa e ficou toda arrepiada.

– A empresa deve estar com má influência. Talvez seja preciso benzer. Afinal, Marcelo morreu de desastre, e talvez não tenha conseguido paz. Pode ser que seu espírito esteja lá. Ouvi dizer que muitos quando morrem não sabem que estão mortos e voltam aos lugares em que estavam habituados.

– Não creio. O espírito de Marcelo, se puder estar em algum lugar, certamente estará perto de Aline. Para que viria ao escritório?

– Não sei. Foi o que me passou pela cabeça. Podemos pedir para um padre ir lá benzer.

– Nesse caso, prefiro ir ao Centro Espírita que Neusa conhece. Se estamos sendo prejudicados por eles, é no Centro que precisamos ir.

– Quero ir com você.

– Não, fica longe. Iremos amanhã à noite fazer uma consulta.

Dalva concordou e foi cuidar do jantar. Pouco depois o telefone tocou e Arlete atendeu.

– Aline! Que bom que ligou. Como vai?

– Muito bem. Quero saber de vocês. Papai está bem? Mamãe e você também?

– Estamos todos bem. Com saudades de você. Papai fala em você todos os dias.

– Eu também estou com muitas saudades. Eu gostaria de ir vê-los, mas não posso viajar agora. Só nas férias. Mas quando penso em encontrar algumas pessoas aí, perco a vontade.

– Você continua indo àquele Instituto?

– Eu e Rachel estamos fazendo um curso lá e estamos adorando. Agora tenho certeza de que a vida continua depois da morte. Que o espírito de quem se foi pode se comunicar conosco e até interferir em nossa vida.

– Você tem certeza disso?

– Tive algumas provas e não há como duvidar.

Em poucas palavras, Arlete contou-lhe o que estava acontecendo e finalizou:

– Pensei em ir ao Centro Espírita amanhã, mas ainda estou em dúvida.

– Vá. Você vai se sentir melhor, tenho certeza. Foi o que aconteceu comigo. Estou me sentindo muito bem. Não tenho mais sentido a presença de Marcelo.

Dalva estava perto querendo falar com a filha, Arlete respondeu que iria, despediu-se e entregou o telefone à mãe.

Enquanto elas conversavam, Arlete estava pensativa. Aline não era pessoa impressionável, ao contrário. Era extremamente prática, objetiva, e não se convencia com facilidade. Se ela acreditava na influência dos espíritos, deveria ser verdade.

Na noite seguinte, faltando alguns minutos para às sete e meia, Arlete e Dalva entraram no Centro. Era uma casa térrea, simples, e no hall foram atendidas por uma moça que lhes deu uma senha e encaminhou-as a um plantão de atendimento.

Sentaram-se no corredor, ao lado de outras pessoas e quando chamaram seu número elas entraram em uma sala simples, com três mesinhas, duas cadeiras em cada uma, e apenas em uma havia uma pessoa esperando.

As duas dirigiram-se para lá, alguém trouxe mais uma cadeira e elas se sentaram diante de um rapaz que as cumprimentou sorrindo.

Deram nome, endereço e disseram que desejavam passar por uma consulta espiritual. Ele olhou para Arlete e disse:

– Antes da consulta, você precisa fazer um tratamento. Naturalmente, você veio porque não está se sentindo bem nos últimos tempos.

– De fato, tenho me sentido indisposta, principalmente no escritório em que trabalho. Desejo saber se há alguma coisa lá, porque meu chefe também não está bem.

O rapaz olhou-a fixamente por alguns instantes, depois respondeu:

– O problema não está no lugar, mas em vocês. Há algumas pessoas interessadas em tirá-la de lá. Essas pessoas não se conformam com um fato que aconteceu e mudou suas vidas. Elas culpam vocês e têm muita raiva.

– Mas nós não temos culpa de nada.

– Eles atacaram, mas você se recuperou porque é inocente e tem proteção.

– Eu levei um tombo e quebrei a perna.

– Você foi empurrada por espíritos que foram mandados para isso.

– Quem teria mandado? – Indagou Dalva, assustada.

– Pessoas que estão com raiva e estão de olho em uma herança que vocês receberam.

– Como você sabe tudo isso? – Perguntou Arlete.

– Meu guia espiritual está me contando. Ele diz que eles vão tentar prejudicar uma loja. Você tem loja?

– Meu pai tem.

– Eles querem que vocês percam tudo.

– Que horror! Só pode ser a família do... – Ia dizendo Dalva.

O rapaz a interrompeu:

– Se a senhora desconfia de alguém, peço-lhe que não se revolte. Pessoas que procuram resolver seus problemas prejudicando os outros serão penalizadas pela vida, que sempre responde de acordo com a atitude de cada um. Nós vamos pensar no bem, pedir ajuda espiritual porque só o bem vence o mal.

– Fiquei assustada com o que você disse. – Justificou-se Dalva.

– Não se assuste. Precisei falar o que meu guia espiritual sugeriu para que acreditem na espiritualidade. Mas vou encaminhá-las para o tratamento e pode ser que tudo se resolva.

Ele deu um papel a cada uma.

– Vocês vão vir duas vezes por semana, nesta mesma hora, e devem trazer este papel.

– É a primeira vez que venho a um Centro Espírita. Como é o tratamento?

– Vão começar hoje mesmo. Nós fazemos doação de energias e os bons espíritos cuidam do que for preciso.

Elas foram conduzidas a uma sala iluminada apenas por uma luz azul e com uma música suave no ar. Havia pessoas em pé e cadeiras vazias onde elas se sentaram.

Arlete sentiu arrepios pelo corpo, muito medo e

teve vontade de sair correndo dali. Fez menção de levantar-se e uma moça aproximou-se, dizendo:

– Calma. Tudo vai passar. Procure orar e pedir ajuda a quem você tem devoção.

Arlete procurou controlar-se, pensando que não havia motivo para ter medo. As pessoas eram simpáticas, o lugar simples, com flores, sem nada que pudesse justificar seu receio.

Desde a infância ela não fazia nenhum tipo de oração. Pensou em Maria, mãe de Jesus e rezou pedindo ajuda. Aos poucos foi se acalmando.

A moça à sua frente fazia imposição de mãos sobre ela sem tocá-la e Arlete não conteve as lágrimas que lhe desceram pela face. Quando a moça parou, ela sentiu que já estava bem. Foi-lhe oferecido um pouco d'água, ela bebeu e deixaram a sala.

Dalva estava eufórica:

– Que maravilha! Nunca me senti tão leve, tão bem. E o ventinho agradável com perfume de rosas que passava, apesar da porta estar fechada?

– Eu não senti nada disso. Ao contrário, tive arrepios, vontade de sair correndo.

– Não diga! Como está agora?

– Bem. Já passou tudo.

As duas encontraram, no corredor, o rapaz que as atendera e Arlete o abordou contando-lhe o que havia sentido. Ele ouviu em silêncio, depois explicou:

– O espírito que estava perturbando você sentiu medo e teve vontade de sair correndo e eu até acho que ele saiu mesmo. Você estava captando as emoções dele. É bom saber que podemos captar emoções dos outros, estejam encarnados ou não. O processo é tão forte que se não o conhecermos, acreditaremos que tudo que estamos sentindo seja nosso, o que não é verdade.

– Custo acreditar, mas tem lógica. Pode ser porque assim como veio, foi embora de repente. Por que derramei lágrimas sem querer, seriam dele também?

– Não. Seu espírito sensibilizou-se com a situação e as lágrimas aliviaram a tensão. Você deve ter se sentido muito bem depois delas.

– De fato. Fiquei aliviada.

– Procurem fazer o tratamento direito e vão se sentir muito melhor.

Elas agradeceram, despediram-se e, enquanto caminhavam de volta para casa, não se cansavam de comentar as experiências daquela noite.

Ao chegar, encontraram Mário curioso:

– Quando cheguei em casa não encontrei ninguém. Posso saber onde foram?

Foi Dalva quem respondeu:

– Você demorou e não pudemos esperar. Fomos ao Centro Espírita e precisávamos estar lá às sete e meia. Não viu o bilhete que deixei?

– Vi. Mas fiquei curioso. Vocês nunca freqüentaram o espiritismo.

– Vamos contar tudo. – Disse Arlete.

– Enquanto isso, vou esquentar o jantar. Estou morrendo de fome.

Dalva foi para cozinha enquanto Arlete contou ao pai as razões para irem consultar o Centro e tudo quanto o rapaz que as atendera havia falado. Quando mencionou a loja, Mário fez um gesto de surpresa:

– Ele disse isso mesmo?

– Disse.

Mário passou a mão nos cabelos, depois tornou:

– Como ele pode saber? Eu não contei nada a vocês para não preocupá-las, mas este mês não vendemos quase nada. Os poucos fregueses entram e saem sem comprar nada.

– Então ele estava certo mesmo.

– Estava. É surpreendente. Como ele podia saber?

– Fiz a mesma pergunta e ele disse que o seu guia espiritual pediu-lhe que nos dissesse isso.

– Ele falou se a situação da loja vai melhorar?

– Disse que afastando os espíritos que estavam nos atacando, tudo voltará ao normal.

Mário suspirou aliviado:

– Ainda bem. Se continuar assim, não terei como pagar as contas no fim do mês. Pensando bem, acho que quando vocês voltarem lá, irei junto. Quero ver isso de perto. Quando eu era criança, meu avô sempre contava histórias de espíritos. Ele acreditava que os espíritos bons ou ruins se comunicavam com as pessoas.

Dalva apareceu na sala:

– Vamos jantar. Eu ouvi o que conversaram. Depois você vai me contar que história é essa da loja e do seu avô.

– Conto sim. Gostaria que ele ainda fosse vivo para podermos conversar. Agora eu prestaria muito mais atenção ao que ele contava naquele tempo.

Eles foram para a copa e o cheiro gostoso da comida os fez sentar. Entregaram-se ao prazer de uma boa refeição.

16

Márcio apanhou o telefone e ligou para Olívia. Ela atendeu e depois dos cumprimentos ele perguntou:

– Como você tem passado, melhorou?

– Sim. Estou envergonhada pela cena que você presenciou.

– Gostaria de saber como você é ao natural. Quer jantar comigo hoje à noite?

Ela demorou um pouco para responder e ele teve receio que ela recusasse, mas ela respondeu:

– Está bem. Você merece isso.

– Ótimo. Passarei em sua casa às oito. Está bem?

– Estarei esperando.

Márcio desligou o telefone satisfeito. Haviam passado dez dias desde a noite em que a conhecera e ele pensara muitas vezes nela, em seu rosto atormentado, nas lágrimas que derramara e na dor que notara em seu pranto.

Sentia-se atraído por ela, mas ao mesmo tempo, pelas palavras que ela lhe dissera; podia ser que concordara em jantar com ele apenas para mostrar sua gratidão e não havia nenhum outro interesse.

Mesmo assim, aprontou-se com capricho, o que fez com que Ivone reparasse:

– Como você está bonito! Até parece que vai a uma festa.

– Vou pegar o carro do pai. Ele não costuma mesmo sair à noite.

– Tome cuidado.

Ele saiu animado. Olívia era moça de classe, e o carro do pai era um tanto velho. Sentiu que estava na hora de ter seu próprio carro. Antes, não havia pensado nisso, exatamente porque o pai só usava o carro para trabalhar e à noite nunca saía.

Achava um desperdício ter outro carro. Mas pela primeira vez notara o quanto o carro do pai era velho.

Chegou na casa de Olívia e apertou a campainha. Uma criada veio abrir:

– Boa noite, senhor.

– Boa noite. Por favor, diga a Olívia que Márcio está aqui.

– Ela avisou que o senhor viria e pediu para entrar.

Ele entrou e acompanhou-a até a sala de estar.

– Sente-se, por favor. Ela já vai descer. O senhor deseja uma água, um aperitivo, um café?

– Não, obrigado.

Ele afundou-se no sofá e olhou em volta. A sala estava luxuosamente mobiliada e muito bonita. Ele sentiu um pouco de vergonha por estar ali. Apesar de ser de classe média, morava em um bairro simples e não estava habituado a freqüentar lugares assim.

Pouco depois, um perfume gostoso encheu o ar e ele levantou-se. Olívia estava se aproximando. Estava linda em seu vestido verde escuro, os olhos verdes brilhando, os lábios bem-feitos entreabertos em um sorriso.

Depois dos cumprimentos ela disse:

– Podemos ir.

Eles saíram e uma vez no carro, Márcio não se cansava de admirá-la.

– Você está linda! – Comentou sem poder conter-se.

Ela suspirou e respondeu:

– Obrigada. Mas às vezes eu gostaria de ser pobre e feia. Assim teria uma vida mais sossegada.

Notando que pelos olhos dela passara uma sombra de tristeza ele tornou:

– Esta noite vamos esquecer as tristezas e nos alegrar. Afinal, somos jovens, cheios de vida, podemos nos divertir e sonhar com coisas boas.

– Isso mesmo. Vamos nos divertir. Rir, estou precisando de alegria.

– Então falou com a pessoa certa. Eu também estou cansado de sofrer e quero esquecer a dor. Vamos nos divertir. Aonde quer ir?

– Conheço um lugar bonito onde poderemos dançar um pouco. Você gosta de dançar?

– Gosto muito. Você indica o caminho.

Ela concordou. O restaurante não era muito longe e dez minutos depois chegaram, deixaram o carro no estacionamento e entraram.

O lugar era agradável, bem decorado, com vasos de plantas e flores. Foram conduzidos a uma mesa de onde podia se ver, através da janela envidraçada, o belo jardim que circundava o prédio.

– Que lugar agradável! – Comentou Márcio.

– Eu gosto daqui. A música é boa e toca de tudo.

Ele observava que as pessoas em volta eram de classe e se perguntava quanto teria de pagar pelo jantar.

Ia ser caro, mas ele não se importava, porquanto o prazer de estar ali, com ela, valia todo o esforço.

Eles pediram o jantar e, enquanto esperavam, Márcio convidou-a para dançar. Ela aceitou. Ele enlaçou-a com prazer, aspirando o gostoso perfume que vinha dela.

A música era romântica e ele nunca havia sentido tanto prazer em uma dança. Olívia era leve e como ele dançava bem, ela entregou-se ao prazer da música.

Durante o jantar, Márcio conversou sobre amenidades,

não queria que ela se entristecesse, embora quisesse muito saber a causa de sua tristeza.

Temia que fosse uma desilusão amorosa e que ela estivesse saindo com ele apenas por gratidão, sem nenhum interesse pessoal.

Mas sentia que precisava primeiro captar a confiança dela para depois falar sobre seus problemas.

Passava da uma da manhã quando deixaram o restaurante. Estavam alegres e Márcio notava o quanto ela era bonita quando sorria.

Ao chegarem diante da casa dela, ele desceu, acompanhou-a até o portão de entrada.

– Boa noite e obrigada. Há muito tempo não tinha uma noite agradável como esta.

– Eu também adorei. Você dança muito bem.

– Eu adoro dançar. A música faz bem ao nosso espírito.

– Espero que possamos repetir a dose.

Ela hesitou um pouco, depois respondeu:

– Não sei. Estou para fazer uma viagem ao exterior.

– Quando?

– Breve. Não sei o dia. Depende de algumas coisas.

– Quanto tempo vai ficar?

– Se eu pudesse não voltaria ao Brasil tão cedo.

Márcio sentiu um arrepio lembrando-se de Aline. Por que as mulheres cismavam em morar no exterior?

– Você não está fazendo faculdade?

– Estou, mas se eu for antes das férias, tranco a matrícula e continuo quando voltar.

– Nesse caso, podemos sair enquanto você não viajar. Será que não vai mudar de idéia?

– Não. Por mim já teria ido. Mas estou dependendo, como eu disse, de algumas coisas. Em todo o caso, podemos sair enquanto eu estiver por aqui. – Ela estendeu a mão. – Mais uma vez obrigada e boa noite.

– Boa noite. – Respondeu ele, apertando a mão dela e depois levando-a aos lábios. – Esta noite foi muito especial para mim.

– Eu aprecio sua companhia, mas não quero que

se iluda pensando em mim. Não posso lhe oferecer mais do que amizade.

– Ligarei assim mesmo.

Ela sorriu, abriu o portão e entrou. Márcio entrou no carro sentindo uma ponta de decepção. Olívia fora muito clara. Notara seu interesse e tratara de posicionar-se.

Mas se ele fora capaz de fazer com que ela esquecesse seus problemas e sentisse prazer em sua companhia, talvez pudesse ter esperanças de manter com ela um relacionamento afetivo.

Sentia que ela pertencia a outro nível social, mas estava disposto a pagar o preço de cultivar um relacionamento que certamente exigiria dele manter-se à altura, procurando ser elegante, freqüentando lugares de luxo aos quais não estava habituado, e ao mesmo tempo tentando melhorar de vida.

O luxo que vira na casa dela, os objetos bonitos, o ambiente agradável eram muito bons e ele gostaria de viver em um lugar assim.

Se ao menos o dinheiro de Marcelo lhes viesse às mãos! Poderia abrir seu próprio negócio. Ele não queria ser como o pai que trabalhava em um escritório de contabilidade há mais de dez anos e ganhava apenas o suficiente para manter o padrão de vida que sempre tiveram, que não lhes permitia viajar para o exterior, comprar roupas da moda.

Ele também, apesar de formado, estava trabalhando e ganhando pouco. Embora não precisasse dar dinheiro em casa, seu salário não lhe permitia extravagâncias.

Se Olívia correspondesse a seus sentimentos, ele teria de procurar outro emprego.

Ao pensar nela, sentiu que nunca havia sentido por nenhuma mulher o interesse que sentia por ela e que tudo faria para que ela não fosse viajar. Nutria o pensamento de que se dispusesse de mais tempo, se ela demorasse para ir, talvez a fizesse mudar de idéia.

A lembrança dos momentos agradáveis daquela noite fez com que ele desejasse muito repetir a dose.

Ao chegar em casa, deitou-se e começou a imaginar como seria bom beijar aqueles lábios tão bonitos, apertar aquele corpo que sentira em seus braços.

Por fim, decidiu que no dia seguinte iria procurar outro emprego. Afinal, estava formado e não deveria sujeitar-se a um emprego de segunda classe.

Fazendo planos para o futuro, Márcio adormeceu.

Depois de despedir-se de Márcio, Olívia entrou em casa procurando não fazer ruído. Tirou os sapatos e ia caminhando devagar quando a porta do escritório abriu e um homem alto, moreno, de meia-idade, apareceu.

Seu rosto contraído, testa franzida, olhos brilhantes de raiva:

– O que ficou fazendo na rua até uma hora dessas?

Olívia estremeceu e, fixando-o com raiva, respondeu:

– Deixe-me em paz.

Ele segurou-a pelo braço:

– Acha que pode fazer isso comigo? Quem você pensa que eu sou?

– Eu não penso nada. Não quero nada de você. Deixe-me em paz.

– Você não vai se livrar de mim dessa forma. Você é minha e não admito que saia com outros homens.

– Você está louco!

– Estou. Estou completamente louco. Tanto que não ligo mais para o que possa acontecer. Se continuar me evitando, mostrarei aquelas fotos à sua mãe e direi que você atirou-se em meus braços. Que você é uma pervertida, que não respeitou nem o marido de sua mãe!

– Você sabe que isso não é verdade. Você sabe tudo o que fez para conseguir essas fotos. Eu deveria ir à polícia.

– Pois vá. Eu direi a todos que você não presta, que fez tudo para me enlouquecer.

– Só não faço isso porque não quero que mamãe descubra toda esta sujeira.

– Eu amo você. Não posso pensar em outra coisa senão em tê-la em meus braços! A lembrança daquela noite não sai do meu pensamento. Está me deixando louco!

– Nunca farei o que você quer. Aquela noite eu estava inconsciente. Mas isso nunca mais vai se repetir. Estou alerta. Largue-me. Quer que mamãe acorde?

Eles ouviram uma voz de mulher perguntar:

– Quem está aí? É você Gilberto? Com quem está falando?

Ele largou Olívia e disse baixinho:

– Você me paga. Tem de me explicar direitinho quem era aquele moço que a trouxe para casa.

Depois subiu e procurando dar um ar calmo à fisionomia, no topo da escada encontrou Olga e explicou:

– Eu estava tomando água e vi quando Olívia chegou. Estava conversando com ela.

Olívia subiu. Sua mãe, na porta do quarto, perguntou:

– Está tudo bem, minha filha?

Olívia havia enxugado as lágrimas e respondeu com voz que procurou tornar natural:

– Está sim. Boa noite.

– Boa noite, Olívia.

Ela entrou no quarto, fechou a porta e atirou-se na cama chorando muito. A vida em sua casa estava insuportável.

Desde quando fizera quatorze anos, notara que seu padrasto a olhava com olhos de cobiça. Por esse motivo, ela o detestava. Fugia dele o mais que podia. Não queria que sua mãe soubesse.

Seu pai morrera quando ela tinha sete anos e quatro anos depois sua mãe se casara com Gilberto, um rico empresário que herdara do pai um rendoso negócio e muito dinheiro.

A situação com o padrasto havia piorado quando sua mãe ficara internada no hospital por vários dias por causa de um problema renal, que culminou com a extração de um rim.

Fazia dois dias que Olga estava internada, quando Gilberto antes de dormir convidou-a a tomar um lanche. Ela tomou o refrigerante e dormiu.

Quando acordou, estava deitada na cama, ao lado dele, que a havia violentado. Ainda tonta, sentindo o corpo dolorido, tentara levantar-se, mas ele a cobrira de beijos, chamando-a de meu amor, e, Olívia, horrorizada, ameaçou gritar.

Ele disse que se ela fizesse isso, os criados iriam ouvir e contariam tudo para sua mãe quando ela voltasse para casa.

Apavorada, Olívia esperou a tontura melhorar e, depois, finalmente conseguiu ir para seu quarto. Chorou desesperadamente.

No dia em que sua mãe ia voltar para casa, Olívia acordou e enfrentou Gilberto. Ela estava decidida a contar tudo a ela e agüentar as conseqüências.

Então, ele mostrou-lhe algumas fotos que havia tirado enquanto ela estava inconsciente, que deixavam transparecer que ela estivera com ele de boa vontade.

Vendo aquelas fotos, qualquer pessoa pensaria que Olívia era amante do padrasto. Ele fizera as fotos para que se ela fosse à polícia, como era menor, ele provaria que ela o havia conquistado.

Ela era muito bonita e ele não conseguira resistir. Essa seria sua defesa.

Olívia compreendeu que sua mãe não acreditaria em sua inocência. Ela amava o marido e era muito ciumenta.

Desde esse dia, sua vida em casa tornou-se um martírio. Gilberto continuava a assediá-la, aproveitando todos os momentos em que Olga se afastava.

Olívia procurava ficar fora de casa o maior tempo possível, mas Gilberto pressionava Olga, fazendo-a ver perigo em suas saídas.

Interessada em afastar-se mais dele, Olívia dissera à mãe que gostaria de estudar no exterior, conseguira uma escola nos Estados Unidos.

Apesar de não querer ficar longe da filha, Olga concordou, mas, depois, Gilberto interveio e ela resolveu esperar que a filha completasse a maioridade.

Angustiada, ouvira uma colega dizer que estava indo a um terreiro pedir ajuda profissional e conseguira um estágio muito bom.

Sem dizer nada a ninguém sobre o problema que a angustiava, descobriu o endereço do terreiro e foi falar com Pai José.

Contou-lhe seu drama e ele prometeu ajudá-la. Mais animada, Olívia esperou, porém, nada aconteceu.

Naquela noite que encontrou Márcio, ela havia ido ao terreiro para conversar com Pai José de novo.

Ele lhe disse que havia estudado o caso e a aconselhava a ter paciência porque a situação só se resolveria depois que ela completasse vinte e um anos e saísse de casa.

Antes disso, se sua mãe descobrisse, a acusaria de haver se jogado sobre o padrasto e nunca a perdoaria.

Revoltada, sem coragem para continuar mais dois anos suportando aquele martírio, não conteve o choro. Para que ninguém visse, escondeu-se atrás da árvore, onde Márcio a encontrou.

Naquela noite, ela havia chegado em casa melhor. Os momentos que passara ao lado de Márcio, sua gentileza, a música, o ambiente agradável, tudo contribuíra para que ela ficasse bem.

Mas a cena desagradável com Gilberto, a intervenção da mãe, o medo que sentira que ela descobrisse tudo, tinham-na feito pensar que não podia ficar mais dois anos esperando, expondo-se ao risco da mãe descobrir tudo.

Foi para o quarto, estendeu-se na cama e começou a arquitetar um plano para fugir de casa. Tinha algum dinheiro no banco, que sua mãe colocara para quando ela se formasse, mas não era suficiente para que ela fosse para longe como pretendia.

Precisava juntar mais um pouco e para isso, deveria ficar mais alguns dias, procurando conseguir o máximo que pudesse.

Tinha a intenção de deixar o Brasil e ir para o exterior. Não podia correr o risco de que Gilberto a encontrasse. Ele ficaria furioso por ela ter escapado e faria de tudo para descobrir seu paradeiro e trazê-la de volta.

Quando fosse à faculdade na manhã seguinte, conversaria com Marli, sua professora de inglês, pedindo sugestões do que fazer para estudar nos Estados Unidos. Ela mencionara uma organização americana que fazia intercâmbio de estudantes e poderia dar-lhe boa sugestão.

Precisava fazer tudo sem que ninguém em sua casa soubesse. Quando estivesse tudo resolvido, iria embora, deixaria uma carta para a mãe, com uma boa desculpa e estaria livre.

Não se importava de deixar o luxo em que vivia para ganhar o próprio sustento. O que ela mais queria era poder viver em paz, reencontrar o prazer de viver.

Pensou em Márcio. Talvez ele pudesse ajudá-la. Não contaria a ele a verdade. Diria apenas que seu padrasto a odiava e tornava sua vida um inferno.

Ele mostrara-se inclinado em ajudá-la, pareceu-lhe sincero, mostrara-se discreto e o mais importante, não era conhecido de ninguém em sua roda de amigos ou em sua família.

No dia seguinte, telefonaria para Márcio mostrando-se interessada em cultivar sua amizade. Sairia com ele algumas vezes para conhecê-lo um pouco mais e saber até que ponto poderia confiar nele.

O que lhe importava era conseguir seu objetivo. Com a ajuda dele esperava poder realizar seu plano de fuga.

Estava decidida. Não dava mais para continuar vivendo daquela forma. Ela queria mudar de vida, de país, esquecer tudo, procurar dias melhores em que pudesse ser feliz e viver em paz.

17

Antonio chegou à fortaleza de Mimo à procura de Marcelo. Estava muito nervoso. Assim que deu o nome, ouviu uma voz perguntar:

– O que quer aqui?

– Não está me reconhecendo? Sou Antonio, já morei aqui durante muito tempo. Quero falar com Mimo.

O portão abriu, ele entrou.

– Vou ver se ele pode atendê-lo.

– Não é preciso. Somos amigos.

– Só estou cumprindo ordens. Você quer que eu seja castigado?

Antonio concordou e o porteiro entrou, enquanto ele ficou esperando no pátio. Pouco depois, ele voltou:

– Pode entrar, ele o espera. Vou acompanhá-lo.

– Não é preciso, sei o caminho.

Pouco depois estava batendo na sala de Mimo. Depois dos cumprimentos, Antonio disse, nervoso:

– Onde está Marcelo?

– Não está com você?

– Não. Que belo ajudante você me mandou. Ele pôs tudo a perder.

Mimo aspirou o fumo, soltou uma baforada, e disse calmamente:

– Em primeiro lugar, modere seu tom. Quando falar comigo me chame de senhor. Eu fiz o que me pediu e não tenho culpa se o rapaz não se comportou bem.

Antonio procurou engolir a raiva e perguntou:

– Mimo, o senhor tem certeza de que ele não voltou para cá?

– Tenho. Quero saber tudo o que aconteceu.

– Ele chegou, eu ensinei o que fazer, ele fez tudo direito. Eu achei que era o momento de agilizar o caso para que Miriam voltasse logo. Deixei-o lá com todas as instruções e fui à procura de um conhecido que tinha competência para resolver tudo de uma vez.

Ele fez ligeira pausa, olhando atentamente para Mimo, que ouvia com os olhos semicerrados. Percebendo que ele estava atento, continuou:

– Fiquei dois dias fora, porquanto a viagem era longa e precisei esperar que a pessoa que fui procurar pudesse me acompanhar. Ele me garantiu que seria fácil e que naquela noite mesmo tudo estaria acabado. Eu já antegozava o prazer de olhar Miriam cara a cara e poder consumar minha vingança. Mas quando chegamos na casa dela, havia um guardião da luz na porta, o que nos assustou muito.

– Você não disse que ela era protegida! – Disse meu acompanhante e depois se foi, deixando-me sozinho.

A luz que havia em volta dele fez-me tremer, porquanto senti que mesmo à certa distância todas as minhas defesas estavam indo embora. Tratei de sair de lá o mais depressa que pude.

– Foi interferência dos seres da luz, com certeza. Vai ver que Marcelo foi expulso de lá por eles. – Disse Mimo.

– Não creio. Quando cheguei em minha casa, concentrei-me e descobri o que aconteceu. Vi tudo. O seu protegido ficou com pena dela e, em vez de fazer o que mandei, começou a rezar. Pode imaginar uma coisa dessas?

Mimo abriu os olhos e endireitou o corpo, dizendo irritado:

– Ele fez mesmo isso?

– Fez. Se tem dúvida, observe e verá.

Mimo concentrou-se e conseguiu ver o que havia acontecido.

– Esses espíritas estão sempre se metendo em nossos negócios. Eles foram os responsáveis. Marcelo sabia que havia agido errado e estava com medo de voltar aqui. Assim eles envolveram-no e levaram.

– E agora, como vou fazer? Você precisa me ajudar.

– Tudo tem limites. Não posso me envolver com os seres da luz. Sei dos nossos limites. Não quero perder tudo o que consegui.

– Você prometeu que me ajudaria!

– E cumpri. Ajudei. Mas não contava que o outro lado tinha tanto interesse em proteger Miriam. Se quer um conselho, desista por enquanto. Vá cuidar de sua vida, não tente nada.

– Eu não vou desistir.

– Não conte comigo. Miriam agora está protegida e você nada poderá fazer contra ela. É melhor acalmar seu ódio. Afinal, você já judiou dela durante muito tempo. Certamente, ela já pagou tudo o que lhe fez. Vá cuidar de sua vida, trate de melhorar um pouco sua aparência que está assustadora.

– Vou pedir a Mirela que me ajude.

– Mirela desapareceu. Foi embora. Cansou de esperar por Renato.

– Nesse caso não sei o que fazer.

– Conforme-se. É o que eu posso lhe dizer. Agora pode ir.

Com um gesto Mimo despediu Antonio, que saiu decepcionado. Ele imaginara que Mimo fosse forte, pudesse tudo. Mas estava enganado.

Que seres eram esses capazes de intimidar Mimo? Ele sempre gostara de tratar com chefes. Não falava com subalternos. Imaginara que Mimo fosse o máximo. Era mentira. Havia outros seres mais poderosos que ele.

Resolveu ir embora. Saiu e começou a caminhar. Não adiantava mais ficar ali e também não estava com vontade de voltar ao lugar onde vivera durante alguns anos. Para onde iria? O que fazer de sua vida?

Durante mais de seis anos dedicara-se exclusivamente a sua vingança. Conseguira envolver o traidor e provocar o acidente de carro que lhe custou a vida.

Logo que ele deixou o corpo, Antonio, que o esperava satisfeito, havia atirado em seu rosto sua traição, e embora ele não o tenha reconhecido, em seguida foi levado por um grupo de socorro.

Antonio não se importou muito, porquanto o que ele mais desejava era trazer Miriam para a dimensão onde estava e poder tê-la à sua mercê e fazê-la sentir o peso de seu erro.

Mas agora que isso dera errado, estava hesitante, sem rumo, desanimado.

Foi quando o espírito de Cora aproximou-se dele. Ela havia apagado sua luz para não assustá-lo. E aproximou-se, dizendo:

– Como vai, Antonio?

Ele estremeceu:

– Quem é você?

– Meu nome é Cora. Eu estava passando e notei que você está cansado. Muito cansado, sem rumo. Eu venho de um lugar muito bonito, ideal para recuperar suas forças.

– De fato. Estou muito cansado. A vida para mim é um fardo terrível. Se eu pudesse pelo menos esquecer um pouco, descansar...

– Você pode. Se quiser o levarei até lá.

Antonio sentiu que vinha dela uma energia suave, agradável que há muito ele não sentia. Suspirou triste:

– Eu quero, mas não sei se devo. Olhe para mim, estou descomposto, sujo, quase maltrapilho. Tenho muita vergonha.

– Dê-me a sua mão – ele obedeceu e ela, continuou:

–, imagine que você está vestindo uma roupa limpa e mais arrumada.

Ele sentiu saudade de uma roupa que tinha quando vivia no mundo da qual gostava muito e como por encanto viu-se vestido com ela.

– Você é muito poderoso e se quiser ficar bem, basta imaginar isso.

– É, eu sabia que podia fazer coisas pelo querer, mas nunca usei para isso.

Cora sorriu e convidou:

– Vamos? Estou certa de que vai gostar muito.

Antonio sentiu prazer quando essa linda mulher passou o braço pelo seu e começaram a deslizar gostosamente pelo espaço, subindo, atingindo um céu limpo e sem nuvens.

Olhando para baixo, Antonio via lugares claros, limpos, rios, cidades, muita vegetação e, admirado, perguntou:

– Onde estamos? Que lugares bonitos!

– Estamos em zona de recuperação. Aqui, o tratamento utiliza a beleza como remédio.

– Eu não sabia que existia isso.

Cora sorriu:

– Há muitas coisas mais que você um dia vai conhecer. Por agora, você vai ficar próximo daqui.

Eles desceram perto de um prédio de cinco andares, cheio de janelas, rodeados de árvores e flores.

Antonio estava extasiado, respirando com prazer o aroma suave que estava no ar. Eles entraram em uma das portas e foram andando por um corredor até uma sala em que uma jovem senhora os recebeu e abraçou Cora. Ela apresentou Antonio:

– Nora, este amigo precisa de atendimento. Estava sem rumo e eu pensei que aqui seria um bom lugar para ele ficar por algum tempo. Convidei-o e ele aceitou.

– Seja bem-vindo. – Tornou Nora, estendendo a mão, que ele apertou acanhado.

O lugar era muito limpo e arrumado e ele notou que apesar de estar com uma roupa melhor, sua aparência não era das melhores. Envergonhado, baixou o olhar.

Elas perceberam, porém não mencionaram o assunto, conversaram durante alguns minutos e, por fim, Nora segurou Antonio pelo braço, dizendo:

– Venha comigo. Aqui, nós cultivamos a beleza. Portanto, antes de eu mostrar-lhe sua casa e apresentá-lo aos seus vizinhos, vou levá-lo a uma sessão de transformação em que você vai receber os cuidados de que necessita para melhorar sua aparência. Tenho a impressão de que nos últimos tempos você não cuidou de si mesmo.

– De fato, há muito tempo não cuido de mim.

– Essa é nossa primeira responsabilidade. – Aduziu Cora, sorrindo. – O tratamento de beleza aqui é muito bom e você vai sentir-se tão bem que nunca mais vai se descuidar.

Olhos brilhantes de emoção, Antonio foi conduzido a uma sala em que um rapaz jovem o recebeu sorrindo.

– Quando estiver pronto, eu virei buscá-lo para irmos a sua nova casa.

As duas se retiraram e foram até a sala de Nora. Cora relatou a história de Antonio, finalizando:

– Durante seis anos consecutivos, ele empenhou-se na vingança. Mas chegou o momento em que a vida deu um basta, impediu-o de continuar, protegeu a pessoa que ele perseguia e tirou-lhe qualquer ajuda dos justiceiros. Então, ele ficou sem rumo, porque durante esse tempo se abandonara, não se permitindo nenhuma alegria, cultivando só o ódio.

– Sentiu-se impotente, percebeu que havia uma força maior agindo e enfraqueceu.

– Isso mesmo. Então eu o procurei. Pensei em trazê-lo aqui para, por meio da beleza, sensibilizar seu espírito tão embrutecido pelo ódio.

– A beleza toca nossa alma, abre a sensibilidade. O caso dele vai demorar um bom tempo, porquanto

quanto mais sensibilizado, quanto mais gostar do belo, mais sentirá em seu interior os erros que cometeu.

– A bondade das pessoas acaba por nos fazer sentir mais nossos pontos fracos.

– Você sabe que nossa colônia é fruto das experiências do Vale das Artes. Os gênios que vivem lá estão convictos de que qualquer tipo de arte sensibiliza a alma e se perguntaram: "Por que não usar isso como terapia com os espíritos que ainda acreditam no mal como solução para seus problemas?".

– Eu tenho conhecimento de que há quase dois séculos eles fundaram esta cidade e sou testemunha do sucesso dessa teoria.

– A melhora aqui é mais rápida, mais objetiva. Mas como para muitos o contraste entre o que eles acreditavam e a realidade é tanto que trouxemos terapeutas para ajudá-los quando as crises de remorso ou de depressão os envolvem. Alguns ficam tão envergonhados que querem se punir, acusam-se, machucam-se ou querem ir embora porque dizem não merecer tantas coisas boas.

– Penso que Antonio vai ser um desses. Ele não é um espírito tão atrasado que se dedicasse ao mal, mas a traição que sofreu colocou à tona seu lado pior e ele mergulhou no ódio contra os que o traíram. E o outro que eu trouxe, o Marcelo. Como está?

– Ele tem um gosto refinado e um grau de desenvolvimento melhor. Gostou muito daqui, porém ainda tem dificuldade para esquecer a esposa. Fala nela o tempo todo, está obcecado. O apego que tem a ela é terrível.

– Você sabe o passado dele com Mirela?

– Sei. Mas por enquanto ele está tão obcecado pela lembrança de Aline que bloqueia completamente as recordações de outras vidas.

– Notei que ele havia tido alguns flashs, mas não conseguia concatenar os fatos.

– Ultimamente, ele tem ficado inquieto. Está sendo difícil segurá-lo aqui.

– Vou conversar com ele.

– Faça isso. Talvez consiga acalmá-lo.

Cora deixou a sala e saiu à procura de Marcelo. O dia estava lindo e várias pessoas conversavam alegres nos jardins em volta do prédio. Mas Marcelo não estava entre elas.

Foi procurá-lo em seu chalé. Sentado na varanda, cabeça baixa, lá estava ele, sozinho.

Cora aproximou-se:

– Estava por perto e vim dar-lhe um abraço.

Ele levantou-se e abraçou-a dizendo:

– Ainda bem que veio. Estou desesperado. Preciso ver Aline.

– Ainda não é possível.

– Vocês me dizem isso, mas estou começando a duvidar. Por que não querem que eu vá vê-la?

– Por que a casa dela está sendo vigiada pelos homens de Mimo. Se for lá, será preso por eles.

– Talvez valha a pena correr o risco. Não suporto mais ficar longe de Aline. Depois, você não sabe, ela acha que eu morri e andava de namoro com outro. Preciso evitar isso de qualquer jeito.

– Você precisa aceitar que, aos olhos do mundo, ela está livre para um novo casamento. Você não poderá impedir que isso aconteça.

– Eu não aceito! Ela é minha mulher e ninguém vai tomá-la de mim. Você diz que é minha amiga, mas parece que está do lado dela.

– Eu estou do lado dos dois. Você diz que a ama e quem ama deseja a felicidade do ser amado.

– Eu posso fazê-la feliz.

– Você teve sua chance, mas acabou. É bom saber que as pessoas são livres. Ninguém é de ninguém. Por mais que queira que seja diferente, essa é a verdade.

Marcelo cobriu o rosto com as mãos e começou a soluçar. Cora não interveio. Quando ele parou, ela o abraçou, dizendo:

– Eu sei que é difícil para você, mas estou certa de que vai conseguir vencer esse apego. Você agora está vivendo em outra dimensão, aqui você pode encontrar novos caminhos, cheios de alegria e de amor. Por que teima em sofrer por uma coisa que não tem volta?

– Eu não sei viver sem ela. – Reclamou ele, triste.

Ela sentou-se no banco da varanda e puxou-o para que se sentasse ao seu lado. Passou o braço no dele e respondeu:

– Dentro de você há mais força do que imagina. Você pode e vai conseguir fazer uma pausa nessa parte de sua vida porque vocês estão separados. Aline ainda vai ficar muito tempo vivendo na carne. Mas você pode esperá-la quando ela regressar, será só uma questão de tempo.

– Eu tenho medo. Ela pode apaixonar-se por outro.

– Você sabe que isso pode acontecer e não vai poder impedir. Não seria melhor você procurar adaptar-se à vida aqui, fazer amigos, deixar o tempo passar para encontrá-la face a face quando ela vier?

Ele torceu as mãos nervosamente:

– É que eu não sei se ela ainda vai me querer. Ela me abandonou.

– Ela pode ter um caminho diferente do seu. A vida sempre sabe o que faz. Se ela foi embora e o deixou, talvez ela tenha deixado de amá-lo. Ninguém pode obrigar alguém a gostar. Esse sentimento é espontâneo e natural. Se ela não o ama mais, é tempo perdido ficar esperando por ela ou querer sofrer ao lado dela, que é pior.

– É que eu não consigo deixar de pensar nela.

– Faça um esforço. Se deixar esse pensamento de lado, estou certa de que logo vai se recordar de outras vidas, e essa recordação vai fazer de você uma pessoa muito feliz.

– Você acha?

– Estou certa disso.

– Às vezes penso que eu nunca tive outras vidas.

Cora sorriu e respondeu:

– E os sonhos. As visões que tem de vez em quando?

– Sonhos não significam nada.

– Podem significar muito. Por que não tenta descobrir o que eles querem dizer?

– Como fazer isso?

– Pensando nas visões que já teve, querendo saber mais.

– Você diz isso porque conhece meu passado ou é apenas uma sugestão?

– Os sintomas que você tem fazem-me pensar que você está prestes a recordar o passado. Sinto até que basta mais atenção ao seu mundo interior para que isso aconteça.

– De que adianta querer saber o que aconteceu há muito tempo se meu coração, meu pensamento, está em Aline, em nossa vida atual?

– É que a vida os separou e ela deve ter uma razão justa para isso. Insistir agora nessa proximidade é perda de tempo. Vocês vivem em mundos separados, não há como ficarem juntos. Enquanto ela precisa viver suas experiências no mundo material, você está sendo chamado para se renovar e caminhar para frente em sua vida espiritual.

– Mas eu não quero viver uma vida espiritual. Quero estar na Terra onde tenho todos os meus interesses, minha família, minha mulher. Meu coração está lá, com eles.

– Eu sei. Mas seu coração pode continuar com eles, porquanto o amor nunca morre, mas não é hora de estar junto porque cada um vive seu próprio processo de evolução e tem suas necessidades. Para você, é hora de amadurecer, rever as experiências que teve e buscar tirar delas todos os benefícios possíveis.

– Que benefício pode ter em morrer da forma violenta como eu morri, no apogeu da minha juventude, cheio de planos para o futuro?

– Um dia você ainda compreenderá porque teve que passar por isso. É bom saber que a vida não erra e você veio do jeito certo, na hora certa.

– Como pode afirmar isso?

– Porque tudo tem uma razão de ser. Nada acontece por acaso. Por esse motivo, procure aproveitar o tempo. Em vez de ficar pensando em Aline com revolta, insatisfação, lembre-se dos bons momentos que viveram juntos, em nome do amor que diz sentir por ela, deixe-a livre para seguir seu caminho.

– É difícil para mim.

– Você não pode viver pendurado afetivamente em outra pessoa. Ela é para você apenas uma muleta, na qual se apoiou e não deseja largar.

– Isso não é verdade.

– Claro que é. O amor, quando verdadeiro, coloca em primeiro lugar a felicidade do ser amado. Você não está preocupado com os sentimentos dela, nem se ela era feliz a seu lado, quer apenas perpetuar sua ligação com ela. Isso é apego, não é amor.

– Eu a amo.

– Quem ama liberta, não subjuga o ser amado.

Marcelo não conteve as lágrimas que desceram pelo seu rosto contraído pelo desespero.

Cora alisou a cabeça dele com carinho e esperou que ele se acalmasse. Depois disse com voz calma.

– Enquanto você pensa sobre esse assunto, desejo convidá-lo para uma reunião que vai acontecer na casa de uns amigos meus. Vai haver música e muita alegria.

– Não tenho disposição para visitar ninguém. Não estou em condições de ser boa companhia.

– Você vai comigo, sim. De que adianta ficar remoendo sua dor? Ao contrário. Venha comigo, estou certa de que vai gostar. São pessoas muito interessantes, inteligentes, bondosas. O lugar é lindo e muito agradável.

– Não sei...

– Há quanto tempo não tem um momento de calma e bem-estar? Estou certa de que se ficar calmo será mais fácil encontrar a melhor solução para seu caso.

– Talvez seja bom mesmo...

– Passarei aqui para buscá-lo às oito.

– Está bem. Irei.

– Isso mesmo. Está precisando mesmo de uma boa distração. Costumo ser pontual.

– Estarei esperando.

Ela se foi e Marcelo sentou-se perto da janela pensativo. De onde estava podia ver o lindo jardim ao redor do prédio.

As palavras de Cora ainda estavam vivas em sua memória: "Quem ama liberta, não subjuga o ser amado". Por mais que lhe doesse, reconhecia que ele queria ficar ao lado dela de qualquer jeito, sem se perguntar se ela desejava isso.

Pela primeira vez ele sentiu como ela aos poucos fora se distanciando dele. Por tudo isso, ela o abandonara. A verdade doeu forte e ele curvou-se abatido. Sentiu que ela não o amava o suficiente.

Pensou como a conhecera, lembrou-se dos momentos bons dos primeiros tempos de casamento, de como se sentia feliz em mimá-la, em fazer-lhe todas as vontades.

Marcelo sentiu que não queria mais ficar ao lado dela se isso a tornasse infeliz. Essa era a realidade. Ele não fora capaz de torná-la feliz.

Sentiu o peito oprimido, a cabeça atordoada, incapaz de pensar com clareza.

Cora tinha razão. Ele precisava fazer uma pausa em sua dor, acalmar seu espírito, talvez então pudesse descobrir o que fazer de sua vida dali para frente.

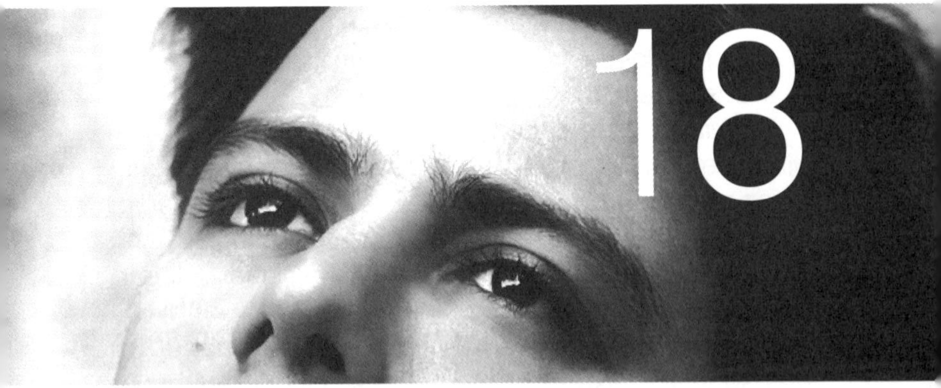

18

Alguns dias depois, Olívia chegou em casa satisfeita. Conversara com Marli, sua professora de inglês e ela lhe informara que naquela época do ano não seria possível arranjar o que pretendia. Mas era muito amiga de uma ex-aluna que estava morando em Miami, conversara com ela, que lhe dissera:

"Dê meu telefone a ela e peça para me ligar. Creio que posso arranjar lugar para ela ficar".

Com o coração aos saltos, Olívia anotou o nome e o número. Precisava ir ao banco saber quanto tinha na conta, mas isso só poderia ser feito no dia seguinte.

Enquanto isso, cuidaria de arranjar mais dinheiro. Tencionava trabalhar quando chegasse lá, porém precisava ter uma reserva para os primeiros tempos.

Na manhã seguinte, em vez de ir à faculdade, esperou o banco abrir e foi ver o saldo. Fez as contas de quanto gostaria de levar e não era suficiente.

Estava certa de que mais alguns dias conseguiria o montante que faltava.

Naquela noite, durante o jantar, casualmente ouviu uma conversa de sua mãe com o marido:

– Quando você vai dar-me aquele dinheiro?

– Amanhã, pela manhã o doleiro vai trazer-me cinqüenta mil dólares. Eu lhe darei uma parte.

– Está bem.

Olívia foi para o quarto, ligou para o número que Marli lhe dera e conversou com Malú, a ex-aluna, que lhe disse que poderia hospedar-se no mesmo prédio em que ela morava, o preço era módico e o lugar bom. Na mesma hora Olívia pediu-lhe para reservar o lugar que estaria lá dentro de dois ou três dias.

Na manhã seguinte, Olívia percebeu quando o mensageiro deixou um pacote para Gilberto. Observou que ele o guardou em uma gaveta da escrivaninha, no escritório.

Fez seus planos. Saiu, foi ver a passagem para Miami. Havia um vôo para a noite seguinte e ela comprou a passagem e pagou com cheque. Passou no banco, retirou o saldo disponível, deixando lá o dinheiro do cheque e foi para casa.

Passou a tarde fazendo uma avaliação de suas roupas, decidindo o que levaria. Deixou tudo separado pronto para colocar na mala.

Durante todo o tempo em que o padrasto esteve em casa observou disfarçadamente todos os seus passos e viu quando ele deu um envelope volumoso para a mãe, dizendo:

– Aqui está. Pague tudo e não faça mais dívidas.

– Irei amanhã à tarde. Cedo tenho hora no médico.

Depois, guardou o pacote em uma das gavetas da cômoda.

Na manhã seguinte, quando Olga saiu para ir ao médico, e o padrasto para o trabalho, Olívia foi ao quarto da mãe e apanhou o pacote, abriu, contou, tinha trinta mil dólares.

Em seguida, escreveu uma carta para a mãe dizendo que ia tentar a sorte no exterior e pegara emprestado os trinta mil dólares, que os devolveria assim que pudesse.

Não deixou endereço nem disse para que país iria. Depois, apanhou as malas que havia arrumado na noite anterior, chamou um táxi e rumou para o aeroporto.

O vôo só sairia à noite, mas ela não quis esperar em casa, temendo a reação da mãe e do padrasto. Estava eufórica, segurando a passagem e o passaporte.

Quando subiu no avião, sentiu que finalmente estava livre daquele pesadelo. Sabia que Gilberto faria tudo para trazê-la de volta, mas ela não voltaria, não enquanto ele estivesse com Olga.

Sabia que sua mãe ficaria triste, não entenderia, iria acusá-la de sem juízo. Mas tudo isso era melhor do que a verdade que a machucaria muito mais.

Quando o avião decolou, Olívia recordou-se de que havia se esquecido de despedir-se de Márcio. Voltara a sair com ele algumas vezes, notara que ele estava interessado em namorá-la. Ela o apreciava. Era um rapaz bonito, agradável, mas ela não queria namorar ninguém, porquanto não pretendia permanecer no Brasil.

Quando chegasse a seu destino, ela lhe mandaria uma carta de despedida.

Seu coração batia forte, pensando que estava livre para fazer tudo o que gostaria e, principalmente, para viver em paz.

Naquela noite, quando Márcio ligou para Olívia, a criada falou que ela havia viajado de repente sem dizer para onde, ele ficou muito triste.

Desde que a conhecera, pensava nela o tempo todo. Estava apaixonado. Percebia que Olívia não estava correspondendo como gostaria, mas sentia que ela gostava dele e por esse motivo acariciava a esperança de com o tempo fazê-la apaixonar-se por ele.

Essa viagem caíra sobre ele como uma ducha fria. Ela mostrara-se sua amiga, por que não lhe contara sobre a viagem? Claro que ela fugira de casa por causa do padrasto que a maltratava, mas por que não lhe dera o endereço? Sabia que podia confiar nele.

Esse pensamento o irritou muito. Por que para ele tudo dava errado? A única vez que gostara de fato de uma mulher ela ia embora para longe?

Se ao menos soubesse para onde Olívia havia ido, talvez pudesse pensar futuramente em ir até lá. Mas para isso precisaria de dinheiro.

Seu emprego não era ruim, ganhava um salário razoável, porém não dava para tanto.

Marcelo dava generosa mesada aos pais e Márcio podia ficar com todo o seu salário, mas depois da morte de Marcelo, coube a ele ajudar nas despesas.

Se ao menos seus pais houvessem ficado com a empresa de Marcelo, certamente não precisaria dispor desse dinheiro, poderia pensar em ir ter com Olívia.

Pensou em Pai José. Pelo visto ele não era capaz de fazer nada. Mais uma vez sentiu raiva por haver lhe dado o dinheiro. Teria de pagar a tia sem haver conseguido nada.

Mas isso não ia ficar assim. Pai José prometera, e ele iria cobrar. Pensou em ir ao terreiro naquela mesma noite.

Na hora que começou o trabalho, Márcio estava lá ao lado do médium e assim que Pai José chegou, ele se aproximou:

– "Ocê di" novo aqui, meu filho?

– Sim, Pai José. Vim saber se tem alguma novidade no meu caso.

O médium ficou calado, tirou uma baforada do charuto, depois disse:

– A moça que foi "simbora" vai "mandá" uma carta. Pode "esperá".

Márcio estremeceu. Ele não havia dito nada sobre Olívia.

– Tem certeza? – Indagou alegre.

– "Ocê" duvida "di" Pai José, "mai é bão aquerditá". Essa moça é muito boa "mai num é pro cê". É "mió esquecê" ela.

– Só por que ela é rica?

– "Num" é por isso. É que o "distino "dela é diferente do seu.

– Eu gosto dela e quero que ela volte para mim.

– Eu posso "tentá". Ela pode "inté vortá, mais num" fica "pra" sempre.

– Como é que o senhor sabia dela?

– Pai José sabe "di tudo" que "acuntece" com seus "fios". "Ocê" veio aqui, "to trabaiando pra ocê", tenho "di" sabe "di" tudo.

– O senhor vai conseguir afastar Arlete da empresa de meu irmão?

– Estou esperando a hora. "Ocê" vai "vê". "Num" carece vir aqui toda hora "sabê". Quando "acuntecê, ocê" vai "vê".

– Obrigado, Pai José. Vou esperar.

Márcio deixou o terreiro insatisfeito. Ele queria Olívia. Ela era tudo o que sonhara em uma mulher. Não acreditava no que Pai José havia dito.

Olívia gostava dele e com o tempo isso poderia transformar-se em amor. Só precisaria ir até onde ela estava ou fazer com que ela voltasse ao Brasil.

Na manhã seguinte, Olívia chegou a Miami, apanhou um táxi e foi direto à casa de Malú, que a recebeu muito bem.

Era uma jovem alegre, bem-humorada e seu sorriso amigo despertou em Olívia muita simpatia.

– Deixe as malas aqui, vou falar com o senhorio que vai mostrar-lhe o apartamento.

Ao entrar no apartamento mobiliado que Malú reservara, Olívia gostou muito. Tinha quarto e sala e uma pequena cozinha em um dos lados.

– Tem garagem também. – Esclareceu Malú.

Olívia alugou o apartamento e foi buscar as malas.

– Sente-se, tome um café comigo. Ainda tenho meia hora antes de ir trabalhar.

– Obrigada por me haver feito esse favor. É a primeira vez que venho a esta cidade, não conheço ninguém.

– É um lugar muito bom para se viver. Eu adoro morar aqui.

– Vou arrumar minhas coisas e depois comprar um jornal, procurar trabalho.

– Pela sua conversa com o senhorio, vi que tem um inglês muito bom. Por esse motivo penso que não será difícil arranjar uma colocação. Eu trabalho em uma empresa de publicidade, mas lá sei que não há vagas.

– Não se preocupe. Tenho tempo para procurar.

– As acomodações são modestas, mas eu gosto.

– Você falou em prédio e eu fazia uma idéia de um edifício igual aos que temos no Brasil. Mas este é diferente. São apartamentos individuais, que mais parecem casas de construção graciosa e bonita. Além de tudo mobiliadas com gosto. Penso que ficarei muito bem.

– Aqui a maior parte dos moradores são brasileiros ou cubanos. Você vai gostar deles. Apesar de não ter família aqui, não me sinto sozinha. Vou ajudá-la com as malas.

As duas saíram com as malas, caminharam pelo jardim e viram uma moça saindo de um dos apartamentos.

Malú sorriu para ela dizendo:

– Aline, quero apresentar-lhe sua nova vizinha. Ela acabou de chegar do Brasil.

Aline aproximou-se e Malú fez as apresentações. Depois dos cumprimentos, Aline disse:

– De onde você veio?

– De São Paulo.

– Minha família mora lá, em Santana.

– A minha mora nos Jardins.

– Agora preciso ir trabalhar. Quando eu voltar, conversaremos melhor. Seja bem-vinda.

– Obrigada. Bom trabalho.

Malú também despediu-se para ir trabalhar. Olívia entrou no apartamento, abriu as janelas e começou a arrumar suas coisas.

Sentia-se livre, alegre, leve. Não estava preocupada

com a mãe, porquanto ela amava Gilberto, vivia mais para ele e por certo não sentiria tanto sua falta.

Quando o tempo passasse, ela poderia vir visitá-la e assim, nunca saberia do verdadeiro motivo que a fizera sair de casa.

Durante o trajeto para o trabalho, Aline pensou na família e sentiu saudade. A presença de Olívia, recém-chegada de sua cidade natal, fê-la recordar dos seus.

Era muito bom morar em Miami, sempre desejara isso, tinha um bom emprego, ganhava o suficiente para se sustentar em um nível bom, havia Gino, em quem estava muito interessada, mas apesar de todas as vantagens, às vezes sentia-se fora do seu meio, de sua terra, das coisas do seu país.

Antes, ao comparar o Brasil a Miami, via somente as vantagens de viver nos Estados Unidos, e os problemas que havia em seu próprio país.

Agora, porém, ao fazer a comparação, começara a perceber a espontaneidade dos brasileiros, menos formais, fazendo amizades com facilidade, um povo que em meio à burocracia de um país menos desenvolvido, exercitava a criatividade, a alegria, fazendo do sorriso e da música uma válvula de escape de suas frustrações.

Não que ela pensasse em voltar logo a morar no Brasil. Um pouco mais dentro da realidade, vislumbrara a possibilidade de uma carreira que lhe desse realização profissional.

Se na juventude desejava morar lá para sempre, aos poucos fora mudando de idéia. Ficaria lá durante alguns anos, tempo suficiente para conseguir o que queria.

Ao chegar no escritório, Aline ligou para Arlete para saber da família.

– Está tudo bem. – Informou ela, satisfeita. – Eu ia mesmo ligar para você. Rodrigo não está dando conta de fazer os projetos sozinho e está querendo trazer outro arquiteto para ajudá-lo. Pediu-me que falasse com você para saber se concorda.

– Eu não estou a par dos negócios da empresa. O que você acha?

– Nós estamos progredindo e precisamos contratar um auxiliar para pesquisar novos materiais, preços etc. Ele tem recusado novos projetos por falta de tempo. Penso que se contratarmos outro arquiteto, poderemos crescer mais. Ele não fará parte da sociedade da empresa, ganhará metade dos lucros de cada projeto que fizer.

– Diga a ele que tudo bem. Você entende mais disso do que eu. O que você decidir eu assino embaixo. Eu liguei porque estou com saudades de vocês.

– Nós também. Mamãe não se cansa de falar em você... Fica se perguntando se está bem, se está feliz.

Aline hesitou um pouco, depois perguntou:

– Tem tido notícias da família de Marcelo?

– Penso que tudo continua na mesma. Tenho visto Márcio algumas vezes na rua e ele nem me cumprimenta. Acho que me odeia por estar trabalhando aqui.

– Você está ajudando, ele deveria entender.

– O que eles queriam era que a parte de Marcelo ficasse para eles.

– Não fiz nada para herdar isso. É de lei, nós nos casamos com comunhão de bens. Pensei que com o tempo eles entendessem o que aconteceu.

– Acho difícil. Você não deve esperar muito deles.

– É uma pena. Diga a mamãe e papai que estou bem e mandei um beijo para cada um. Beijo para você.

– Outro. Ligue sempre que puder.

Arlete desligou o telefone e foi ter com Rodrigo na outra sala.

– Aline ligou e nos deu carta branca para você contratar quem quiser.

– Vou ligar para o Hamilton e formalizar o convite. Estou certo de que ele virá nos ajudar. Depois que se formou foi para o Rio de Janeiro trabalhar em uma construtora. Na semana passada nos encontramos casualmente, ele veio ver a família que mora em São Paulo, disse que não está satisfeito com o emprego e gostaria de voltar para nossa cidade. Ele foi meu colega de faculdade e é muito bom no que faz.

– Então não perca tempo. Fale com ele.

Arlete foi para sua sala e pouco depois Rodrigo foi ter com ela:

– Hamilton adorou a idéia. Virá hoje mesmo para conversarmos.

– Nesse caso talvez possamos aceitar aquele projeto que você ficou muito interessado, mas não pôde aceitar.

– Vamos ver. Isso pode dar certo.

Uma hora depois, Hamilton chegou procurando por Rodrigo. Era um rapaz moreno, alto, elegante, cabelos crespos, olhos castanhos e brilhantes. Apesar de ter trinta e seis anos, talvez pelo brilho dos olhos, dos cabelos revoltos, parecia mais jovem.

Arlete atendeu-o, ele apresentou-se:

– Sou Hamilton, Rodrigo está me esperando.

Arlete convidou-o a acompanhá-la até a sala de Rodrigo que, vendo-o, levantou-se para abraçá-lo com prazer.

Depois, ela deixou a sala e pediu à copeira para fazer um café e verificar se ele desejava mais alguma coisa.

Quando voltou à sala, acompanhando a copeira com o café, Rodrigo chamou-a:

– Quero que você conheça melhor o Hamilton. Arlete é irmã da viúva de Marcelo que está residindo em Miami. Eu já lhe falei sobre o acidente que o vitimou.

– Já. Como vai?

– Vou bem. Seja bem-vindo.

Ele fixou os olhos em Arlete e respondeu:

– Obrigado. Ainda bem que você é uma pessoa prática e não se deixou envolver pelas pessoas a sua volta.

Foi Rodrigo quem respondeu:

– De fato. Arlete sabe lidar com as emoções e não entra no que os outros dizem.

– Essa é uma rara qualidade. Muitas pessoas preferem dramatizar os fatos, o que provoca sempre mais sofrimento.

– Se eu fosse me deixar levar pela família de Marcelo, teria me desequilibrado. Você aceita um biscoito, uma água?

– Obrigado. Só o café.

Arlete deixou a sala e Rodrigo comentou:

– Rapaz, como é que você bateu os olhos nela e viu como ela é?

Hamilton sorriu:

– É que eu sou observador. Aliás, gosto de estudar as pessoas, saber como agem.

– Arlete veio na hora certa. Enquanto Marcelo era vivo, eu não me aproximei muito da família dele. Depois que ele morreu fiquei meio órfão. Era ele quem cuidava da parte administrativa, sabe como é, contratos, bancos etc. Eu nunca tive jeito para essas coisas. Arlete apareceu e se ofereceu para me ajudar. Eu sabia que ela era uma executiva muito eficiente, Marcelo falava isso, então entreguei tudo em suas mãos e não me arrependo. Ela é ótima. Sou-lhe muito grato.

– Ela tem padrão alto?

– Muito mais do que eu preciso aqui. Nossa empresa é pequena, mas desde que ela veio, atende os clientes, defende meus projetos, discute contratos com uma segurança que me deixa muito à vontade. Além do que se contenta com a divisão de lucros, recebe a parte que caberia a irmã. Ofereci-lhe um salário de acordo com nossas possibilidades, mas ela recusou dizendo que a irmã deseja que ela fique com a parte dela.

– Nota-se que ela está fazendo tudo isso para ajudar a irmã.

– É... Tenho observado que a família de Arlete é muito unida. Quando Marcelo era vivo, eu os conhecia superficialmente, depois que ele morreu então, procurei me afastar deles por causa do desentendimento com os pais de Marcelo que culpam Aline pelo acidente. Eu já lhe contei isso.

– Você ficou no meio da briga deles.

– Fiquei. A situação piorou quando Arlete veio

trabalhar aqui. Eles não acharam justo Aline herdar os bens, mas ela tinha direito e eles não puderam fazer nada. Na situação em que eu estava, não podia recusar a oferta de Arlete, mesmo porque foi um arranjo muito conveniente para mim.

– Você fez bem.

– É, mas os pais de Marcelo e até o irmão, nem me cumprimentam mais. Não estou contente com isso, mas não pude fazer nada. Eles nem querem ouvir as minhas razões. Eu pretendia ficar neutro, mas não consegui.

– Por quê?

– Arlete caiu da escada e quebrou a perna, precisei socorrê-la, tomei todas as providências, e todos os dias levava os papéis da empresa porque ela queria trabalhar mesmo em casa. Então, descobri a família maravilhosa que ela tem.

– A vida sabe mostrar a verdade quando é preciso.

– De fato, como vivo sozinho na cidade, acabei encontrando neles um carinho do qual eu estava saudoso.

– Arlete é uma mulher muito bonita.

– Bonita e inteligente. É raro as duas coisas juntas.

Eles riram e Rodrigo começou a fazer a proposta de trabalho, meia hora depois, ele chamou Arlete para anotar os dados do contrato.

Depois de anotar tudo, ela disse, sorrindo:

– Agora é hora de comemorar. Vamos brindar pelo sucesso da nossa empresa.

Em seguida, chamou a copeira, que entrou trazendo uma bandeja com taças, uma garrafa de champanhe e alguns salgadinhos.

Rodrigo abriu, serviu e levantou a taça dizendo:

– Ao progresso de todos nós.

Eles tocaram as taças e beberam satisfeitos. Hamilton combinou de começar a trabalhar na manhã seguinte.

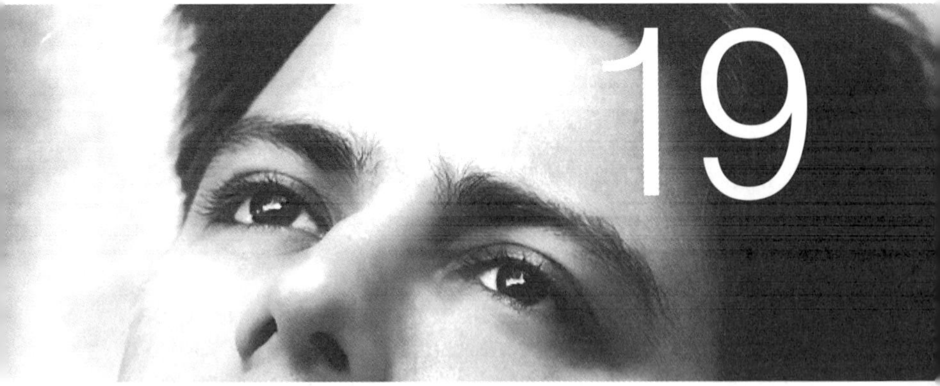

19

Às oito horas, Cora foi à procura de Marcelo conforme o combinado. Entrou e foi encontrá-lo de cabeça baixa, pensativo, triste.

Aproximou-se sorrindo:

– Vim buscá-lo. Ainda não está pronto?

– Desculpe-me, Cora. Mas eu não vou.

– Nada disso. Esse ar de vítima que adotou não lhe cai bem. Reaja. Vamos. Arrume-se. Deixei uma roupa linda em seu armário.

Cora puxou-o pelo braço e Marcelo levantou-se, indeciso.

– Vamos, rápido. Não gosto de chegar atrasada. Depressa.

Ela arrastou-o para o quarto e em poucos instantes ele estava pronto. Sem dar-lhe tempo para pensar, Cora passou o braço no dele e saíram.

A noite estava estrelada e o perfume das flores no jardim estava delicioso.

– Que lindo. – Tornou Cora, aspirando o ar. – Que gostoso. Está sentindo?

– Estou.

– Sorria. Ninguém pode ficar triste em um lugar abençoado e lindo como este. Esqueça suas dores, seus problemas. Vamos a uma festa. Amanhã você pode voltar a eles se preferir.

– Do jeito que você fala parece que eu gosto de viver triste.

– Se você gosta eu não sei, mas que está viciado a olhar tudo por meio da tristeza, isso está.

– Se você tivesse passado o que eu passei não diria isso.

Ela riu bem-humorada:

– Saia do "pobre de mim", onde está sua força, sua coragem? Por que apaga sua luz dessa forma? Você continua vivo, o acidente que o vitimou foi apenas uma viagem. Você continua jovem, bonito, de posse de todas as suas faculdades. Do que se queixa? Devia envergonhar-se disso.

Ele parou surpreendido. As palavras dela ativaram seu orgulho e ele respondeu:

– Eu não sou um fraco. Eu posso reagir.

– Então reaja. Agora é a hora. Chegamos na festa e você vai entrar comigo, de cara alegre e com disposição para esquecer todo o passado e se divertir.

Ela tinha razão, pensou ele. Naquele momento de nada adiantaria ficar pensando no que aconteceu. Estava cansado. Queria descansar. Esquecer todo sofrimento e desfrutar um pouco de alegria.

Sorriu, ofereceu o braço a Cora e disse:

– Eu sempre fui um rapaz alegre. Você vai ver como eu sou capaz de me divertir.

Eles entraram no salão decorado com flores frescas que espargiam seu delicado perfume no ambiente. Marcelo olhou surpreendido:

– Eu nunca vim aqui. É muito bonito.

– E agradável. Cuidado com seus pensamentos enquanto estivermos neste salão. Se permitir qualquer pensamento negativo, será impulsionado a sair, mesmo que não queira.

– O salão está lotado. Como conseguem controlar todas essas pessoas?

– Há dispositivos de controle energético especiais. Este lugar trabalha o positivismo dos freqüentadores.

– Por esse motivo você me trouxe aqui?

Cora riu e havia um brilho malicioso em seus olhos quando respondeu:

– Não foi apenas por esse motivo. Vamos dar uma volta, vou apresentá-lo a alguns amigos.

Nas mesas as pessoas conversavam alegres, uma orquestra tocava uma valsa vienense e muitos casais rodopiavam no centro do salão.

Eles foram andando ao redor, Cora parou diante de uma mesa e apresentou Marcelo. Eram pessoas simpáticas, a conversa fluiu fácil.

Marcelo teve sua atenção voltada para a mesa vizinha. Sentada em meio a dois casais estava uma moça muito parecida com Mirela.

Seria ela? Talvez não. A Mirela enfermeira que ele conhecera aparentava ser mais velha. Essa além de mais nova estava ricamente vestida e muito elegante. Marcelo sentiu-se atraído por ela e sem desviar os olhos foi a sua frente e perguntou:

– É você, Mirela?

Ela levantou-se:

– Sou. Como vai, Renato?

– Meu nome é Marcelo, você sempre me chama de Renato.

– Ainda não me habituei com outro nome.

– Você está diferente. Mais jovem, mais bonita.

– É que agora recuperei um pouco mais de equilíbrio.

Marcelo lançou o olhar para Cora e, vendo que continuava conversando animada com os amigos, convidou:

– Quer dançar?

Ela concordou e logo estavam rodopiando pelo salão. Marcelo a apertava nos braços e sentia um prazer muito grande com essa proximidade.

Sentia que a emoção ia tomando conta e de repente era como se estivessem em um salão de um palácio onde ele estava em meio a alguns músicos cantando, enquanto ela dançava com outros e ele não a perdia de vista.

De repente ele se deu conta que era ela, que estava agora em seus braços, com o rosto muito próximo ao seu.

Sentiu vontade de beijá-la e notou que ela também estava muito emocionada.

– Vamos dar uma volta. Precisamos conversar.

Segurando-a pela mão, caminhou até o jardim, e conduziu-a a um caramanchão florido ao lado e, uma vez lá, abraçou-a e beijou-a nos lábios demoradamente.

Então sentiu seu peito encher-se de uma alegria como nunca se lembrava de haver sentido.

– Eu amo você. – Disse apertando-a de encontro ao peito.

Naquele momento havia esquecido completamente de Aline.

– Há muito esperava por este momento. Nos últimos tempos cheguei a temer que houvesse deixado de me amar.

– Eu ainda estou confuso. Sinto por você um amor muito grande, mas não sei explicar o porquê.

– Não precisa explicar nada. Para mim basta saber que você ainda me ama como antigamente.

– Eu sinto como se tivesse vivido momentos de extrema angústia dos quais agora estou me libertando.

– Nós vivemos um grande amor e a vida nos separou para nos ensinar o que precisávamos aprender. Hoje, mais amadurecida, reconheço que aprendi muito durante o tempo em que ficamos separados.

– Eu sinto que você diz a verdade. Por que não consigo me recordar de tudo?

– Venha, Renato, sente-se a meu lado. Vou contar-lhe tudo com detalhes novamente. Estou certa de que isso vai ajudá-lo.

Sentaram-se no banco, Mirela segurou a mão dele e começou a falar. Contou tudo desde o começo, até a morte de seu marido e a vingança que ele, ajudado por Mimo, impôs-lhes.

Enquanto ela falava, Marcelo foi se recordando de tudo, e aos poucos sua aparência foi mudando. Quando ela parou, olhou-o emocionada abraçando-o:

– Renato! Você se lembrou! Voltou a ser como era antes.

Ele enlaçou-a e beijou-a apaixonadamente várias vezes. Depois, quando a emoção se acalmou, Mirela disse:

– Há uma coisa que quero lhe contar. Quando cheguei aqui, estava intrigada pela sua obsessão por Aline. Temia que seu amor por ela houvesse substituído o que sentia por mim e tudo estivesse terminado entre nós. Confesso que senti ciúme dessa mulher que roubara seu amor.

Ela fez ligeira pausa e vendo que ele a ouvia com atenção continuou:

– Tive a curiosidade de conhecê-la, consegui ir vê-la e, ao aproximar-me, fui tomada de grande emoção. Reconheci nela o espírito de Giuliana, minha filha com Giulio.

Nessa hora Marcelo levantou-se assustado:

– Não pode ser! Eu sentia por Giuliana um amor de pai.

– Eu sei e por esse motivo lhe fazia todas as vontades, como quando estávamos juntos. Soube também que Marcos nasceu como seu irmão Márcio.

– Por tudo isso eu cuidava dele como se fosse um filho. Meu Deus! Eu não sabia de nada.

– Era preciso que fosse assim.

Eles ficaram conversando, esclarecendo todas as dúvidas e Marcelo agora se sentia mais seguro, mais forte. Recordando o passado, tudo fazia sentido, se encaixava e ele mudou com naturalidade seu modo de ver, de sentir.

Aquela insatisfação, aquela necessidade de ficar perto de Aline desaparecera por completo.

– Vamos procurar Cora. Foi ela quem insistiu para que eu viesse aqui. Quero agradecer-lhe.

– Eu também tenho muito o que agradecer a essa amiga querida.

Os dois, de mãos dadas, deixaram o caramanchão e foram para o salão. Vendo-os se aproximar, transformados, radiantes, Cora entendeu logo o que havia acontecido.

Levantou-se e foi abraçá-los:

– Que bom vê-los tão bem!

Marcelo retribuiu o abraço, dizendo comovido:

– Obrigado por tudo o que fez por mim. Eu estava no inferno e agora estou no paraíso.

Mirela interveio:

– Eu lhe contei a respeito de Giuliana.

– Eu nunca poderia imaginar a verdade.

Cora meneou a cabeça sorrindo e respondeu:

– Pois eu penso que sua obsessão de querer ficar ao lado dela, mesmo sabendo que ela preferia seguir outro caminho, era o desejo inconsciente de rever Mirela por meio de Giuliana.

– Eu não sabia que ela era Giuliana reencarnada. Aliás, eu nem acreditava em reencarnação.

– Você não se lembrava, mas seu espírito sabia, porquanto todas os acontecimentos dessa sua vida passada estavam lá todo o tempo, influenciando suas decisões.

– Ele a tratava como marido, da mesma forma que quando teve para com ela carinhos de pai. – Tornou Mirela.

– E – continuou Cora –, Aline tinha para com você um amor filial. Por esse motivo, não titubeou em deixá-lo para seguir outro caminho. Os filhos costumam fazer isso quando estão adultos.

– De fato – disse Marcelo –, tudo agora ficou claro. Mas antes eu confundia os sentimentos e isso me martirizava. A verdade restabeleceu meu equilíbrio, eu penso que estou preparado para seguir meu caminho. Só espero que possa viver ao lado de Mirela.

– Vocês estão no mesmo nível espiritual. Acredito

que tenham a chance de ficar juntos enquanto assim o quiserem. Em todo o caso, não sou eu quem decide.

Mirela segurou a mão de Marcelo dizendo alegre:

– Tenho muitos projetos de progresso que desejo poder realizar, mas em todos eles você está ao meu lado.

– Seria muito cruel separar-me de você agora.

– Primeiro, vamos ver se conseguimos programar nosso futuro juntos, depois sonho em poder auxiliar Márcio, meu filho querido. Ele tem pontos fracos que precisa vencer para amadurecer. Quanto a Aline, ela é mais lúcida, sabe o que quer e estou certa de que vai saber cuidar de si muito bem.

– Eu também me preocupo com Márcio. Ele sempre teve dificuldade de resolver seus desafios. Enquanto estive ao seu lado, como irmão mais velho, procurei protegê-lo. Não sei como estará agora, já que não pude mais estar ao lado dele.

– Foi bom para ele perder a muleta que você sempre lhe ofereceu. – Comentou Cora. – Acontece que João, seu pai, é muito fechado, sem comunicação com os filhos. O problema maior, porém, é Ivone que está sempre vendo mal em tudo. Desconfia das pessoas, pensa que todos estão querendo ludibriá-la. Assim, está sempre muito negativa e atrai pessoas perturbadas, tanto encarnadas como desencarnadas.

– É verdade, minha mãe pensava que ter medo de tudo era se proteger, evitar que o mal acontecesse.

– Mas acontece exatamente o contrário. – Tornou Cora. – Quando ela teme, está demonstrando sua crença no mal e isso atrai o mal. Semelhante atrai semelhante.

– Ela não sabe dessas coisas. Eu gostaria muito de poder ajudá-la. Apesar disso, foi uma mãe dedicada que cuidou de mim com muito carinho.

– Eu sei. E isso é um ponto a favor dela. Mas enquanto Ivone não modificar essa crença de que há perigo em tudo, alimentar o medo, ela não vai poder viver em paz nem ser feliz.

Marcelo sentiu uma onda de tristeza, mas Mirela interveio:

– Não podemos nos preocupar. O importante é melhorarmos nossas condições, pedirmos orientação aos especialistas, aprendermos como fazer uma ajuda efetiva e depois, procurarmos ajudá-los. Eu acredito que esse é o caminho.

Cora bateu palmas alegre:

– Muito bem, Mirela! Isso mesmo. Contem comigo. O que eu puder fazer para ajudar, farei com prazer. Eu tenho um amigo do qual gosto muito que está me esperando para dançar. Há pouco tocaram um tango argentino e vocês precisavam ver os casais dançando. Por que não vamos aproveitar a festa?

Mirela passou o braço pelo de Marcelo, dizendo bem contente:

– Isso mesmo. Vamos comemorar nossa alegria nos envolvendo na música.

– Vamos. – Concordou Marcelo, feliz.

Em poucos instantes estavam no salão onde os casais dançavam ao som de um bolero. Os dois começaram a dançar, sentindo o romantismo da música que expressava bem o amor que os unia.

Na tarde seguinte, Mirela pediu que seu orientador espiritual os recebesse. Na hora que ele marcou, os dois foram introduzidos em sua sala.

Sérgio era um rapaz loiro, alto, magro, cabelos crespos, olhos claros, aparentava cerca de trinta anos, vestia uma camisa colorida e calça cinza.

A primeira impressão de Marcelo foi que ele era jovem demais para ser conselheiro, porém, ao se aproximar, quando seus olhos se encontraram, ele sentiu tal emoção que esqueceu sua primeira impressão.

Os olhos de Sérgio, de um verde esmeralda, emitiam uma energia viva, que penetrava em seus interlocutores como um raio devassador.

Marcelo teve certeza de que apenas com esse olhar

ele havia devassado todo seu interior e sentiu-se um pouco embaraçado.

– Sentem-se. – Pediu ele.

Eles obedeceram e Mirela apresentou:

– Este é o Renato. Você já conhece a nossa história.

– Fique à vontade, Renato. Em que posso ajudá-los?

Mirela expôs o desejo deles viverem juntos e a vontade de progredir, estudar e quando fosse possível ajudar as pessoas queridas que ficaram na carne.

Ele ouviu em silêncio e depois perguntou a Marcelo:

– Como vocês pensam fazer isso?

– Eu gostaria de poder ficar ao lado deles, inspirando pensamentos bons. Sei que todos têm um lado melhor e é isso que desejo fazê-los sentir. – Disse Marcelo.

– Eu faria a mesma coisa com Márcio e poderia transmitir-lhes energias regenerativas. – Ajuntou Mirela.

– No momento não seria bom ficarem ao lado deles na crosta. O astral por lá anda muito carregado, há muita violência, ódios, revolta, guerras e vocês ainda não sabem estar imunes a essas energias.

– Eu gostaria muito de ajudá-los! – Comentou Marcelo, um tanto decepcionado.

– Vocês não precisam ir até lá para fazerem o que desejam. Podem fazer isso à distância. A ajuda só funciona quando o doador está bem.

– Como assim? – Indagou Mirela.

– Vocês precisam de um tempo de convivência para rever seu relacionamento.

– Nós nos amamos há tempos! – Lembrou Marcelo.

– Mas estiveram distanciados, vivendo outras experiências. Durante esse tempo, vocês mudaram. Precisam avaliar se realmente desejam continuar juntos.

– É o que mais quero agora. Esperei por isso durante muitos anos. Meu amor continua o mesmo. – Tornou Mirela.

– Eu também sinto isso.

– Ótimo. Mas a convivência sempre é reveladora. Portanto, vou conseguir um lugar para que vocês possam morar e um trabalho que vão precisar fazer como cooperação, conforme as normas da nossa cidade. Mas ao mesmo tempo, indicarei o curso de magnetização, em que aprenderão a ajudar as pessoas que desejarem, mesmo à distância.

Ele levantou-se e Marcelo tornou:

– Obrigado pela ajuda.

Sérgio chamou uma assistente e pediu-lhe que encaminhasse os dois para o curso indicado.

– Meu nome é Ângela. Queiram acompanhar-me.

Eles obedeceram e inscreveram-se no curso, recebendo instruções para começar no dia seguinte. Depois, Ângela disse sorrindo:

– Sérgio deu-me instruções para levá-los à casa que vocês deverão morar.

Mirela trocou com Marcelo um olhar satisfeito e de mãos dadas acompanharam Ângela, caminhando pelos jardins floridos até chegarem em uma rua em que havia algumas casas pequenas, mas graciosas, rodeadas de jardins. Embora fossem todas térreas, uma era diferente da outra.

Emocionados, eles entraram e já à primeira vista, adoraram o lugar. Mirela estava feliz como há muito não se sentia e Marcelo parecia estar sonhando.

– Vocês podem se mudar hoje mesmo se desejarem. – Esclareceu Ângela.

– É o que faremos. – Respondeu Marcelo, satisfeito.

Eles saíram, foram arrumar seus pertences e uma hora depois, voltaram à nova residência.

Assim que se viram sozinhos, Marcelo abraçou Mirela dizendo sorridente:

– Belisque-me para eu sentir que isto é verdade. Parece que estou sonhando e que vou acordar de repente vivendo aquele pesadelo que foi minha vida nos últimos tempos.

– Não é preciso, Renato. Esta é a verdadeira vida e estamos juntos de novo. Desta vez é para sempre.

– Sim. Estamos juntos e nunca mais vou deixá-la. Nunca poderia imaginar que a vida continuaria depois que deixei meu corpo morto naquele acidente. Mas essa é a verdade da vida! Ah se as pessoas soubessem disso quando ainda estão no mundo! Fariam tudo diferente.

– Um dia isso ainda acontecerá. Por agora, precisamos ter paciência e esperar.

Mirela abriu a janela e Marcelo a abraçou. Ficaram olhando o jardim florido lá fora.

– Posso lhe fazer um pedido? – Perguntou Marcelo.

– Fale.

– Prefiro que me chame de Marcelo. Gosto mais desse nome.

– Está bem, Marcelo. O nome não importa. O que eu quero é ficar com você.

Ele beijou-a nos lábios com amor e, abraçados, continuaram olhando as flores com os olhos brilhantes de ternura.

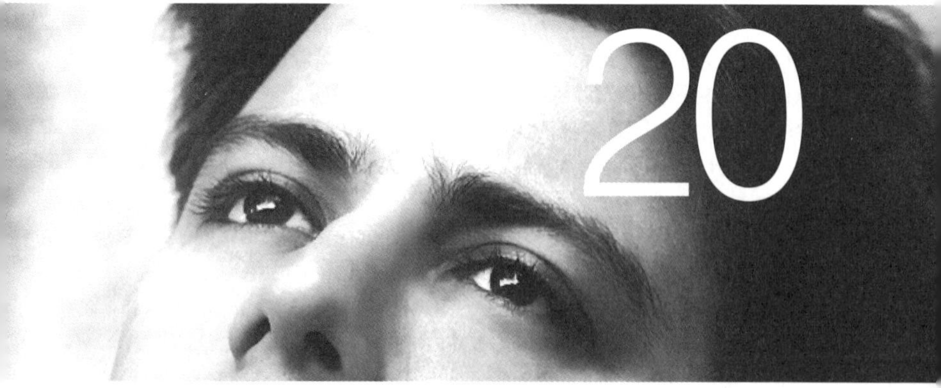

20

Aline levantou e se preparou para mais um dia de trabalho. Estava pronta quando a campainha tocou e ela foi abrir.

– Entre, Olívia. Estou pronta. Já tomou café?

– Já. Não quero chegar atrasada.

Fazia seis meses que Olívia chegara a Miami e desde essa época tornara-se muito amiga de Aline e Rachel. Tanto que Rachel havia lhe arranjado um emprego na mesma empresa em que as duas trabalhavam.

Como Aline estava sempre em companhia de Gino, e o romance entre eles continuava firme, estavam mais apaixonados a cada dia, Rachel encontrara em Olívia a companheira para os passeios que antes fazia com Aline.

De vez em quando, Aline e Gino programavam algum passeio com as duas, mas eles gostavam de viajar nos fins de semana para outras cidades, o que ficava difícil para Rachel, por causa de John, que sempre gostava de praticar esporte e ela o acompanhava.

Com a amizade que as unia, Olívia havia contado às duas amigas a razão pela qual fugira da casa materna.

Quinze dias depois de sua chegada a Miami, Olívia havia telefonado para sua mãe, que estava muito zangada por ela haver saído sem lhe dizer nada.

– Eu sempre ouvi tudo que você tinha para me dizer. Não precisava ter fugido de casa dessa forma e ter me deixado tão angustiada. Você foi ingrata. Nunca esperei que fizesse isso comigo.

– Eu sei, mãe, mas se eu dissesse que queria vir para cá, você não ia deixar.

– Gilberto está inconsolável! Nunca pensei que ele gostasse tanto de você! Ficou abatido, quase adoeceu. Custou para se conformar. Queria ir à polícia, procurar você, trazê-la de volta. Se fosse seu pai de verdade não seria tão preocupado.

– Eu imagino como ele ficou! Por esse motivo eu não disse nada. Há muito desejava ser independente.

– Você está com alguém, algum rapaz?

– Não, mãe. Eu vim para trabalhar, aprender a cuidar de mim.

– E a faculdade? Gilberto foi lá, soube que você trancou a matrícula. Ele quer que você volte.

– Nem pense nisso. Amanhã vou começar a trabalhar em uma empresa e pretendo continuar estudando aqui. Estou ligando para dizer que estou bem.

– Onde você está?

– Vou lhe dizer, mas não quero que dê meu endereço a Gilberto.

– Por quê? Ele é quem está mais preocupado.

– Por isso mesmo. Vai querer vir aqui, me buscar. Eu não quero ir. E se ele insistir, vamos acabar brigando. Estou muito bem. Moro em um lugar lindo, tenho tudo o que preciso, tenho uma vizinha brasileira, da minha idade e uma amiga americana que arranjou meu emprego. Não preciso de nada.

– Não tem saudades de casa?

– Tenho saudades de você, mas do resto não.

– Vou anotar seu endereço.

– Olha, estou em Miami e vou dar-lhe apenas o telefone. Se eu souber que Gilberto está vindo atrás de mim, vou embora desta cidade. Por esse motivo, peço-lhe, não o deixe atrapalhar minha vida.

– Ele nunca atrapalhou sua vida. Você está sendo muito ingrata. Mas eu não quero lhe causar nenhum problema.

Olívia deu o telefone e desligou. Depois disso, de vez em quando sua mãe ligava e conversavam.

Durante o trajeto para a empresa, elas trocavam idéias sobre trabalho. Olívia estava satisfeita com o emprego, embora ela houvesse começado em uma função simples de ajudante administrativa, o salário era suficiente para suas despesas e havia grande possibilidade de progredir.

Entusiasmada e orientada por Rachel, ela esforçava-se para aprender sempre mais.

Chegaram dentro do horário e cada uma assumiu seu lugar, começando a trabalhar. No fim da tarde, Olívia foi chamada pelo diretor de sua área que lhe comunicou que ela havia sido promovida à secretária de uma das executivas.

Depois dos cumprimentos, ela foi conduzida à antesala da sua nova chefe e descobriu que seu salário havia sido duplicado e ela teria outras regalias relativas a sua função.

Poderia ter um carro financiado pela empresa e gratificações periódicas.

No fim do expediente, ao reunir-se com as duas amigas como de hábito, contou-lhes a novidade.

– Isso não pode ficar assim. – Comentou Aline. – Precisamos comemorar.

– Concordo. – Aduziu Rachel. – Vamos ao bar do hall nos reunir. Vou buscar John e levá-lo para Beth, depois encontrarei com vocês.

– Eu vou ligar para Gino nos encontrar lá.

Olívia estava radiante. Pela primeira vez sentia o prazer da vitória. Ela conquistara a promoção pelo seu próprio esforço e pela sua capacidade. Era uma vitória modesta, mas ela sabia que tinha condições de conquistar mais.

A consciência da própria capacidade fez com que ela olhasse o futuro com prazer e confiasse em dias melhores.

Passava das dez quando Olívia chegou em casa, depois das comemorações. Havia sido apresentada a alguns amigos da Rachel que ela não conhecia, estava alegre e feliz.

Lembrou-se de ligar para a mãe e contar a novidade. Pelo horário, sabia que ela atenderia.

A criada atendeu e pouco depois Olga estava no telefone. Olívia contou-lhe sua promoção e como estava feliz por estar progredindo.

Ao que Olga respondeu um pouco triste:

– Você está feliz por ser promovida a uma simples secretária. Por que não volta para casa? Você não precisa disso para viver. Aqui tem tudo o que desejar.

– Você nunca precisou trabalhar para se sustentar e não pode saber o prazer que é ser independente, auto-suficiente. Lamento que seja apenas isso que você tenha para me dizer.

– Não estou depreciando seu progresso. Mas quando penso que você é uma moça rica, que poderia estar usufruindo de uma vida de luxo, está trabalhando para estranhos, vivendo em um pequeno flat, a troco de um salário que acredito insignificante, sinto-me triste.

– Mas estou feliz. E isso não tem preço.

– Quer dizer que aqui você era infeliz?

– Não quis dizer isso, mas eu gosto de ser útil, de testar minha capacidade, de saber que posso me sustentar. Você nem imagina como é bom trabalhar, ter dignidade, gastar um dinheiro que você conseguiu por seu próprio mérito. É uma realização.

– Você está feliz e isso me conforta. Mas saiba que quando se cansar disso tudo, seu lugar está aqui, como sempre esteve. Volte quando quiser e será recebida de braços abertos.

– Obrigada, mãe. Eu sei disso.

Olívia despediu-se e Olga desligou o telefone. Gilberto que ouvira parte da conversa tornou:

– Era Olívia? Ela não quer voltar?

– Era. Ela disse que está feliz, foi promovida no emprego. Imagine só, trabalha como secretária.

– Acho que essa menina não está boa da cabeça. Penso que deveríamos ir até lá para conversar, tentar fazê-la entender que deve voltar para casa.

– Não. Isso não. Se voltar, terá de ser por vontade própria. Nós também temos nosso orgulho. Afinal, ela foi embora porque quis e deixou bem claro que não era feliz ao nosso lado. Um dia ela vai acordar e sentir que seu lugar é aqui, ao lado das pessoas que mais a amam no mundo: eu e você.

– E se ela não quiser mais voltar?

– Não creio. Ela está brincando de ser independente. Um dia ela vai se cansar e voltar para casa. Você vai ver.

Ele não respondeu, mas sentia-se triste e preocupado. Não suportava mais a saudade de Olívia. Sua presença dava luz àquela casa. Sem ela tudo ficava sem cor. Mas não se atreveu a dizer mais nada.

Fazia seis meses que Hamilton estava trabalhando com Rodrigo e tudo estava indo muito bem. Os dois continuavam amigos como quando haviam sido colegas na faculdade e trabalhavam juntos com prazer e entusiasmo.

Arlete, desde que Hamilton chegara, sentira-se atraída por ele e a cada dia mais crescia essa atração que ela fazia tudo para esconder.

Hamilton havia sido noivo durante dois anos e quando desejou se casar descobriu que ela era apaixonada por um antigo namorado. Romperam o noivado e ele, desiludido, não queria prender-se a ninguém, com medo de sofrer de novo.

Por esse motivo, seus relacionamentos com as mulheres eram sempre superficiais, companhias para fins de semana ou alguns encontros eventuais sem nenhum compromisso.

Ele notara nos olhos de Arlete um brilho maior, e um interesse novo, porém, embora a achasse atraente, não desejava misturar as coisas, porquanto preservava muito seu trabalho, estava satisfeito e não queria que nada atrapalhasse.

Naquela tarde, Arlete entrou na sala em que os dois estavam trabalhando, aproximou-se sorrindo:

– Tenho uma ótima notícia. Aquele grande projeto que vocês fizeram juntos acaba de ser aprovado.

Os dois gritaram quase ao mesmo tempo:

– Que maravilha!

– Ótimo!

Arlete fez um ar de mistério:

– E tem mais!

– O quê? – Indagou Rodrigo.

– Eles desejam contratá-los para a construção. O dr. Mendes ligou pessoalmente e quer agendar uma reunião com vocês para discutir o assunto. Alegou que nosso projeto retratou o que eles desejavam e foi além, de modo que eles acreditam que só nós somos capazes de realizá-lo do jeitinho que está. Não desejam mudar nada.

Rodrigo olhou Hamilton indeciso:

– Não sei... Geralmente nós acompanhamos a execução, mas nunca assumimos uma construção desse porte. Não sei se teremos condições para isso.

Arlete interveio:

– Por que não? Vai dar trabalho, teremos que contratar pessoas, mas estou certa de que poderemos fazer isso também. Nossa empresa está crescendo.

– É tentador. – Disse Hamilton. – Sei que uma construtora é muito rentável. Vamos marcar essa reunião, ouvir o que eles têm a dizer e, principalmente, se vai valer a pena o esforço.

– Eu tenho acompanhado a execução dos nossos projetos, feito cálculos de lucros, e estou certa de que eles são compensadores.

– Você tem feito isso? – Indagou Rodrigo, admirado.

– Tenho. Eu precisava discutir nossos preços com os clientes, e essa informação facilitava nossa discussão.

– Agora eu sei porque Rodrigo deixava essa questão a seu critério.

– Não sei. – Tornou Rodrigo. – É muita responsabilidade.

– Contrataremos engenheiro, mão-de-obra especializada. Num projeto desses não se pode economizar sem perder a qualidade. É exatamente por esse motivo que o dr. Mendes quer nos contratar.

– Acho que não perderemos nada indo a essa reunião. – Sugeriu Hamilton.

– Está certo. Marque a reunião para daqui a duas semanas. Enquanto isso, você vai pesquisando, fazendo cálculos para que possamos avaliar a proposta que ele quer nos fazer.

– Eu os convido para jantar esta noite. Precisamos comemorar.

– Infelizmente esta noite tenho um compromisso. Mas se deixarem para amanhã, irei com vocês. – Respondeu Arlete.

Hamilton olhou-a surpreendido. Não esperava essa resposta.

– Nesse caso, fica para amanhã. – Decidiu Rodrigo.

– Fica para amanhã. – Concordou Hamilton. – Mas então quero que seja em grande gala. Vou levá-los a um lugar maravilhoso.

Arlete deixou a sala satisfeita. Ela não tinha nenhum compromisso, mas disse isso para ver a reação de Hamilton. Ela sempre fora cortejada, mas nunca se interessara de verdade por ninguém.

Se desejasse poderia sair todas as noites com alguém, mas quando fazia isso para se distrair, alguns ficavam em volta com insistência e nos últimos tempos ela decidira só aceitar um convite quando estivesse realmente interessada.

Na noite seguinte, Hamilton ficara de ir buscá-la em casa às oito e de irem ao encontro de Rodrigo no local combinado.

Arlete arrumou-se com capricho, vestiu um vestido longo verde musgo que lhe modelava o corpo, deixando seus ombros nus e um decote em "v" que, além de deixar seu colo perfeito à mostra, era muito elegante.

Ela colocou perfume e olhou-se no espelho, satisfeita. Seus cabelos castanhos, ligeiramente ondulados, soltos sobre os ombros, seus grandes olhos castanhos, sua boca carnuda e bem-feita, ressaltavam sua beleza e sua classe.

Vendo-a descer, Dalva não se conteve:

– Arlete, como você está linda!

– Hamilton vai nos levar a um lugar para comemorar.

– Você deveria sair mais. Faz tempo que eu não a vejo tão bem-arrumada.

A campainha tocou e Arlete disse:

– Deve ser ele. Boa noite, mãe.

– Divirta-se, minha filha.

Ela abriu a porta e o olhar de admiração de Hamilton a deixou de bom humor e disposta a aproveitar aqueles momentos.

– Boa noite, Hamilton.

– Boa noite.

Ele continuava olhando-a parado, sem dizer nada. Notando seu estupor ela perguntou:

– Vamos?

Ele pareceu acordar e respondeu:

– Claro. Desculpe-me.

Ela sorriu e ele abriu a porta do carro para que ela entrasse. Os olhos de Arlete brilhavam de prazer notando o embaraço dele.

– Você foi pontual. – Comentou, sorrindo.

– Eu não gosto de deixar ninguém me esperando.

– Essa é uma qualidade que eu admiro.

– O que mais você admira nas pessoas?

– Inteligência, bom humor, elegância, discrição, alegria. Rodrigo vai conosco?

– Não, combinamos de nos encontrar lá.

Ele ligou o carro e saíram.

– Você está diferente esta noite. – Disse ele, lançando-lhe um olhar curioso.

– Você disse que a comemoração ia ser de gala e eu procurei estar à altura.

– Se eu soubesse disso teria vestido um smoking.

– Esse seu terno azul-marinho está muito elegante.

– Ainda bem que você pensa assim.

Eles foram conversando sobre assuntos diversos até o restaurante onde deveriam jantar.

O lugar era muito bonito e elegante. No salão, as mesas dispostas em semicírculo, no meio, a pista de danças e na frente, os músicos.

Os arranjos eram artísticos e de muito bom gosto e a música popular, muito boa.

Hamilton apresentou-se e o recepcionista levou-os à mesa que ele reservara. Depois de acomodar Arlete, ele sentou-se.

O garçom aproximou-se e ele perguntou a Arlete:

– Você toma alguma coisa?

Ela pediu um aperitivo, ele também.

– Rodrigo continua o mesmo. – Comentou, sorrindo. – Desde os tempos de faculdade ele nunca chega no horário.

– Eu já descobri isso. Mas as qualidades dele superam muito essa falha.

Hamilton olhou-a e pensou: "Será que Rodrigo já se interessou por ela? Afinal, tanto tempo ao lado de uma mulher tão atraente". E perguntou:

– Você o aprecia muito, não é?

– Sim. No início eu não o conhecia bem, mas com o tempo, principalmente quando caí da escada, machuquei-me, ele se aproximou mais de meus pais e todos aprendemos a gostar muito dele.

– Você quebrou a perna, não foi?

– Sim, e luxei o braço. Foi um tempo meio ruim.

Rodrigo também não passou muito bem. Tinha dores de cabeça, mal-estar.

– Vai ver que vocês captaram energias negativas.

– Você acredita nisso?

– Sim. Tenho estudado esse assunto e sei que elas existem.

– Quando eu caí da escada, minha prima Dora foi rezar por mim em um Centro Espírita que ela freqüenta e eles disseram que meu tombo não foi casual. Que um espírito me empurrou e que seria bom eu ir fazer um tratamento.

– E você foi?

– Sim, e tive uma experiência muito interessante, tanto que mudei minha forma de pensar.

– Eu sabia que ia lhe fazer bem e certamente abreviou sua cura.

– De fato. O médico me disse que eu me curei mais rápido do que outras pessoas com o mesmo problema. Lá, recebi muita ajuda. Olha o Rodrigo, está chegando.

Rodrigo aproximou-se, cumprimentou-os e disse:

– Você hoje conseguiu ficar mais bonita do que já é.

– Obrigada. Você também está muito mais elegante do que já é.

Eles riram alegres. Rodrigo, então, pediu um aperitivo, dizendo:

– Esse já é por conta da comemoração.

A conversa fluiu fácil, mas não passou despercebido a Hamilton os olhares masculinos que Arlete atraía. Isso o incomodou um pouco. Voltou-se para ela e a convidou:

– Quer dançar?

– Sim.

– Você não se importa de ficar sozinho? – Indagou ele a Rodrigo.

– Não. Fiquem à vontade.

Ele estava mais interessado em uma mesa onde havia duas moças lindas, com as quais ele trocara sorrisos logo na entrada.

O conjunto tocava um samba-canção. Hamilton enlaçou Arlete e começaram a dançar. Ela notou que ele dançava bem, deslizando com leveza e prazer.

– Eu queria dançar com você, mas ao mesmo tempo não queria que Rodrigo ficasse aborrecido.

– Por que ele ficaria?

– Não sei. Vocês trabalham juntos há tempo e eu ainda não sei que tipo de amizade têm um pelo outro. Se já houve algum outro sentimento entre vocês.

– Você quer saber se nós já namoramos?

– É sempre direta como agora?

– Sou. Não gosto de meias palavras que podem nos confundir.

– Você não respondeu a minha pergunta.

– Eu e Rodrigo somos apenas amigos. Nunca tivemos nada além disso. Por que pergunta?

– Curiosidade. Você tão atraente, ele um homem inteligente, que sempre teve sucesso com as mulheres.

– De fato. Rodrigo além de ser um homem bonito, inteligente, tem muitas qualidades. Penso que ele tem condições para tornar feliz uma mulher.

– Quer dizer que isso passou pela sua cabeça?

– Não, porque é preciso que haja mais do que isso, é necessário que exista atração. Nós nunca sentimos isso um pelo outro.

– Você diz isso com tanta certeza. Como pode saber?

Ela riu e seus olhos brilharam maliciosos quando respondeu:

– Uma mulher sente quando isso acontece, mesmo se não houver reciprocidade.

– Você dança muito bem.

– É você que sabe levar. Parece até que faz isso todas as noites.

– Anos atrás eu dançava muito. Mas nos últimos tempos fui deixando. Faz mais de um ano que não dançava.

A música parou, e em seguida começou um bolero. Os dois olharam para a mesa onde Rodrigo estava e viram-no conversando animadamente com as duas moças da outra mesa.

– Parece que ele já se arranjou muito bem. – Tornou Arlete.

– Nesse caso, podemos continuar a dançar.

Enlaçou-a novamente, desta vez encostando seu rosto no dela e continuaram dançando.

Hamilton sentia que a proximidade dela o envolvia, fazendo-o esquecer de tudo. Notando que ela também se entregara ao prazer da dança, apertou-a levemente e continuaram a dançar, esquecidos do mundo a sua volta, envolvidos pelas emoções que brotavam e eles deixavam fluir.

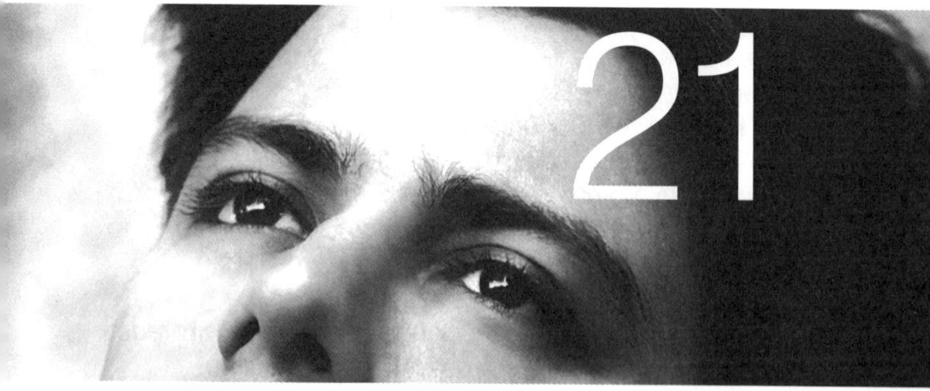

21

Gilberto chegou em casa e procurou Olga com insistência. Foi encontrá-la no quarto e disse eufórico.

– Já sei onde Olívia está.

– Como assim?

– Está em Miami. Consegui o endereço do emprego dela.

– Como conseguiu?

– Encontrei a Silvinha, filha do dr. Niro e ela parou para me dizer que havia voltado de Miami e lá encontrara Olívia casualmente, quando saía do trabalho. Passou-me o endereço. Acho que podemos marcar nossa viagem para buscá-la.

– Buscá-la? Mas ela não quer voltar.

– Bobagem. Nós vamos e a convenceremos a vir.

– Pois eu não vou. Ela vive muito bem longe de nós, prefere companhia de estranhos à nossa, por que deveremos nos dar o trabalho de ir buscá-la e pedir-lhe para voltar?

– Porque ela é uma moça ingênua, precisa da nossa proteção e deve morar com os pais.

– Pois eu não penso assim. Quando ela estava conosco, vivia insatisfeita, triste pelos cantos, desanimada.

Chega disso. Ela só volta quando tiver vontade. Se ela passa bem longe de nós, podemos também viver bem sem ela.

Ele não se conformou:

– Você está errada. A essas horas Olívia já deve ter se arrependido. Só não tem coragem de nos pedir para voltar.

– Onde você está com a cabeça? Por que tem tanto interesse que ela volte? Isso me parece estranho.

Ele resolveu contemporizar.

– Não há nada de estranho. Só desejo proteger nossa filha. Mas se você não quer, não insisto.

– Ainda bem. Ela precisa de uma lição.

Inconformado, Gilberto foi para a biblioteca, fechou a porta à chave, abriu uma gaveta secreta, tirou algumas fotografias e sentou-se embevecido, contemplando-as.

Eram fotos de Olívia, algumas sorrindo e outras as que ele tirara quando lhe dera o sonífero para conseguir seus propósitos escusos.

Ficou olhando-as e não conteve as lágrimas. Tinha que dar um jeito, trazê-la de volta. Não podia mais viver sem ela.

Essa obsessão não o deixava dormir, e muitas vezes enquanto Olga ressonava tranqüila, ele levantava-se e ia ver as fotos, pensando em Olívia desesperado.

Durante o dia, quando era servido algum prato que Olívia gostava, não se alimentava direito, ou quando alguém a mencionava, ou mesmo quando via os retratos na sala que Olga deixara no lugar de sempre caía em depressão.

De repente, começou a pensar: "E se ela em Miami arrumou um namorado? Ela é bonita demais para ficar sozinha".

Certamente não queria voltar por causa disso. Ao imaginar que ela poderia estar nos braços de outro, trocando carinhos, amando, beijando-o, entregando-se como nunca fizera com ele, sentiu uma onda de ódio invadir seu peito.

E, de repente, esse ódio foi crescendo, tornou-se insuportável, então sua vista escureceu, um tremor envolveu seu corpo, ele caiu ali mesmo e as fotos espalharam-se pelo chão ao seu redor.

Uma hora depois, Olga foi procurá-lo na biblioteca, mas a porta estava fechada por dentro. Por que Gilberto teria passado a chave na porta?

Ela bateu, a princípio levemente, depois com força, mas não obteve resposta. Assustada, ela chamou pelo criado dizendo:

– O Gilberto fechou-se na biblioteca faz mais de uma hora. Estou batendo e ele não abre. Terá acontecido alguma coisa? Será que ele saiu, fechou a porta e tirou a chave?

– Eu o vi entrar, mas não o vi sair. Acho que é melhor tentar abrir a porta. Ele pode estar passando mal.

– Você tem a chave dupla. Vá buscá-la, depressa.

Ele foi e voltou em seguida, tentou introduzir a chave na porta, mas ela não entrava.

– A outra chave está do lado de dentro. Não consigo abri-la.

– Nesse caso, vamos forçar a porta. Temos de entrar de qualquer jeito.

Ele chamou o motorista e ambos forçaram a porta sem conseguir abri-la. O motorista disse:

– Vou buscar uma chave de fenda e tentar abrir.

Pouco depois, ele voltou e com a chave de fenda conseguiu tirar a chave que estava na porta e o criado pôde finalmente abri-la.

Olga entrou na frente e, vendo Gilberto estendido no chão, gritou desesperada:

– Corre, Gilson, vá chamar o médico.

Depois, aproximou-se dele, tentando ver se respirava. Foi quando viu as fotos, algumas embaixo da escrivaninha, outras espalhadas pelo chão.

No primeiro instante não entendeu bem o que estava acontecendo. O que as fotos de Olívia estavam fazendo ali?

Enquanto o criado foi chamar o médico, o motorista colocou o ouvido sobre o peito de Gilberto, tentando ouvir se o coração estava batendo.

Olga, assustada, pegou uma das fotos e o que viu a deixou em choque. Era Olívia, nua, nos braços de Gilberto.

Ela quase desmaiou, mas a raiva, a surpresa, fizeram-na reagir. Esqueceu o estado do marido e juntou as fotos, olhando-as uma a uma e seu rosto passou da palidez ao rubor intenso. Ela olhou para o corpo de Gilberto estendido no chão, atirou-se sobre ele gritando:

– O que vocês fizeram comigo? Responda, responda. Por que não diz nada?

Ela começou a sacudi-lo, querendo que respondesse, mas ele continuava mudo.

O motorista, assustado, segurou-a dizendo à criada que se aproximara:

– Por favor, ajude-me. Dona Olga está fora de si.

– Doutor Gilberto está morto? – Perguntou a criada, assustada.

– Não, consegui ouvir o coração, mas ele está respirando muito fraco. Vá dizer ao Gilson para chamar uma ambulância. O médico não vai adiantar. Ele precisa ir para o hospital. Corra.

Olga continuava sacudindo Gilberto, exigindo que ele respondesse.

O motorista inclinou-se sobre ela dizendo:

– Dona Olga. Contenha-se. O dr. Gilberto está muito mal. Ele pode morrer. Por favor, não faça isso com ele.

Ela olhou-o, parecendo não entender, e ele continuou:

– Vamos. Tente se acalmar. Precisamos socorrê-lo. Doutor Gilberto está muito mal.

Ela, ainda segurando as fotos, olhou para o corpo imóvel do marido, depois para o motorista, desta vez entendeu e perguntou:

– Ele está morto?

– Ainda está respirando, mas sua respiração está diferente. Já vi pessoas com esse modo de respirar e garanto que não é coisa boa. Pedi ao Gilson para chamar uma ambulância.

Olga levantou-se com dificuldade. Sentia no peito uma dor imensa e em sua cabeça havia muitas perguntas. Gilberto não podia morrer antes de responder a todas elas. Trincando os dentes com raiva ela disse:

– Enquanto esperamos a ambulância, fique aqui. Vou me arrumar. Quero ir com ele para o hospital.

Olga, embora sentindo as pernas bambas, foi para o quarto, vestiu-se rapidamente, colocou as fotos dentro de um envelope, e depois na bolsa.

Desceu exatamente quando a ambulância entrou no jardim da casa. Os padioleiros entraram com um médico e Gilson levou-os à biblioteca.

O médico imediatamente colocou o dedo no pescoço de Gilberto, depois com o estetoscópio examinou o peito, olhou as pálpebras e pediu:

– Tragam o material de emergência.

Os dois padioleiros saíram e voltaram em seguida com alguns aparelhos e um tubo de oxigênio. O médico imediatamente ligou o oxigênio e colocou nas narinas dele. Aplicou uma injeção na veia e tornou:

– Do jeito que está não podemos removê-lo. Vamos ajudá-lo a reagir.

Olga ouviu e não respondeu. O que ela mais queria era que ele não morresse antes de responder as perguntas que lhe queimavam o cérebro.

Não se conformava com o fato de Gilberto ter tido um caso com Olívia. Nunca poderia imaginar uma coisa dessas. Por esse motivo, ele andava triste, suspirando pelos cantos, não se conformando de ela haver ido embora e querendo trazê-la de volta a todo o custo.

Miserável traidor! Traíra ela com sua filha. E Olívia, por que se prestava a essa vileza? Nunca iria perdoá-los.

Perdida em seus pensamentos, Olga não se deu conta de quanto tempo demorou para que finalmente o médico dissesse:

– Ele reagiu. Vamos removê-lo com muito cuidado.

Enquanto os padioleiros removiam Gilberto para a ambulância, o médico aproximou-se de Olga:

– A senhora o acompanha? Precisamos de uma pessoa da família para a internação.

– Eu vou. Como ele está?

– Sofreu um enfarto. Reagiu um pouco, mas por enquanto não posso dizer nada.

Durante o trajeto para o hospital, dentro da ambulância, enquanto o médico, sentado ao lado do paciente acompanhava atentamente o caso, Olga observava sentada ao lado.

De onde estava, perto dos pés de Gilberto, ela de vez em quando fixava o rosto do marido, remoendo a terrível descoberta que fizera.

No hospital, ele foi colocado na U.T.I. e o médico lhe pediu que saísse.

Como ela recusasse, ele argumentou:

– É melhor para o paciente. Mas a senhora poderá entrar de vez em quando para vê-lo. Garanto que ele terá o que precisa e faremos tudo para que se recupere.

– Ele não voltou a si. Está muito mal?

– Está em estado de coma provocado. Assim ele tem mais chances de se recuperar. Vamos fazer alguns exames e então poderemos fazer algum prognóstico.

Olga saiu, mas permaneceu em um hall próximo, onde havia algumas poltronas e um sofá.

Ela não podia esquecer as fotos. Queria que ele voltasse a si para lhe exigir explicações. Ao mesmo tempo, tinha vontade de pedir a Olívia que voltasse para lhe atirar no rosto sua traição.

Ela foi chamada à secretaria para providenciar a internação e depois voltou ao sofá próximo à U.T.I.

O médico, vendo-a ali aproximou-se:

– Como ele está?

– Não piorou, ao contrário teve uma leve melhora. A senhora está muito abatida. Por que não chama outra pessoa da família para acompanhar o caso e vai para casa descansar?

– Não temos ninguém mais. Minha única filha mora no exterior. Eu não saio daqui. Quero estar perto dele quando acordar.

– Isso pode demorar. Nesse caso, seria melhor ir para casa e deixar o telefone. Avisaremos assim que ele acordar.

– Não, doutor. Quero ficar aqui, perto dele.

– A senhora não pode passar a noite sentada. Não vai agüentar. Quando ele acordar, deverá ficar algum tempo em tratamento.

– Nesse caso vou pedir um quarto. Poderei descansar e vir vê-lo de vez em quando.

– Está bem.

Ele se foi e Olga conseguiu um quarto no mesmo andar; estendeu-se na cama para descansar.

Sabia que não conseguiria dormir, mas pelo menos relaxaria um pouco. Seu corpo doía e a cabeça latejava.

Havia momentos em que sua respiração parecia diminuir e ela respirava fundo para se aliviar.

As horas foram passando e ela sabia que no momento não poderia fazer nada senão esperar.

Em Miami, Aline foi ter com Olívia para conversar. Gino viajara a trabalho, não viria naquela noite. Fazia pouco mais de um ano que estava trabalhando e sentia saudades da família.

Arlete havia ligado contando que os negócios estavam melhorando e que o patrimônio que herdara do marido estava aumentando.

A presença de Hamilton contribuíra para isso, e Arlete falava dele com tanto entusiasmo que Aline percebeu que finalmente a irmã estava apaixonada.

A princípio ela negou, mas acabou confessando:

– Você tem razão. Eu estou mesmo apaixonada por ele. Mas ele, apesar de me lançar olhares significativos, não passa disso. Penso que não está interessado.

– Alguma coisa me diz que ele algum dia vai se dar conta da mulher maravilhosa que você é.

Arlete riu alegre e respondeu:

– Você diz isso porque é minha irmã e gosta de mim.

– Não. Eu digo isso porque sei que você é muito atraente e está sozinha porque quer.

Aline adoraria poder ter uma conversa face a face com Arlete, como nos velhos tempos. Ela era a pessoa que mais a compreendia.

Tocou a campainha e Olívia atendeu:

– Que bom que você veio. Entre, Aline.

– Hoje o Gino está viajando e eu senti saudades de casa. Vim me consolar com você.

– Às vezes eu também sinto, embora tenha sofrido muito com a família.

– Minhas férias começam na semana que vem e eu estou pensando em ir ao Brasil visitar minha família.

– E o Gino?

– Se ele puder, talvez vá. Mas senão irei sozinha.

– Ele não vai achar ruim?

– Felizmente, Gino é muito diferente do meu ex-marido. Respeita minha individualidade, permite que eu seja o que gosto de ser e eu faço o mesmo com ele porque é assim que eu penso. Por tudo isso nos damos tão bem.

– Fico admirada. Afinal, ele é italiano e eles são muito ciumentos.

– Não o Gino. Às vezes noto que ele percebe quando alguém me olha com admiração, mas controla e finge que não vê. Ele confia em mim, sabe que é dele que eu gosto. E com isso, cada dia gosto mais. Depois, ele não gosta de rotinas, como eu, e está sempre criando coisas novas. Estar com ele é um prazer.

Olívia riu e comentou:

– E com isso ele a conquistou mesmo.

– É verdade.

– Você pretende ficar quanto tempo no Brasil?

– Tenho um mês, não sei se ficarei todo esse tempo. Vai depender de algumas coisas.

– Eu sei, da saudade do Gino.

– Não. Do que vou encontrar no Brasil. Apesar de haver decorrido mais de um ano, pelo que sei, a família do Marcelo continua me recriminando por tê-lo deixado. Quanto a meus pais, sei que também vão me recriminar quando eu chegar, mas eles me amam, estão com saudades e isso logo passará.

– Você deve ter uma família maravilhosa! Como eu gostaria que a minha fosse assim.

– De fato, minha família é ótima, mas penso que mesmo que não fosse eu os amaria da mesma forma. Você não ama seu padrasto pelo que ele lhe fez, mas a sua mãe, apesar de tudo, sei que você ama.

– Amo. No tempo de meu pai tudo era diferente. Depois que ele morreu e ela se apaixonou pelo Gilberto, ela parece ter perdido a noção da realidade. Só faz o que ele quer, perdeu completamente a individualidade, apagou-se. E ele abusa, se faz de carente, e então ela se derrete e acaba lhe fazendo todas as vontades, atendendo a todos os seus caprichos.

– Muitas mulheres fazem isso e acabam apagando a própria luz, e, por fim, até os parceiros se cansam delas. Foi o que aconteceu com Marcelo. Ele se tornou minha sombra e o amor acabou.

O telefone tocou e Olívia atendeu:

– Olívia!

– Mãe!

– Sou eu. Estou ligando para lhe dizer que Gilberto sofreu um enfarto e está inconsciente na U.T.I.

– E é por esse motivo que você está com essa voz tão diferente?

– Estou como sempre. Pensei que você gostaria de saber que ele está muito mal e os médicos não sabem dizer se vai escapar.

– Sinto muito, mãe.

– Sente mesmo? Pois não parece. Se você se importasse realmente comigo, não teria feito o que fez.

– Mãe, eu vim embora porque não suportava viver ao lado de Gilberto. Eu nunca me dei bem com ele. Você estava feliz ao lado dele. Não precisava de mim. Achei melhor cuidar da minha vida, seguir meu caminho.

– Ele nunca se conformou com isso. Eu não sabia por quê. Mas agora eu sei. Vi as fotos, quero dizer-lhe que pode ficar aí pelo resto da vida. Depois do que você fez, nunca mais quero vê-la. Não posso perdoar a traição dele, muito menos a sua, que é minha filha, e deveria pelo menos ter me respeitado.

Olívia empalideceu e não conteve as lágrimas:

– Mãe, você precisa me ouvir. Não tive culpa. Ele me deu um sonífero e quando acordei, estava na cama dele.

– Agora quer se fazer de inocente porque ele não está em condições de falar, mas eu não acredito. Você o estava abraçando, nua e quer que eu acredite nisso?

– Mãe, pelo amor de Deus, estou dizendo a verdade. Ele tirou essas fotos para me chantagear. Ele me dopou e me violentou aos quatorze anos. Depois disso, eu nunca mais tive nada com ele. Minha vida era fugir dele que sempre me perseguia.

– É mentira. Se fosse verdade você teria me contado.

– Ele fez essas fotos enquanto eu estava dopada e com elas me chantageava o tempo todo. Dizia que se eu lhe contasse, mostraria as fotos e diria que era eu que o estava tentando. Não suportando mais essa pressão, decidi vir embora daquele jeito. Fugi porque ele nunca permitiria que eu saísse de casa.

– Não posso crer que o homem que eu amei tanto fosse tão depravado. Você está dizendo isso para fazer-me crer em sua inocência.

– Não, mãe. Eu juro por tudo que é mais sagrado que estou lhe dizendo a verdade.

– Não creio. Você me traiu e eu nunca vou perdoá-la. Era só isso que eu queria lhe dizer.

Olga desligou o telefone e Olívia ainda tentou:

– Mãe... Não diga isso, por favor...

Mas ela havia desligado e Olívia colocou o telefone no gancho chorando copiosamente.

Aline abraçou-a com carinho, dizendo:

– Calma Olívia. Ela ficou chocada, mas vai refletir, pensar melhor e se arrepender.

– Ela disse que nunca vai me perdoar! Eu fui a vítima daquele canalha. Mais uma vez ela ficou do lado dele. Recusa-se a crer que ele possa ter feito o que fez. Diz que ele não seria capaz, mas ele foi!

Aline pegou um copo d'água e deu-o a ela:

– Beba, acalme-se.

Ela apanhou o copo com as mãos trêmulas e tomou alguns goles. Depois, continuou soluçando, deixando fluir pelas lágrimas todas as angústias, todos os medos, toda a revolta que guardava no coração.

Aline ficou ali, abraçando-a, mandando para ela vibrações de carinho e amor e esperando que a tempestade passasse.

Sentadas uma ao lado da outra, Olívia, segurando a mão de Aline, começou a falar, rememorando detalhadamente toda a tragédia que fora sua adolescência.

Aline já conhecia a história, mas deixou-a falar porque percebeu que ela estava precisando colocar para fora todas as energias da revolta que guardara no coração.

dele, [illegible] favor [illegible]

Mas ela [illegible]

[illegible]

[illegible] abraçou [illegible]

[illegible]

[illegible] e se arrepender.

— Ela disse que nunca vai me perdoar! Eu fui a [illegible] Mais uma vez ela ficou do lado dele. [illegible] acreditar que ele passa [illegible] por tudo [illegible] sem ela, [illegible] mas ele foi!

A [illegible]

— Bebê, [illegible]

[illegible]

[illegible]

[illegible] a mão de Alice, [illegible]

[illegible]

Alice [illegible]

[illegible] para [illegible]

[illegible] as energias [illegible]

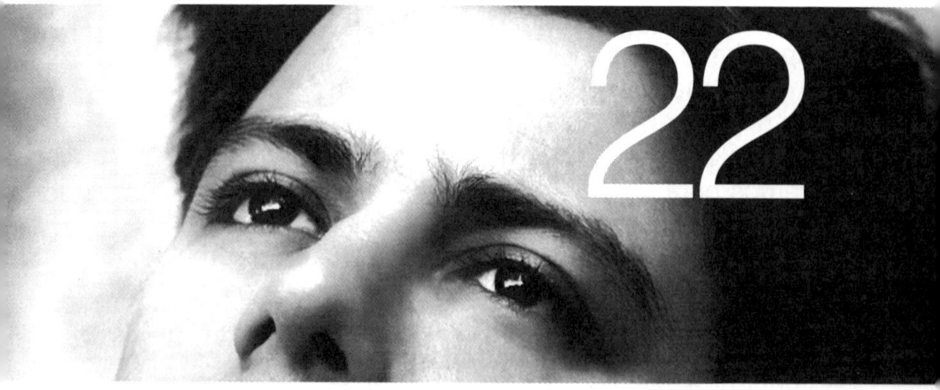

22

Olga acordou sobressaltada. Olhou em volta e pensou em Gilberto. Ela fora para o quarto, tomara um banho, deitara-se vestida para descansar um pouco e vencida pelo cansaço adormecera.

Levantou-se apressada e foi até a U.T.I. procurar notícias. A enfermeira, vendo-a olhando pelo vidro, fez sinal para que ela esperasse um momento e depois foi atendê-la.

– Como está ele?

– Melhor. Ainda há pouco abriu os olhos e fechou-os novamente. O médico veio, examinou-o e disse que ele melhorou. Agora está dormindo e seu sono está mais natural.

– Eu desejo entrar para vê-lo.

– Pode ficar um pouco.

Olga entrou e sentou-se ao lado da cama, olhando atentamente para o rosto do marido. Ele dormia, mas, apesar do oxigênio, sua respiração não lhe pareceu normal.

A enfermeira continuava atenta, o que fez Olga pensar que a melhora não teria sido tão grande.

O dia estava amanhecendo e os primeiros raios de sol já apareciam pelas frestas da persiana. Olga não desviava os olhos do rosto de Gilberto, lutando com seus pensamentos de tristeza, raiva e dor.

De repente, ele abriu os olhos e Olga levantou-se aproximando seu rosto do dele.

– Olga... – Balbuciou ele, com a voz fraca. – Onde estou?

– No hospital. Você desmaiou na biblioteca e o trouxemos para cá.

Ele fechou os olhos e ficou calado por alguns minutos, depois, abriu-os novamente, olhando-a aterrorizado.

Ele se lembrou que estava olhando as fotos quando se sentiu mal. Olga as teria visto?

Seus olhos se encontraram novamente e, pela expressão dela teve certeza de que ela as encontrara.

O ar começou a lhe faltar e a enfermeira interveio:

– É melhor a senhora sair. Ele não pode se emocionar. Precisa descansar.

– Ele não está bem e eu não vou sair.

– Nesse caso vou chamar o médico. Sua presença o emocionou e isso pode prejudicá-lo.

Ela saiu para chamar o médico e Gilberto disse num sussurro:

– Perdão, Olga e peça a Olívia que me perdoe por tudo que lhe fiz. Ela não tem culpa, eu a dopei. – Respirou fundo e continuou: – não me culpe, Olga. Eu me apaixonei por ela desde o primeiro dia, lutei contra isso, mas não suportei... Eu sofri muito esse tempo todo...

As lágrimas corriam pelo rosto de Olga que não encontrava palavras para responder. O médico entrou apressado e disse:

– A senhora precisa sair.

Gilberto interveio:

– Não, doutor. Ela tem que ficar. Eu não tenho muito tempo. Sinto que estou no fim. Diga que me perdoa, Olga, pelo amor de Deus.

Olga sentia a cabeça atordoada e uma dor muito grande que ela não sabia se era pelo medo de que ele morresse ou pela descoberta de que ele nunca a amara como ela acreditara.

Ele ergueu a cabeça, os ombros, seu corpo agitou-se, depois caiu na cama de novo.

Enquanto o médico tentava ressuscitá-lo, uma enfermeira pegou Olga pelo braço e conduziu-a para fora. Ainda em estado de choque, ela continuou sentada no sofá, incapaz de raciocinar, deixando que as lágrimas lavassem seu rosto.

Meia hora depois o médico aproximou-se dela dizendo:

– Fizemos tudo, mas não foi possível salvá-lo. Sinto muito.

Vendo o estado dela, conduziu-a para o quarto, aplicou-lhe uma injeção e depois mandou a enfermeira ligar para a residência dela, pedindo que alguém viesse para cuidar das providências legais, porque Olga não estava em condições de fazê-lo.

Gilson e o motorista foram imediatamente para lá, e conduzidos ao quarto de Olga que, apesar do calmante, estava acordada.

Eles tomaram todas as providências e avisaram um primo de Gilberto que concordou em ajudá-los no que fosse necessário.

Foi a esposa desse primo que acompanhou Olga até sua casa, garantindo-lhe que o marido faria tudo que fosse preciso para o sepultamento.

Depois do enterro, esgotada e sem forças, Olga finalmente conseguiu dormir.

Seja pela quantidade de calmantes que havia ingerido ou pela depressão que se seguiu aos acontecimentos, Olga dormiu mais de dezesseis horas seguidas, preocupando a criada que, de vez em quando, subia até seu quarto para verificar se ela estava bem.

Quando ela acordou, não sentia vontade de levantar. Deixou-se ficar na cama, pensando em tudo o que acontecera.

A criada insistiu para que ela se alimentasse e à prima Julieta que ligasse para Olívia. Não entendia por que ela não fora avisada da morte do padrasto.

Olga justificou-se:

– Foi tudo muito rápido. Não quis preocupá-la. Pensei que ele fosse se recuperar.

– Se quiser eu mesma posso ligar.

– Não. Eu quero fazer isso.

Tanto Julieta insistiu para que ela se alimentasse que Olga comeu um pouco só para ver-se livre dela. Depois, disse que queria ficar sozinha para descansar mais um pouco e ela se foi.

Ela nunca fora muito ligada a esses primos de Gilberto, agora, depois de tudo que acontecera, a presença deles a fazia lembrar-se mais ainda do que ele lhe fizera.

Por esse motivo, resolveu: levantou, fez-se de forte, arrumou-se e desceu na hora do jantar.

Vendo-a entrar na sala, Alberto, marido de Julieta, disse satisfeito:

– Ainda bem que reagiu. Estávamos preocupados.

– É verdade. – Ajuntou Julieta. – Você não pode se entregar.

– Foi o que eu pensei. Por tudo isso, apesar da dor, estou aqui.

O jantar foi servido, e Olga procurou mostrar-se natural. Depois, quando foram sentar-se na sala de estar, ela tornou:

– Não sei como agradecer-lhes o que fizeram por nós. Minha filha está no exterior e eu não tenho outros parentes.

– Não fizemos mais do que a obrigação. Sempre desejamos nos aproximar mais de vocês. Mas não surgiu ocasião. Lamento que tenha sido agora, desta forma. – Disse Alberto.

– Penso que vocês também têm seus compromissos, filhos, negócios etc. e não desejo tomar mais seu tempo. Apesar da tristeza, estou disposta a não me deixar abater. A vida continua e não há como parar.

– Certamente, depois do que houve sua filha voltará

para casa para lhe fazer companhia. Se quiser eu poderei ficar mais alguns dias, até que ela chegue.

– Não é preciso. Você não pode abandonar sua família. Eu estou bem. Depois, tenho os criados que estão comigo há anos e são muito dedicados. Não preciso de nada. Podem ir em paz.

– Nesse caso, nós vamos. – Tornou Alberto.

Depois de alguns minutos, eles despediram-se e Olga respirou aliviada. Pensou em ligar para Olívia, sentia-se exausta e deixou para ligar na manhã seguinte.

Não ligara antes porque sabia que Olívia não haveria de querer comparecer ao enterro de Gilberto. As últimas palavras dele confirmaram tudo quanto ela lhe contara ao telefone.

Pensando com mais calma, ela imaginou o quanto Olívia deveria ter sofrido com tudo o que ele lhe fizera, sem poder falar nada.

Pela primeira vez pensou: "Se Olívia houvesse lhe contado a verdade, teria acreditado?".

Certamente não. Estava cega. Iludida por um canalha que se aproveitara de sua cegueira para violentar sua filha adolescente.

Uma onda de remorso a acometeu. A culpa era dela que deveria ter sido mais esperta e percebido que o interesse dele nada tinha de paternal.

Aos quatorze anos, Olívia era uma criança. Isso era um crime. Ele merecia ser preso. Ela notou que não estava sentida por ele ter morrido. Como seria a vida deles se ele continuasse vivo?

Ela se separaria. Teria coragem para isso? Mil pensamentos conflitantes passavam pela sua cabeça sem encontrar resposta.

Na manhã seguinte, ela ligou para Olívia.

– Olívia, temos que conversar.

– Eu sei, mãe. Você desligou o telefone, não acreditou em mim.

– É, eu não acreditei, mas aconteceram coisas que me fizeram acreditar. Eu sei que você disse a verdade.

Olívia emocionou-se:

– Mãe, não sabe o peso que tira do meu coração.

– Posso avaliar, minha filha. Peço-lhe que me perdoe. Não tenho sido uma boa mãe.

– Não diga isso. Eu adoro você.

– Eu também a adoro. Preciso contar-lhe que Gilberto sofreu um enfarto, foi para o hospital, mas não resistiu e veio a falecer.

– Sinto muito.

– Foi melhor assim. Depois que descobri o que ele fez com você, nossa vida em comum seria impossível. A vida resolveu por nós. Estou ligando para pedir que volte para casa. Que me dê a chance de ser para você a companheira, a amiga, a mãe que não fui. Por favor, filha. Volte. Somos apenas nós duas no mundo. Vamos ficar juntas.

As lágrimas corriam pela face de Olívia que, emocionada, respondeu:

– Está bem, mãe. Vou organizar tudo e voltar para casa. Estou com muitas saudades de você.

– Que bom, filha. Avise-me para que possa ir buscá-la no aeroporto.

Elas se despediram e Olívia respirou aliviada. Sentiu-se livre, de bem com a vida. Pela primeira vez sentiu o prazer de ser jovem, bonita e de poder olhar o futuro de frente.

Sua mãe sabia de tudo e acreditava em sua inocência. Parecia-lhe haver acordado de um pesadelo.

Iria pedir demissão do emprego, ver as passagens e voltar o quanto antes para o Brasil.

No fim da tarde encontrou Aline no estacionamento. Era com ela que voltava para casa todos os dias, uma vez que ainda não quisera comprar um carro.

Vendo-a, Aline percebeu logo o quanto ela estava alegre.

– Aconteceu alguma coisa? Você está radiante!

– Aconteceu. Minha mãe ligou, e vou deixar o emprego e voltar o quanto antes para o Brasil.

– Por quê?

– Gilberto teve um enfarto, morreu. Mas antes contou toda a verdade a minha mãe. Ela me pediu perdão e quer que eu volte pra casa.

– Que bom! Seu inferno acabou. Agora você está livre para fazer o que quiser!

– Isso mesmo. Já conversei no departamento pessoal, informei sobre o falecimento do meu padrasto e que eu precisava voltar para o Brasil. Penso que vão fazer um acordo e me liberar imediatamente. Hoje mesmo vou me informar sobre a passagem.

– Segunda-feira estarei de férias e reservei a minha para o domingo. Podemos viajar juntas.

– E o Gino?

– Ele não pode viajar, vai ficar, mas tomará conta de minha casa enquanto eu estiver fora.

Olívia sorriu:

– Parece que você encontrou o companheiro ideal.

– É verdade. Cada dia que passa estou mais certa disso. Gosto de ficar com ele. Sua presença não me oprime, ao contrário, motiva-me a progredir, a realizar meus projetos. Por causa disso, sinto muito prazer a seu lado porque posso falar o que sinto e ouvir o que ele tem a dizer.

– Eu gostaria de um dia encontrar um amor assim.

Aline olhou-a nos olhos e respondeu:

– Eu consegui porque não me importei de pagar o preço.

– Sei o que quer dizer. Você não estava feliz, sabia o que queria, virou a mesa e largou tudo. Claro que pagou o preço e conquistou uma vida melhor.

– Isso mesmo. Vamos passar na agência de viagens e reservar sua passagem para domingo. Iremos juntas. Acha que vai dar tempo?

– Acho. Na empresa eles entenderam e penso que não vão demorar a me liberar.

– Em caso de morte na família eles costumam ser muito solidários.

Elas passaram na agência de viagens e conseguiram reservar a passagem no mesmo vôo de Aline, embora em assentos separados, com promessa de conseguirem uma mudança de assento para que pudessem ficar juntas durante o vôo.

Depois, as duas entusiasmadas, planejaram tudo. Olívia queria comprar alguns presentes, para a mãe e para os criados, seus velhos amigos.

Aline indicou-lhe algumas lojas onde comprara parte dos presentes que levaria para a família. Estavam alegres e felizes.

Na manhã seguinte, quando Olívia chegou na empresa, ficou sabendo que seria seu último dia de trabalho. No fim da tarde, ao sair, despediu-se dos colegas e de todos, foi Rachel quem mais sentiu sua partida.

As duas haviam ficado muito amigas.

– John vai sentir sua falta. – Comentou Rachel, com os olhos úmidos.

– Só ele?

– Não. Muitos colegas aqui, eu e meus amigos que aprenderam a gostar de você.

– Pode estar certa de que terei muitas saudades de todos, principalmente de você, de John. Mas espero voltar para vê-los e também que vocês nos visitem no Brasil. Nossa casa estará à sua disposição e teremos muito prazer em recebê-los.

– Eu não conheço o Brasil, gostaria muito de ir.

– Vá mesmo.

– Não vamos nos despedir. Pretendo ir ao bota-fora no aeroporto.

– Estarei esperando.

Nos três dias que faltavam ainda para o domingo,

Olívia passou fazendo compras. Precisou comprar mais duas malas para acondicionar tudo.

Ao viajar para Miami ela se utilizara de duas malas pequenas para não chamar a atenção da mãe.

Tudo pronto, foram para o aeroporto acompanhadas de Gino e lá encontraram Rachel com o filho e alguns amigos.

Tanto Aline como Olívia estavam emocionadas. Aline porque ia rever a família, obrigatoriamente recordar a morte de Marcelo e, talvez, enfrentar a família dele. Olívia porque ia encontrar a mãe, saber dos detalhes da morte do padrasto e naturalmente falar sobre o passado.

Conseguiram a troca de assentos e durante o trajeto as duas falaram sobre o que esperavam encontrar no Brasil, de como seria doloroso rever os fatos tristes do passado.

Apesar disso, estavam regressando felizes, porque ambas haviam obtido sucesso.

Olívia voltava amadurecida, mais confiante, uma vez que havia conseguido viver sozinha em um país desconhecido, trabalhar, fazer amigos e voltar só porque desejava.

Por outro lado, Aline realizara seus sonhos de adolescente, conquistara seu espaço e um amor mais forte e verdadeiro do que encontrara no casamento.

Com o coração batendo forte, as duas desceram do avião em São Paulo, passaram pela fiscalização e finalmente saíram cada uma empurrando o carrinho com as malas.

Arlete estava esperando e assim que viu Aline correu para ela, abraçando-a efusivamente. Em seguida, Olívia viu Olga, que ansiosamente a esperava, e atirou-se nos braços dela emocionada.

Passados os primeiros momentos foi a hora de fazer as apresentações.

– Mãe, esta é minha amiga Aline. Morava vizinha a

meu apartamento em Miami. Apoiou-me muito.

Olga abraçou-a sorrindo e Aline apresentou Arlete a ambas:

– Esta é minha irmã Arlete, que tem sido meu braço direito a vida inteira.

Depois dos abraços foram saindo e Olga fez questão de dar seu cartão a Aline, dizendo:

– Gostaria de recebê-las em minha casa.

– Iremos com prazer. – Respondeu ela. – Olívia tem o telefone da casa de minha mãe. Gostaria de apresentá-la à minha família. Estou de férias e volto para Miami dentro de três semanas.

– Vamos nos ver muito durante esses dias. – Prometeu Olívia.

Elas se despediram e uma vez no carro de Arlete, Aline perguntou:

– Como vão as coisas em casa?

– Em casa, bem. Nossos pais estão muito emocionados com sua chegada. Parece que isso os fez recordar todo o passado. Não falam em outra coisa.

– Era isso o que eu temia. Cheguei a me perguntar se não seria melhor deixar para vir nas férias do ano que vem. Mas as saudades eram fortes e isso me fez decidir.

– Fez bem. Rodrigo está ansioso, esperando sua chegada. Ele só não veio ao aeroporto porque achou que seria melhor você ficar mais à vontade com nossa família.

– Ele sempre foi muito delicado.

– Eu adoro trabalhar com ele. É delicado, atencioso, um pouco fechado, mas muito correto e trabalhador. A empresa está crescendo e indo muito bem. Penso que melhoramos seu patrimônio.

– Isso me faz lembrar da família de Marcelo. Eles já se conformaram de eu herdar os bens?

– Penso que não. Ainda não nos cumprimentam e Rodrigo, que tinha um bom relacionamento com eles, também foi posto de lado. Ficaram ofendidos por ele ter me aceitado para trabalhar.

– Como Rodrigo reagiu?

– A princípio ficou um pouco aborrecido, mas depois não só aceitou a atitude deles como passou definitivamente para o nosso lado. Ele freqüentou muito nossa casa quando eu quebrei a perna e nos conheceu melhor. Desde então, passou a nos apreciar e hoje todos somos muito amigos.

– Fico feliz. Tornar a encontrar a família de Marcelo vai ser constrangedor porque sei o que eles pensam de mim. Conforta-me saber que Rodrigo está ao nosso lado. Nós somos sócios e eu terei de conversar com ele, tratar de assuntos pessoais e assim será muito mais fácil.

– Hamilton também está com vontade de conhecê-la. Eu falo tanto em você que ele tem curiosidade.

– Eu também desejo conhecê-lo. Sei que você tem bom gosto e imagino que ele deve ser muito interessante.

Arlete suspirou e respondeu:

– Às vezes, sinto que não lhe sou indiferente. Mas parece que ele tem medo de alguma coisa. Sempre que percebe estar se aproximando mais, corta imediatamente.

– Ele deve ter tido alguma desilusão amorosa. Nunca lhe falou sobre isso?

– Sei que foi noivo, esteve de casamento marcado, mas de repente tudo acabou. Ele não gosta de tocar nesse assunto.

– Pois eu acho que aí está a causa do medo que ele tem e por esse motivo, quando se sente atraído por você, foge.

– Pode ser. Mas se for isso, ele é quem terá de resolver. Eu não posso fazer nada. É uma questão íntima.

Aline sorriu maliciosa e disse:

– Talvez eu possa dar um empurrãozinho.

– O que você pensa fazer? Cuidado. Eu tenho meu orgulho e prefiro morrer a que ele saiba o quanto eu o amo!

– Confie em mim. Eu penso que a mulher precisa ter dignidade e não correr atrás do homem que ama. Mas nada impede que ela use alguns artifícios para acelerar a conquista.

As duas riram e Arlete respondeu:

– Você estava me fazendo falta! Em poucos instantes fez-me ficar em ponto de bala.

– Ótimo. Assim é que se fala.

Elas chegaram em casa e tanto Dalva como Mário esperavam impacientes. Ele nem fora para a loja, deixara-a nas mãos dos empregados, o que raramente fazia, só para esperar a filha.

Ambos a abraçaram com lágrimas nos olhos e muito carinho. Aline voltara mais bonita, muito bem vestida, elegante e, com alegria, abriu as malas e distribuiu os presentes.

Eles sabiam que ela não voltara para ficar e que pretendia continuar vivendo em Miami. Por esse motivo, não comentaram sobre Marcelo, deixando o assunto para mais tarde. Não queriam que Aline se aborrecesse logo na chegada.

E isso fez com que o ambiente se tornasse alegre e festivo. Foi depois do jantar, quando eles sentaram-se na sala para conversar, que Dalva resolveu tocar no assunto:

– Parece mentira que você está aqui! Ainda não consegui me conformar com tudo o que aconteceu.

Mário concordou com a cabeça e Aline percebeu que o momento tão temido havia chegado e ela não tinha outro caminho senão enfrentá-lo.

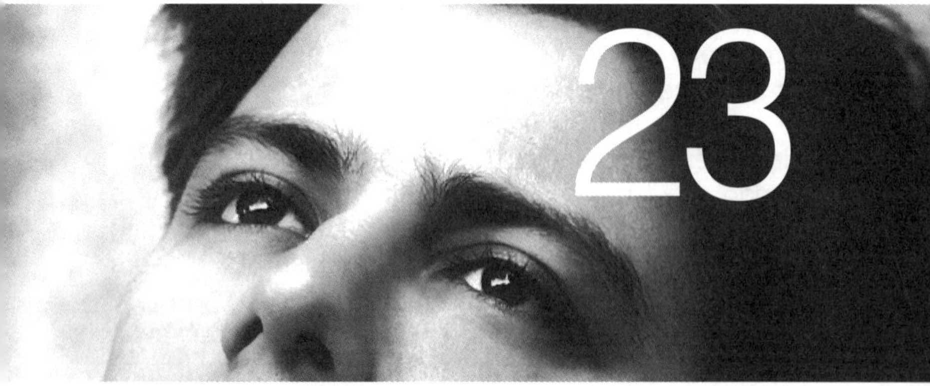

23

Dois dias depois, o telefone da casa de Olívia tocou e ela atendeu:

– Aline! Tudo bem?

– Tudo. Eu ia ligar ontem, mas não tive tempo. Tive de ir à empresa ver como estavam as coisas e atender ao que eles desejavam. Mas hoje, quero que você e sua mãe venham jantar aqui em casa. Além de meus pais e Arlete, estarão Rodrigo, que era sócio de Marcelo e o outro arquiteto que trabalha com ele.

– Iremos. A que horas é o jantar?

– Às oito. Mas quanto antes vocês vierem melhor. Assim poderemos conversar bastante.

– Obrigada pelo convite. Estaremos lá.

Ela desligou e disse a Olga que se aproximava:

– Aline nos convidou para jantar hoje. Eu aceitei.

– É uma moça bonita e agradável. Depois, é sua amiga. Fez bem.

– Ela é mais do que amiga. Ajudou-me a conseguir o emprego na empresa em que trabalha, sempre me apoiou. Quando eu ficava deprimida, ela procurava me deixar alegre.

– Mais uma razão para eu gostar dela.

Olga, apesar da tristeza do que lhe acontecera, procurava reagir e redimir-se diante da filha por sentir-se culpada de não a haver protegido o suficiente.

O choque com a descoberta do comportamento de Gilberto, não só traindo sua confiança como prejudicando sua filha, haviam destruído de um só golpe o amor que sentia por ele, deixando em seu lugar além da desilusão, um sentimento de repulsa que a fizera aceitar sua morte como um mal menor.

Sempre se perguntava: "Se ele houvesse sobrevivido, como seria a sua vida?". Certamente teriam se separado. A morte a poupara de ter que decidir.

Agora ela estava interessada em suprir a falha que julgava ter por não haver notado o interesse doentio do marido por Olívia, empenhando-se em tornar a vida da filha mais feliz.

Olívia passara a adolescência inteira infernizada pela maldade de Gilberto e ela desejava compensá-la de alguma forma, fazendo tudo para que ela se alegrasse.

Faltavam cinco para as oito quando as duas tocaram a campainha da casa de Aline. A criada abriu e as introduziu na sala onde já estavam, além da família, Rodrigo e Hamilton.

Aline levantou-se e foi abraçá-las com carinho, depois as apresentou a todos.

A conversa fluiu agradável, sobre a vida em Miami, que os dois rapazes também conheciam.

Rodrigo, desde que fora apresentado a Olívia não conseguia desviar os olhos dela. Enquanto Olga acompanhou Dalva que desejava mostrar-lhe uma coleção de peças de porcelana antiga que herdara de sua avó materna e Mário as acompanhara, os jovens ficaram conversando na sala.

A criada lhes servira um copo de vinho branco, colocara alguns petiscos sobre a mesinha. Hamilton se aproximara de Arlete e Aline, dizendo sorridente:

– Vocês não se parecem fisicamente, mas espiritualmente têm muita afinidade.

– Como sabe? – Indagou Aline.

– Ele sabe. – Tornou Arlete. – Hamilton tem um sexto sentido bastante desenvolvido.

– Sou só um bom observador.

– Por que você não assume sua sensibilidade? – Tornou Aline. – Você é ateu?

– Não. Creio em uma força superior, mas não sou religioso.

– Ser espiritualista não é ser religioso. – Rebateu Aline. – Todos nós somos espíritos. Eu aceito isso como uma coisa natural.

Arlete interveio:

– Desde que eu comecei a estudar o sexto sentido, descobri que Hamilton o tem muito desenvolvido. Por vezes diz coisas que estamos pensando ou que já nos aconteceram. Agora mesmo ele sentiu que temos afinidade.

Ele riu e respondeu:

– Eu tenho estudado a vida e sei que os fenômenos paranormais existem. Estive com médiuns e tive oportunidade de assistir a fenômenos convincentes. Não sou incrédulo como vocês parecem acreditar. Ao contrário, olho esses acontecimentos como fatos naturais. Sei que somos espíritos, que sobreviveremos à morte do corpo, que inclusive poderemos nos comunicar com os que ficaram, conforme as circunstâncias.

Ele fez ligeira pausa e continuou:

– Mas não sou adepto das religiões. Elas detêm meias verdades, foram elaboradas por homens que interpretaram as revelações espirituais e nessa interpretação colocaram um pouco de suas crenças e idéias.

– Nisso eu concordo. Nunca aceitei certas idéias moralistas, fora da realidade que algumas religiões pregam como verdade absoluta. – Tornou Aline.

– Então vocês pensam como eu. Nós temos que

estudar a vida, como ela funciona, como devemos escolher os nossos caminhos para vivermos melhor valorizando nossas qualidades, tentando melhorar nossos pontos fracos.

– Eu não sabia que você pensava assim. Por que nunca me disse isso? – Indagou Arlete, admirada.

– Porque nunca conversamos sobre esse assunto.

– Eu gostaria de conversar mais sobre isso. Estou começando a estudar a espiritualidade, mas às vezes não vou mais fundo com receio de entrar na ilusão.

– Você tem um bom senso prático. – Respondeu ele, sério. – E é por esse motivo que eu gosto de olhar os fatos que a vida mostra, de maneira aberta, sem nenhum preconceito. Assim, protejo-me não só do fanatismo, como da ilusão.

– Gostei. – Tornou Aline. – Você falou como nossos mestres no Instituto Ferguson. Eles são pesquisadores e procuram no dia-a-dia as provas do que acreditam.

A conversa seguiu animada entre os três e, enquanto isso, Rodrigo sentara no sofá ao lado de Olívia perguntando-lhe:

– Você também vai voltar a Miami?

– Não. Eu vim para ficar. Estava com muitas saudades e depois, minha mãe perdeu o marido, está sozinha e quero ficar ao lado dela.

– Talvez não seja por muito tempo.

Olívia olhou-o surpresa:

– Como assim?

– Uma moça como você, se já não estiver comprometida, logo arranjará alguém e sua mãe perderá a companhia.

– Nem pensar. Não pretendo me casar. Quero viver a minha vida em paz.

– Pensa tão mal assim do casamento?

– Penso. Eu tive uma adolescência tumultuada e infeliz. Agora estou livre, quero viver, aproveitar minha liberdade. Não vou me amarrar de forma alguma.

Rodrigo estava admirado. A maior parte das moças

que conhecia estavam ansiosas para arranjar alguém, casar, viver junto. Nunca encontrara uma que fosse avessa a essa idéia. Estaria sendo sincera?

Olívia estava sendo sincera. Para ela o casamento significava sofrimento, ilusão, traição. Fazia-a recordar da amarga experiência que tivera com o casamento da mãe.

Rodrigo tornou:

– Eu penso como você. Aprecio minha liberdade. Até agora tenho escapado de um relacionamento sério e pretendo continuar assim.

Olívia fixou-o e sorriu. Rodrigo era um homem fino, bonito, educado. Deveria ser muito assediado pelas mulheres.

– O que foi? – Perguntou ele.

– Estou pensando que para você não deve ser fácil escapar das mulheres. É o que elas chamam de um bom partido.

Ele riu divertido e concordou. Aline, então, aproximou-se e disse:

– Vou ficar aqui três semanas. Quero sair, rever a cidade, divertir-me, e gostaria que vocês dois, que devem estar em dia com a vida social e noturna, sugerissem o que fazer, aonde ir.

– Faremos mais. – Respondeu Rodrigo. – Vamos levá-las a todos os lugares da moda e nos divertiremos tanto que talvez a convençamos a ficar por aqui para sempre.

– Isso não. – Protestou Aline. – Agradeço, mas preciso voltar para Miami. Por mais que seja bom estar aqui, pretendo ficar por lá durante mais algum tempo.

– Nesse caso – tornou Hamilton –, só nos resta acompanhá-la a todos os lugares para mostrar-lhe as vantagens de morar aqui.

– Eu aceito o desafio, se Olívia e Arlete concordarem.

As duas concordaram e Arlete levantou o copo de vinho dizendo:

– Que esses dias sirvam para selar nossa amizade.

Todos brindaram, e pouco depois Dalva os convidou a passarem para a sala onde o jantar seria servido.

Passava da meia-noite quando Olga e Olívia se despediram. Rodrigo e Hamilton sentiram que também deveriam se retirar.

Depois de haverem prometido descobrir um lugar para ir na noite seguinte, os dois se despediram e uma vez no estacionamento, antes de entrar no carro comentaram sobre o jantar.

– Muito bonita a irmã de Arlete. – Disse Hamilton.

– Eu achei Olívia bem mais interessante.

– Bem que eu notei seu interesse.

– Além de linda, ela me disse que deseja ser livre e não pretende nem se casar.

– Isso é raro.

– É a única que eu vi até hoje. Se estiver sendo sincera...

– É difícil saber. As mulheres gostam de manipular.

– Ela alegou que teve uma adolescência infeliz. Por que será?

– Arlete falou qualquer coisa. Parece que o padrasto a maltratava.

– Então, é por esse motivo que ela fala tão mal do casamento. Eu fiquei surpreso com Aline. Quando era casada com Marcelo, falava pouco, parecia introvertida, mas esta noite pareceu-me completamente diferente.

– Pelo que sei, o marido dela a tratava superbem. Era até exagerado em lhe fazer todas as vontades.

– Marcelo a mimava demais.

– Mas isso não a deixava expandir-se. Agora que ele não está mais aqui, ela pode ser o que é sem que ninguém a contenha.

– Estou começando a entender porque ela o deixou. Eu não suportaria viver ao lado de alguém que me cercasse de tantos cuidados. Isso sufoca.

– Por essa e por outras razões também sou avesso ao casamento.

– Pois eu, apesar de não querer compromissos no momento, um dia, desejo me casar, constituir família, como meus pais fizeram. Mas só quando encontrar a mulher certa.

Hamilton ficou calado e Rodrigo perguntou:

– No que está pensando?

– No que você disse. Eu me pergunto: "Se eu encontrasse a mulher certa teria coragem para me casar?".

– Essa vida de solteiro também cansa.

– Às vezes eu sinto isso. Mas continuo priorizando minha liberdade. Posso lhe fazer uma pergunta?

– Faça.

– Arlete é uma mulher atraente. Você nunca sentiu interesse por ela?

– Não. Para mim Arlete é apenas uma boa amiga e excelente sócia. Por que pergunta?

– Por nada. Ela é uma mulher exuberante, por onde passa chama atenção, e me pergunto: "Por que está sozinha até agora? Ela deve ter mais de trinta anos".

– Tem trinta e dois, embora pareça mais jovem. Além disso, é muito elegante e tem classe. Também noto como ela chama a atenção dos nossos clientes. Mas é sempre muito discreta e nunca notei da parte dela qualquer interesse. A não ser por você. Algumas vezes, quando você está inclinado sobre a mesa de trabalho, percebo o olhar de carinho que ela lança sobre você.

– Eu nunca notei... – Mentiu ele.

– É que ela disfarça quando você olha. Nunca lhe passou pela cabeça que ela pode estar interessada em você?

– Já. Mas eu, quando pressinto o perigo, fujo dele como o diabo da cruz.

Eles riram contentes. Então despediram-se e cada um foi para seu carro.

Já no fim da tarde seguinte Rodrigo pediu para Arlete combinar com as outras duas o que fariam naquela noite.

Eles poderiam ir a um concerto de uma orquestra de cordas no Municipal ou a uma festa no Clube de Portugal, onde haveria um jantar e cujos convites Rodrigo conseguira com um amigo.

Elas preferiram ir à festa do Clube de Portugal e adoraram. Depois disso, eles passaram a sair juntos, quase todas as noites, hora indo comer uma pizza, ora vendo um show de um artista famoso, ora jantando na casa de Olga ou na de Aline.

Desde a primeira noite em que saíram juntos, Rodrigo não fez cerimônia, ficou o tempo todo ao lado de Olívia, dançara só com ela e Hamilton, como bom cavalheiro, dançava com as outras duas.

Mas era com Arlete que ele se sentia emocionado. O perfume que vinha dela o deixava atordoado e ele a apertava de encontro ao peito sem perceber.

Havia momentos em que lhe era difícil controlar a vontade de beijá-la e ele fechava os olhos, tentando não olhar para sua boca bonita.

Arlete sentia que ela o atraía e não entendia por que ele resistia tanto. Do que teria medo?

A sós com Aline ela abria o coração, ao que a irmã respondia:

– Tenha paciência. Ele está entregando os pontos. Dá para notar o esforço que faz para se conter. Vai chegar um momento em que ele não poderá mais segurar.

– Será?

– Você vai ver.

– Falta uma semana para você ir embora. Se ele agüentar até lá, penso que não estaremos tanto tempo juntos como agora e tudo voltará a ser como antes.

– Depois do que observamos nesses dias, nada voltará a ser como antes. Pode esperar.

– Você fala, mas eu não tenho o mesmo otimismo.

Aline riu bem-humorada:

– Você parece uma adolescente apaixonada. Está na hora de eu fazer alguma coisa.

– Você não pode me criticar. Nunca vi você fazer com Marcelo o que faz com Gino. Nem se importam de gastar tanto dinheiro de telefone.

– Está certo. Reconheço que com Gino é diferente. Nunca senti por homem nenhum o que sinto por ele. É um deslumbramento, uma emoção viva, uma euforia! Quando estamos juntos, o tempo voa. Às vezes penso que como ele é muito arrebatado, eu esteja me deixando levar pelas energias dele.

– Não é só isso. É que agora você encontrou um amor de verdade. Sempre achei que você nunca amou o Marcelo.

– Talvez.

– Eu já me apaixonei duas vezes. Uma na adolescência e outra pouco depois. Mas nunca senti por nenhum dos dois o que sinto pelo Hamilton. É um carinho, um sentimento bom que me faz bem.

– Amanhã à noite combinamos de sair para dançar. Já sei o que fazer.

– O quê?

– Deixe comigo.

Na noite seguinte quando Hamilton chegou para buscá-las, Aline não estava pronta. Nariz vermelho, olhos lacrimejando, apareceu na sala onde Arlete e Hamilton a esperavam.

– O que aconteceu? – Indagou ele.

– Estou resfriada... a cabeça dói, sinto arrepios, acho que estou com febre. Hoje não vou poder sair com vocês.

– Nesse caso não vamos. – Disse Arlete.

– Nada disso. Rodrigo já deve ter ido buscar Olívia, vocês estão prontos e eu me sentirei culpada se por minha causa vocês ficarem em casa. Estou tomando bastante remédio, amanhã já estarei boa e poderei sair com vocês.

Arlete estava hesitante, mas Aline insistiu, Hamilton também, e ela concordou. Saíram.

No carro, Hamilton olhava Arlete, procurando controlar a admiração. Ela estava com um vestido vermelho escuro, um decote generoso que deixava à mostra seu colo bonito, os cabelos ligeiramente ondulados soltos nos ombros eram a moldura perfeita para seu rosto expressivo, onde os grandes olhos castanhos e a boca carnuda eram destaque.

Além disso, havia o perfume delicioso que vinha dela e Hamilton aspirava-o com prazer.

Arlete notou que ele estava perturbado pela sua presença e, fixando-o, perguntou de repente:

– Por que você controla tanto o que sente?

– O quê?

Ela repetiu a pergunta e desta vez ele entendeu:

– Porque não me deixo levar com facilidade pelas emoções. Um homem precisa ter domínio sobre si mesmo.

Arlete aproximou mais seu rosto do dele, dizendo baixinho:

– Pois eu não. Quando sinto uma emoção agradável, deixo fluir. Por que não faz o mesmo?

Ela o olhava com os lábios entreabertos, olhos que deixavam transparecer seu carinho e ele não conseguiu dominar-se.

Colou seus lábios ao dela em um longo beijo em que ambos extravasaram o que sentiam. Com o coração batendo descompassado, eles continuaram se beijando com crescente euforia e prazer.

Quando serenaram um pouco, Hamilton disse com voz um tanto rouca de emoção:

– O que você está fazendo comigo? Eu sempre soube me controlar.

– Você não gostou da experiência? – Perguntou ela, desafiadora.

Como resposta, ele a beijou novamente repetidas vezes. Depois, permaneceram abraçados em silêncio, cada um imerso em seus pensamentos.

Arlete rompeu o silêncio:

– Por que você resistiu tanto?

Ele suspirou e respondeu:

– Eu suspeitava que com você eu corria o risco de me envolver profundamente. Desde que a vi senti forte atração.

– Aconteceu o mesmo comigo.

– Eu saí de um relacionamento doloroso, em que sofri uma desilusão terrível. Não queria passar pela mesma coisa de novo.

Arlete alisou o rosto dele com carinho:

– Quem lhe garante que acontecerá o mesmo?

– Eu fui traído por uma pessoa em quem confiava a ponto de querer me casar. Ela ia se casar comigo estando apaixonada por outro. Foi terrível!

– Mas é uma situação muito diferente: eu estou apaixonada por você!

Hamilton a beijou novamente várias vezes. Depois, perguntou:

– Você quer ir ao encontro de Rodrigo e de Olívia?

Arlete sorriu e respondeu:

– Não. Prefiro ficar aqui com você. Tenho a impressão de que Rodrigo vai nos agradecer.

– Eu também. E Olívia?

– Também.

Atrás da janela do quarto, Aline espiava e, vendo que o carro continuava parado diante da casa, sorriu satisfeita.

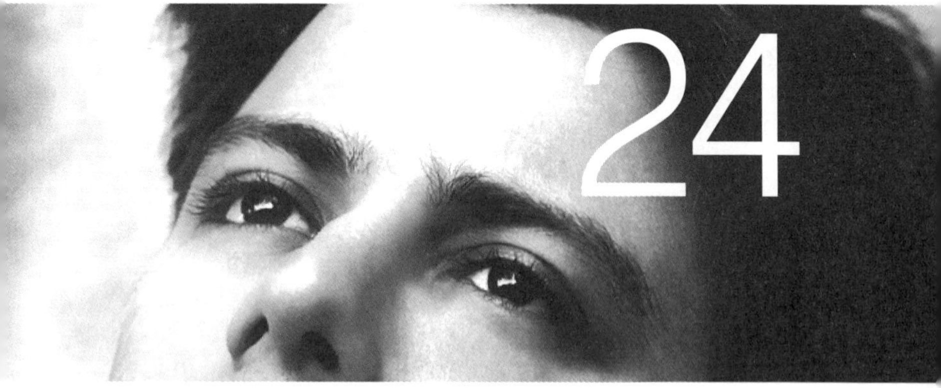

24

Rodrigo foi buscar Olívia para irem ao encontro dos amigos, conforme o combinado. Quando ela surgiu, ele conteve a respiração. Ela estava com um vestido de seda verde-garrafa que tornavam mais verdes seus olhos e ressaltavam o castanho dourado de seus cabelos.

A custo ele conteve sua admiração. Durante o trajeto, conversaram sobre assuntos banais e por fim Olívia tornou:

– Aline está doente e não vai encontrar-se conosco esta noite. Mas Arlete e Hamilton vão.

– O que ela tem?

– Um forte resfriado. Espero que amanhã esteja melhor. Combinamos de sair. Ela quer comprar alguns presentes para levar aos amigos.

– Soube que ela está namorando.

– Está, e parece muito apaixonada. Arlete comentou que ela nunca sentiu pelo marido o que sente pelo Gino.

– Acredito que ela nunca tenha amado o marido, senão não o teria deixado.

– Ficou aborrecido por saber que ela está gostando de outro? Você era muito amigo dele?

– Se fosse em outros tempos talvez ficasse, mas

hoje, não. Quando Marcelo a conheceu, interessou-se a tal ponto que sua vida passou a girar em torno dela. Foi tão insistente que conseguiu casar, mas ela não se sentia feliz a seu lado.

– Por quê?

– Marcelo era muito apegado, ficava em volta dela mesmo durante o dia, telefonava, controlava tudo quanto ela fazia. Isso passou a incomodá-la e acabou matando o interesse dela, que desejou libertar-se dessa fixação.

– Você não está sendo nada gentil com seu amigo.

– É que ele exagerava e isso não dá certo com ninguém. Quando você ama, não pode sufocar a pessoa amada nem absorver até seus pensamentos sem que ela tenha liberdade para escolher o que deseja. Ela cansou e o deixou.

– Agora entendo. Aline sempre comenta que aprecia o Gino porque ele não interfere em seus gostos nem tolhe sua liberdade. Ela cita isso como uma grande qualidade que ele tem e afirma que é por esse motivo que, a cada dia, sente-se mais feliz a seu lado.

– Eu também não gostaria de viver ao lado de uma mulher que se colasse em mim, estivesse sempre em volta sem me dar a liberdade de ser eu mesmo.

– Eu sei como é isso. Eu fui muito vigiada e controlada pelo meu padrasto e acabei fugindo de casa. Ninguém agüenta uma coisa dessas.

– Talvez seja por esse motivo que você diz que não deseja se casar. Mas a bem da verdade devo dizer que nem todos os homens são assim. Eu, por exemplo, respeito a individualidade das pessoas. O dia em que eu me relacionar seriamente com alguém, vou permitir que ela seja o que é, e desejar que faça o mesmo comigo. Sem isso, um relacionamento não se mantém.

– Você está solteiro e pelo visto também não deseja se casar.

– Aí é que você se engana. Um dia, se encontrar a

mulher que eu quero, pretendo me casar e ter filhos. Uma família pode ser a coisa melhor do mundo.

Olívia lembrou-se dos momentos em que seu pai ainda era vivo e sentiu saudades.

– Depende da família. – Comentou. – Enquanto meu pai viveu conosco, fomos muito felizes. Tivemos momentos de alegria e prazer. Mas depois que ele se foi e minha mãe casou de novo, começou meu tormento.

– Minha família mora no interior e eu sinto muitas saudades. Mas eles não querem vir para cá.

Eles chegaram no restaurante, desceram, entraram e olharam em volta. Arlete e Hamilton não haviam chegado.

– Desta vez chegamos primeiro, eu vou cobrar. – Comentou Rodrigo.

O *maître* aproximou-se, ele pediu a mesa e se acomodaram. O lugar era de classe, havia arranjos de flores frescas sobre as mesas e a música era agradável.

Pediram um aperitivo e resolveram esperar os amigos para escolherem o jantar. O conjunto tocava um blues e Rodrigo convidou Olívia para dançar.

Sentindo a proximidade dela, ele se emocionou. Nunca antes sentira tanta atração por uma mulher. Olívia notou o interesse dele, mas fingiu não perceber.

O tempo passava e Hamilton e Arlete não chegavam.

Enquanto esperavam, foram tomando os aperitivos e se entusiasmando com as músicas. Dançavam todas.

Por fim, Rodrigo sugeriu:

– Vamos pedir o jantar. Acho que eles não virão.

– É melhor mesmo. Estou me sentindo um tanto aérea.

Sentaram-se, ele fez o pedido, então começou a tocar um samba e Olívia pegou Rodrigo pela mão:

– Vamos dançar, essa não dá para perder.

Empolgados, dançaram até o fim. Olívia estava feliz. Esquecera de suas mágoas e para ela só havia aquele momento de alegria.

Enquanto dançavam, seus olhos brilhavam radiantes e seus lábios entreabriam-se em um sorriso. Rodrigo não se conteve, apertou-a de encontro ao peito e encostou os lábios em seus cabelos.

Ela não se afastou e quando começou a tocar um bolero, eles continuaram dançando de rosto colado, sentindo o prazer da proximidade e um sentimento doce no coração.

Foi natural o beijo que Rodrigo depositou nos lábios dela e ela correspondeu. Ele sentiu seu amor crescer diante da possibilidade de ser correspondido e disse baixinho em seu ouvido:

– Eu a amo Olívia. Você é a mulher que eu quero para ser minha companheira por toda vida.

Ela afastou-se um pouco, olhando-o fixamente como que querendo ler nos olhos dele se era verdade.

– Vamos nos sentar. – Disse ela, separando-se dele e dirigindo-se à mesa.

Rodrigo acompanhou-a, puxando a cadeira para que ela se acomodasse. Depois sentou-se.

Naquele instante, o garçom trouxe o jantar e colocou na mesa auxiliar, apanhando o prato dela para servir.

Os dois ficaram em silêncio, esperando que ele se afastasse. Rodrigo olhava-a, tentando descobrir por que ela reagira daquela forma.

Estava mexido, sensibilizado pela emoção que aquele beijo provocara.

– Olívia, o que foi, você se zangou?

– Não quero falar nisso agora.

– Está bem. Vamos comer.

Rodrigo gostava de ser direto, sentia-se inquieto, era-lhe difícil esperar que ela falasse no assunto. Mas procurou serenar suas emoções. Não estava habituado a descontrolar-se tanto.

Eles comeram em silêncio, não quiseram sobremesa e Rodrigo tomou um café.

– Vamos embora. – Pediu Olívia.

– Está bem.

Depois de pagar a conta, eles foram para o carro.

Uma vez lá, sentados um ao lado do outro, Rodrigo não se conteve. Segurou a mão dela dizendo:

– Olívia. Quero saber o que você sente por mim. Estou muito emocionado. Tenho por você um sentimento forte, profundo, e receio que não esteja sendo correspondido. Preciso saber. Não posso continuar nessa dúvida que está me atormentando.

Olívia levantou o rosto e seus olhos estavam cheios de lágrimas.

– Você está chorando! O que aconteceu?

– Eu sinto muito.

– É isso, você não me quer.

– Não. Estou confusa, triste, sem saber o que fazer.

– Olívia! Eu a amo. Desejo que seja feliz. Se você não corresponde a meu afeto, não vou recriminá-la. Ninguém pode forçar o coração. Diga a verdade.

O tom com o qual ele disse isso, o carinho que ela viu em seus olhos, fez com que chorasse ainda mais.

Sem saber por que ela soluçava, ele a abraçou, tentando confortá-la, e esperou que a crise serenasse. Quando ela se calou, ele alisou seus cabelos e pediu:

– Fale, Olívia, conte-me o que está machucando seu coração.

Ela não resistiu. Contou tudo o que lhe acontecera na adolescência e finalizou:

– Rodrigo, eu não posso amar. Carrego comigo um ressentimento muito grande e não seria uma boa mulher para você.

Ele tirou o lenço e enxugou os olhos dela, depois respondeu:

– Para mim só uma coisa importa: você não sente nada por mim?

– Eu amei você desde o primeiro dia. Mas reagi. Não queria sofrer e tentei de todas as formas arrancar esse sentimento do meu coração, mas não consegui.

– É isso o que eu queria saber. Para mim nada mais importa.

– Importa sim. As feridas do passado ainda doem dentro de mim.

Rodrigo beijou seus olhos, o rosto, a boca e por fim respondeu:

– Eu vou ajudá-la a esquecer tudo isso. Juntos vamos ser felizes.

– Tem certeza de que é isso o que quer?

– Tenho. Você é a mulher da minha vida.

Trocaram longos beijos, depois, abraçados, ele ligou o carro e levou-a para casa.

Olívia entrou em casa emocionada, em seu coração havia uma alegria que há muito não sentia. Ao dividir com ele suas preocupações quanto ao passado, encontrou como resposta amor, compreensão, alívio e bem-estar.

Sentiu que para ela se abria uma chance de felicidade que não ousara esperar.

A casa estava às escuras e Olívia foi para o quarto, deitou-se, mas não dormiu logo. Recordou-se dos beijos que haviam trocado, reviveu todos o momentos daquela noite mágica, em que tudo conspirara para que se entendessem, até que, vencida pelo cansaço, finalmente, adormeceu.

Na manhã seguinte, levantou-se bem-disposta. Rosto corado, sorriso fácil. Na mesa do café, Olga vendo-a, percebeu a mudança e comentou:

– Como você está radiosa! Há muito tempo não a via assim. Você está linda!

Sem poder conter-se, Olívia contou tudo com tal calor que, ao terminar, Olga comentou:

– Que ele estava apaixonado, eu notei, mas eu temia que você não correspondesse.

– Por quê?

– Considero Rodrigo um excelente rapaz e gostaria de tê-lo como genro. Mas como você nunca se interessou por ninguém, sempre avessa ao namoro, temi que o recusasse. Mas eu estava enganada.

– Estava. Eu gostei dele desde o primeiro dia, mas o passado me atormentava. Eu temia que quando lhe contasse a verdade, ele não me quisesse. Por esse motivo procurava não me iludir.

– Você foi uma vítima. Qualquer pessoa de bom senso entenderia.

– Ele foi maravilhoso. Carinhoso, amigo.

Olga levantou-se, beijou o rosto da filha com carinho:

– Você merece, minha filha.

Depois do café, Olívia ligou para Aline para saber de sua saúde. O fato de Arlete não ter ido ao encontro a fez pensar que ela poderia ter piorado.

Aline a atendeu com satisfação e respondeu:

– Eu nunca estive tão bem.

– Como assim, você não estava doente?

– Nunca estive. Eu só queria dar uma mãozinha para Arlete e Hamilton.

Em poucas palavras ela contou o bom resultado que haviam obtido. Olívia ouviu tudo e quando ela terminou disse:

– Então foi isso. Você quis ajudar Arlete e sem querer ajudou também a mim.

– Como assim?

– Eu e Rodrigo fomos ao restaurante, esperamos Arlete e Hamilton para jantar, enquanto isso fomos tomando aperitivos, dançando sem parar. Ficamos alegres e então, beijamo-nos. Foi uma noite mágica. Estamos namorando.

– Que coisa boa! Eu sabia que Rodrigo estava apaixonado e pressenti que era correspondido. Vocês ficam tão bem juntos, entendem-se, há uma forte afinidade entre os dois. Isso vai dar certo.

– Vai. Eu contei a ele sobre o passado e recebi muito carinho. Estou feliz.

– Fico contente em saber. Agora estou me aprontando para ir ao escritório. Tenho que levar alguns documentos assinados. Quer ir comigo?

– Acha que não vou incomodar? É um lugar de trabalho.

– Estou certa que não. Você vem para cá e iremos juntas buscá-los para o almoço. Será uma alegre surpresa, você verá.

– Está bem. Dentro de meia hora estarei aí.

As duas despediram-se e Olívia foi para o quarto retocar a maquilagem. Pegou o carro, apanhou Aline e foram para o escritório.

Lá chegando, deixaram o carro em um estacionamento próximo e saíram caminhando pela calçada até o prédio do escritório.

Nessa hora, Olívia ouviu uma voz chamar:

– Olívia! É você?

Elas olharam e Márcio estava parado na frente delas. Foi então que ele notou Aline, perdeu o jeito, empalideceu.

Olívia respondeu sorrindo:

– Márcio?

Ele olhava-as estupefato, sem saber o que dizer.

Aline notou e tentou quebrar o gelo:

– Como vai, Márcio?

Ainda chocado, ele balbuciou:

– Bem. Eu não sabia que você tinha voltado. Sua mãe não me contou.

Ele estava embaraçado e tentou fingir que não vira Aline. Não podia entender como as duas poderiam estar juntas.

Aline pensou que ele houvesse se referido à Dalva e perguntou:

– Você foi falar com minha mãe?

– Não estou falando com você. Estou me referindo a d. Olga.

– Mas foi bom termos nos encontrado. – Tornou Aline, olhando firme nos olhos dele. – Eu queria mesmo conversar com você e com seus pais.

– Para quê? Nós não temos nada a dizer um ao outro. O que você fez não tem perdão. Meu irmão morreu por sua causa. E, é melhor não ir falar com meus pais, eles não vão recebê-la.

Olívia interveio:

– Vocês precisam dar uma chance para Aline se explicar. Não podem julgar os fatos sem ouvi-la.

– Você parece estar do lado dela, sabe-se lá a história que lhe contaram. A verdade é que ela matou meu irmão.

Os olhos dele brilharam rancorosos e Aline sentiu um arrepio desagradável percorrer seu corpo.

– Vou entrar, Olívia. Espero-a lá dentro.

– Vou com você. Olha, Márcio, você está sendo injusto. Foi um acidente. Agora preciso ir. Outra hora conversaremos. Faço questão de voltar ao assunto.

Ela seguiu Aline que havia entrado no prédio e Márcio ficou olhando-a desaparecer, sentindo renascer o ódio que guardava no coração.

Ele precisava descobrir por que as duas estavam juntas. O que teria acontecido? Certamente estavam indo à empresa da qual ele se considerava espoliado.

Precisava descobrir tudo. Distanciou-se, procurou um lugar onde ninguém o visse e decidiu esperar.

Meia hora depois, ele viu Aline ao lado de Arlete que estava de mãos dadas com Hamilton. Mais atrás, Olívia de braço com Rodrigo.

Ele sentiu seu ódio aumentar. Não queria ser visto. Entrou na farmácia próxima e escondeu-se atrás da coluna. Viu quando o grupo passou pela porta da farmácia, Rodrigo e Olívia trocando olhares amorosos. Notou que ele beijara os cabelos dela revelando certa intimidade que o fez sentir-se mais amargurado.

Rodrigo estava se revelando pior do que a própria Aline. Por esse motivo, estavam se entendendo bem. Além de se derreter com a família daquela assassina ainda lhe roubara o amor de Olívia.

Por que Rodrigo tinha que vencer em tudo, enquanto ele era o perdedor? Não podia se conformar. Queria saber mais. Começou a segui-los à distância e cada vez percebia mais o romance entre Olívia e Rodrigo.

Isso não podia ficar assim. Desde que Olívia fora embora, de tempos em tempos ele passava diante da casa dela na esperança de vê-la de volta.

Quando ela estava fora, de vez em quando ligava para a casa de Olívia pedindo notícias. Ficou sabendo da morte de Gilberto, foi ao enterro na esperança de que ela estivesse lá.

Quando ela teria chegado? Desde quando estaria se relacionando com Rodrigo? Ele havia deixado vários recados, pedindo que quando chegasse lhe ligasse, mas ela não o fizera.

O culpado era Rodrigo, que se interpusera entre os dois. Eles entraram no restaurante e Márcio continuou observando-os discretamente.

Eles conversavam, riam felizes, esquecidos da morte de Marcelo, do sofrimento de seus pais, como se nunca houvesse acontecido nada.

Era revoltante. Olívia debruçava-se sobre Rodrigo, olhos brilhantes de amor e se derretia cheia de amabilidades com Aline.

Márcio sentia a boca amarga, o estômago queimando. Ele não podia permitir que isso continuasse. Seu irmão estava morto, não podia se defender, mas ele estava ali, vendo tudo e haveria de encontrar uma forma deles pagarem pela maldade.

Eles terminaram de almoçar, saíram e foram caminhando devagar até o prédio do escritório. Entraram e Márcio continuou esperando do lado de fora.

Demorasse o quanto demorasse, ele não podia sair dali. Tinha de saber o que estava acontecendo. Como Olívia fora relacionar-se com Aline e Rodrigo.

Meia hora depois, rindo e conversando, Olívia e Aline saíram do prédio e caminharam até o estacionamento. Apanharam o carro e se foram.

Só depois disso, é que Márcio foi para sua casa. Vendo-o entrar, Ivone notou logo que ele estava bastante transtornado:

– Você demorou para vir almoçar. Eu estava preocupada. Aconteceu alguma coisa? Você está com uma cara...

– Aconteceu sim. Aquela assassina está de volta.

– Isso não é novidade.

– Nós nos encontramos na rua. Lembra-se de Olívia, aquela moça que conheci no terreiro de Pai José?

– Aquela que você queria namorar e viajou?

– Essa mesma. Ela voltou, estava com Aline e o que é pior, pendurada no braço de Rodrigo, que estava todo derretido e amável.

– Eu sabia que aquela história de Rodrigo gostar de nós e só aceitar Arlete na empresa porque ela estava representando a irmã era uma tremenda mentira. Ele quis é ficar do lado deles. Nós fizemos bem em cortar relações com ele. Ele já conhecia Olívia antes dela viajar?

– Não.

– Como é que estavam juntos então?

– Isso eu também gostaria de saber. Além de entregar os bens de Marcelo a Aline, agora Rodrigo roubou a única garota que eu queria namorar. Desde que ela se foi eu esperava ansioso que voltasse. Como ele teve tempo de passar na minha frente?

– Pode ser que não estejam namorando.

– Eu vi como eles se tratavam. Ela parecia muito interessada nele.

– Ela viu você?

– Nós nos encontramos na rua. Eu não tinha percebido que era Aline quem estava com ela. Chamei Olívia e elas pararam, então foi que vi Aline. Perdi o jeito.

– E ela?

– Cumprimentou-me, disse que há muito queria falar comigo para explicar tudo e que antes de ir embora viria procurar você e o papai para conversar. Respondi que seria inútil porque vocês não iriam recebê-la.

– Pois eu gostaria muito de ficar frente a frente com ela e poder dizer-lhe tudo o que tenho vontade.

– Não foi o que pensei. Seja o que for que ela disser não vai trazer Marcelo de volta nem amenizar a dor que sentimos. Portanto, é melhor que ela não apareça.

– Você precisa esfriar a cabeça, ir procurar Olívia, conversar com ela. Pode ser que esteja enganado, que ela não tenha nada com Rodrigo e esteja esperando que você se declare.

– Não creio. Ela nunca olhou para mim do jeito que olhava para ele. Mas mesmo assim, não me dou por vencido. Vou procurá-la, afinal, somos amigos, Olívia sempre me tratou muito bem. Não há razão para eu me manter distante. Ela pediu que a procurasse.

– Assim é que se fala. Se quer conquistar essa garota, precisa lutar. Você é um moço bonito, cheio de qualidades, formado, bem empregado. Não perde nada para aquele traidor do Rodrigo.

– É o que farei. Agora quero almoçar rápido porque estou em cima da hora para voltar ao escritório.

Imediatamente, Ivone apressou-se a servir o almoço ao filho que, enquanto comia, não conseguia esquecer as cenas que presenciara momentos antes.

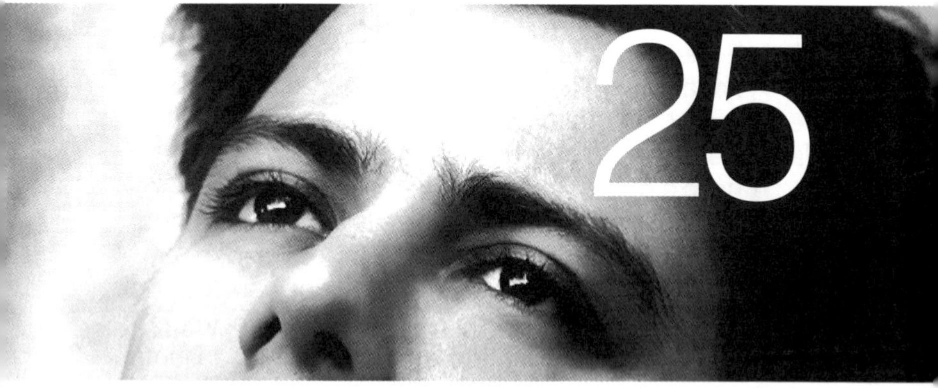

Naquela noite, reunida com Arlete e os pais, Aline comentou o encontro que tivera com Márcio e finalizou:

– Apesar de ele haver dito que seus pais não querem me ver, sinto vontade de tentar conversar com eles.

– Para quê? – Indagou Dalva. – Eles não querem ouvir. Tudo o que você disser não vai adiantar.

– É perda de tempo. – Comentou Mário.

– Mesmo assim, gostaria de tentar. Eu me sentiria melhor se eles entendessem porque fui embora.

– Você disse que a atitude de Márcio foi agressiva, prova de que eles continuam com raiva de todos nós. – Comentou Arlete. – Além de perder tempo, você vai se aborrecer ainda mais.

Aline calou-se. Márcio sempre fora muito ligado a Marcelo e carinhoso com ela. Naquela tarde, quando se encontraram, notou logo sua expressão triste, seu olhar rancoroso, muito diferente do menino que ela conhecera, dócil e de expressão leve.

Estava claro o quanto ele sofrera com a morte do irmão e o quanto se atormentava acreditando que ela fosse culpada.

Apesar da atitude raivosa dele, ela sentia-se penalizada. A tragédia inesperada, fizera-o perder a paz e afundar na amargura, no ódio, o que poderia ter conseqüências desastrosas.

Ao analisar os fatos, Márcio, em vez de procurar saber a verdade, entrara no julgamento, atirando a culpa da morte do irmão sobre ela, o que não era verdade.

A princípio, ela também se sentira um tanto culpada e conversara sobre isso com o dr. Morris, seu orientador espiritual no Instituto Ferguson. Ao que ele respondera:

– Você não tem culpa de nada. Foi seu marido quem provocou os fatos que o vitimaram. Primeiro, por agarrar-se a você, sufocando-a, o que provocou uma reação que considero saudável de libertar-se. Era um direito seu.

– Mas ele não entendeu.

– Você se libertou. O desespero dele em correr atrás de você para impedi-la de embarcar denota o medo que ele sentia de perder a muleta. Tanto que pretendia ficar a seu lado até depois de morto.

– Mas o acidente ocorreu porque eu o deixei.

– Não, Aline. O acidente ocorreu porque ele estava com tanto medo, que acabou provocando o acidente. Sossegue seu coração. Você não tem culpa de nada. Ele fez tudo sozinho.

Pensando melhor, Aline concordou e, desde esse dia, analisando as atitudes de Marcelo durante o noivado, o casamento, ela percebeu que, de fato, o fracasso de seu casamento se devia a ele, por causa de seu apego.

Quanto mais pensava, mais percebia o quanto as atitudes do marido incomodavam-na. Ela era uma pessoa livre, cheia de idéias, mas ele, apesar de parecer amigo, só aceitava as idéias que a mantivessem colada a ele.

Sentia vontade de conversar com Márcio, com os pais de Marcelo, mas do jeito que eles estavam, como fazê-los enxergar a verdade?

Seria melhor esperar que o tempo passasse e um dia ela pudesse encontrá-los melhor.

Faltavam cinco dias para Aline voltar a Miami, ela comprara presentes para os amigos e alguns especiais para Gino.

Havia contado aos pais que estava namorando, mas não lhes disse que era sério para não preocupá-los. Eles não estavam preparados ainda para vê-la em outro casamento.

Mas para Arlete ela confidenciava que estava muito apaixonada pelo Gino e pretendia passar o resto da vida ao lado dele.

Márcio, no dia seguinte ao encontro com Olívia e os amigos, ligou para ela, que o atendeu alegre. Depois dos cumprimentos, ele tornou:

– Eu gostaria de conversar com você.

– Ótimo. Venha tomar um chá conosco esta tarde.

– A que horas?

– A hora que quiser. Estarei esperando.

Ele desligou e cuidou de se arrumar muito bem. Havia comprado um carro novo e isso o fez sentir-se melhor. Não foi trabalhar depois do almoço e, antes das quatro, estava tocando a campainha da casa de Olívia.

Ela o recebeu com carinho e conduziu-o para dentro. Olga o cumprimentou educadamente, acompanhou-os à sala de estar e, depois de conversar durante alguns minutos, deixou-os sozinhos.

Sentados, um ao lado do outro no sofá, Márcio comentou:

– Desculpe-me. Ontem, eu fiquei desconcertado quando a vi com Aline. Nunca imaginei que vocês se conhecessem.

– Nós nos conhecemos em Miami. Fui morar pegado à casa dela e ficamos amigas. Viajamos juntas para o Brasil. Ela vai voltar para Miami dentro de mais alguns dias.

– Você fica, não é?

– Sim. Eu fui embora porque não me dava bem

com meu padrasto. Você sabe. Mas ele não está mais aqui. Voltei porque não quis deixar minha mãe sozinha, eu estava com muitas saudades.

– Eu também. Enquanto você esteve fora, eu de vez em quando vinha aqui saber notícias. Senti muito a sua falta.

– Eu precisava ir embora e foi muito bom. Aprendi a viver sozinha, trabalhei para me manter. Foi uma experiência muito positiva.

Márcio calou-se durante alguns segundos, hesitou um pouco e depois perguntou:

– Você conhece Rodrigo há muito tempo?

– Desde que voltei ao Brasil. Aline me apresentou.

– Ele foi sócio de meu irmão.

– Eu sei. Ele me contou.

– Talvez ele não lhe tenha contado que depois da morte de Marcelo, minha família e eu rompemos com ele.

– Não. Ele não disse nada.

– Eu pensei que ele houvesse contado a história a seu modo.

– Ele jamais faria isso. Depois, a vida dos outros não nos diz respeito.

– Ele agiu mal conosco. Era como irmão de Marcelo, depois que ele morreu, virou para o lado dos nossos inimigos. Aproximou-se de Arlete, freqüenta a casa dos pais de Aline, é todo amável com eles e nunca se interessou em nos ajudar a recuperar a herança de meu irmão.

Olívia não se conteve:

– Vamos mudar de assunto. Não gosto que fale mal de Rodrigo que não está aqui para se defender.

– Você o defende. Bem que eu notei que vocês estavam muito ligados.

– Nós estamos namorando.

Márcio empalideceu e perguntou:

– Você dizia que não queria se casar, agora mudou de idéia?

– Márcio, eu o aprecio, você me ajudou em um tempo em que eu estava sofrendo muito, foi meu amigo, mas isso não lhe dá o direito de investigar minha vida ou comentar minhas decisões.

Márcio mordeu os lábios e conteve o ímpeto que sentia de gritar sua raiva, sua decepção.

– Desculpe-me. Eu esperava ansiosamente sua volta, imaginando que, quando voltasse, nós pudéssemos reatar nossa amizade.

– Nada impede que continuemos amigos.

– Mas eu esperava muito mais.

– Sinto muito. Eu só posso oferecer amizade.

– A culpa é de Rodrigo. Se ele não houvesse atravessado em meu caminho, você aceitaria meu amor.

– Você está sendo injusto. Ele sequer sabia que nos conhecíamos.

– Você ainda o defende. Não posso entender.

Olívia colocou sua mão sobre a dele, dizendo com carinho:

– Eu gosto de você, Márcio. Mas amor é um sentimento que nasce espontâneo e que não se pode forçar. O que sinto por você é gratidão, amizade. Apenas isso. Ninguém tem culpa. Essas coisas acontecem.

Márcio baixou a cabeça, tentando dissimular a raiva. Como ela podia ser tão ingrata? Ele ficara noites sem dormir imaginando o reencontro quando ela voltasse. Idealizando cenas de amor, onde ambos se entregavam à paixão.

Ele tinha isso como certo. Não podia aceitar que estivera enganado esse tempo todo. Mas ao mesmo tempo sentiu que seria melhor não discutir. Respondeu com voz que procurou tornar calma:

– Lamento que você não me ame. Tenho por você um sentimento verdadeiro e sincero. Mas como você mesma diz, não se pode forçar o amor.

Olívia sentiu-se aliviada, estendeu a mão e propôs:

– Amigos?

– Amigos. – Respondeu ele, apertando a mão que ela lhe oferecia.

Depois ele mudou de assunto, perguntando sobre a vida em Miami, as experiências que ela tivera e contou que havia sido promovido no trabalho e comprara um carro zero.

Olga chamou-os para o chá e a conversa generalizou-se. Passava das seis quando Márcio deixou a casa de Olívia.

Estava amargurado, triste, decepcionado. Não podia aceitar aquela situação sem fazer nada. Precisava tirar Rodrigo do seu caminho. Mas como?

Pensou no terreiro de Pai José, mas ele não conseguira cumprir o que prometera. Havia gastado o dinheiro, ainda estava pagando o empréstimo da tia e, tanto Arlete como Rodrigo, continuavam bem, nada lhes havia acontecido.

Pelo visto, Pai José não tinha força nenhuma. Ele precisava arranjar um lugar mais forte, que funcionasse de fato. Mas onde?

Naquele momento, dois vultos escuros envolveram-no. Ele não os viu, mas sentiu alguns arrepios.

Um deles disse-lhe ao ouvido:

– Não se preocupe. Nós vamos ajudá-lo a encontrar o lugar certo.

– Isso mesmo. – Comentou o outro. – Nós conhecemos um lugar que funciona.

– Estou certo que vou encontrar. – Pensou Márcio.

– Vai mesmo. Vamos ajudá-lo.

Os dois vultos escuros riram satisfeitos. Há muito eles esperavam a chance de envolvê-lo sem conseguir. Agora, o próprio Márcio favorecera essa oportunidade.

Ele chegou em casa pensando no assunto. Ivone, vendo-o, notou logo que não estava bem.

– O que foi? Você parece aborrecido.

– E estou mesmo. Fui visitar Olívia e fiquei decepcionado. Ela e Rodrigo estão namorando.

– É verdade mesmo?

– É. Eu falei das minhas intenções e ela delicadamente respondeu que o que sente por mim é apenas amizade. Não posso aceitar isso. Eu gosto dela demais.

– O que pensa fazer?

– Não sei... Pensei ir ao terreiro de Pai José, mas...

– Isso não funcionou para nós. Gastamos aquele dinheiro à toa, ele não fez nada.

– Isso mesmo. Mas não conheço nenhum outro lugar.

– Pois eu sei. A Malvina me contou que a comadre dela descobriu que o marido a estava traindo. Foi a esse lugar, fez o trabalho, a outra passou mal, mudou até de cidade e o marido voltou para casa, de rabo entre as pernas, todo arrependido. É de um lugar assim que precisamos.

– Eu sabia que ia encontrar. Peça a ela o endereço. Vou até lá o quanto antes.

Uma hora depois, Ivone entregou a ele um papel dizendo:

– Esse é o endereço. É uma mulher muito poderosa, que tem um grupo que trabalha com ela. Disse que o preço não é caro.

Márcio apanhou o papel, leu e disse:

– Vou lá hoje mesmo. A que horas abre o Centro?

– Não é um Centro. Não tem hora certa. Você telefona e combina a hora.

Márcio foi direto ao telefone, ligou, a pessoa quis saber quem havia indicado, ele disse, e depois ela marcou para dali a meia hora.

Os dois vultos escuros comemoraram satisfeitos. Márcio estava nervoso, lavou o rosto para se acalmar, penteou os cabelos e procurou Ivone:

– Mãe, eu já vou.

– Cuidado, meu filho. Se ela quiser cobrar muito seu pai não vai querer dar o dinheiro e não teremos como pagar.

– Você não disse que era barato?

– A Malvina disse, mas nunca se sabe. Chega de fazer dívidas.

– Pode deixar. Sei o que estou fazendo.

Uma vez no carro, consultou o papel, procurou no guia e depois de localizar, foi até lá.

Vinte minutos depois estava diante da casa, que apesar de antiga estava bem-cuidada.

Tocou a campainha, foi atendido por uma moça morena:

– Quero falar com d. Rosa. Meu nome é Márcio. Ela está me esperando.

– Pode entrar.

Ele entrou. Foi conduzido até uma sala onde ela bateu delicadamente na porta antes de abri-la.

A sala estava na penumbra, havia no ar um cheiro de ervas, misturado a um perfume forte. Nas paredes, quadros de gráficos diferenciados, um console com imagens de santos, um rosário pendurado em uma cruz de madeira, muitas velas coloridas e, ao fundo, uma mesa forrada com um pano vermelho, iluminada apenas por um abajur de luz também vermelha. Atrás da mesa, uma mulher de meia-idade o esperava, vestida com um manto bordado de pedrarias, tendo na cabeça um turbante de veludo verde; possuía o rosto oval, grandes olhos escuros e penetrantes.

Impressionado com o ambiente, Márcio estava hesitante:

– Entre. – Pediu ela, apontando uma cadeira em frente da mesa. – Sente-se.

Sua voz era grave e ele obedeceu. Ela continuou:

– Não precisa me dizer nada. Eu sei tudo.

Colocou na frente dele um baralho e pediu:

– Corte com a mão esquerda.

Ele obedeceu. Ela, com as mãos cheias de anéis, começou a dispor as cartas, fazendo tilintar as várias pulseiras que tinha nos pulsos.

Depois olhou nos olhos de Márcio e disse:

– Você veio aqui por causa de uma mulher.

– É verdade.

– Você a quer, mas ela gosta de outro.

– Isso mesmo. Esse outro está sempre no meu caminho.

– Eles querem se casar.

– Isso não! – Protestou ele.

– Eles vão se casar. O destino deles está marcado. Melhor seria que você desistisse de fazer o que deseja.

– Não posso! Ele era sócio de meu irmão que morreu e amigo da família. Agora, virou nosso inimigo, não vai mais à nossa casa. E por último roubou a mulher que eu amo.

Rosa estremeceu e sua mão deixou cair o maço de cartas que segurava. Seus olhos se fecharam, ela suspirou fundo, seu rosto transformou-se e sua voz estava mais grave quando disse:

– Márcio, há muito desejava falar com você! Sou eu, Marcelo. Finalmente podemos conversar!

Márcio empalideceu, começou a tremer e balbuciou:

– Não pode ser... Como ela sabe o nome dele?

– Ela não sabe. Sou eu, Marcelo, quem está falando com você. Não tenha medo. Ouça o que preciso lhe dizer.

Márcio tremia, mas ao mesmo tempo, em sua garganta brotou um soluço que ele não conseguiu conter:

– Você sentiu minha falta, eu sei. Mas acredite: eu também sinto muitas saudades de você, de nossos pais. Sei que você não aceitou ainda a minha morte, mas acredite, eu tinha que passar por tudo o que passei. Eu tinha que morrer da forma como morri.

– Aline foi culpada. – Disse Márcio.

– Não. Aline não teve culpa de nada. Vocês estão enganados. Ela precisava seguir o caminho dela e eu o meu. O único responsável pelo que me aconteceu fui eu. Eu errei e com isso programei a minha lição. Agora aprendi muito e sei que fui eu quem não soube lidar com Aline. Eu estava errado. Eu a sufoquei. Ela não agüentou.

– Não pode ser. Você sempre foi muito bom para ela. Fez tudo para agradá-la. Ela foi ingrata.

– Não, Márcio. Aline estava certa. Eu não lhe dava paz nem liberdade para ela fazer o que veio fazer. Eu estava tolhendo o caminho dela.

– Você a amava.

– O que eu sentia por ela não era amor, era apego. E apego não faz bem a ninguém. Ela se libertou e com isso eu também me libertei.

– Quer dizer que ela o ajudou?

– Ela procurou o caminho dela e com isso eu encontrei o meu. Essa é a verdade. Por esse motivo, estou aqui, falando com você.

– Eu fiquei perdido sem você.

– Eu assumo também essa culpa. Eu sempre resolvi seus problemas e não o ensinei a fazer isso sozinho. Quando eu vim embora, você ficou perdido, mas quero dizer que você é uma pessoa de valor.

– Não creio.

– É verdade. Você está vendo os fatos de uma forma errada. Por causa disso, tem tido tantos pensamentos de vingança, de rancor e isso pode levá-lo a muitos sofrimentos. Vim aqui para alertá-lo, para contar-lhe a verdade e pedir que não julgue ninguém. Você é um rapaz de bons sentimentos e não pode se deixar envolver por esses pensamentos ruins.

Márcio não suportou mais, os soluços brotaram fortes e ele chorou toda sua dor.

Rosa levantou-se e começou a passar a mão sobre a cabeça de Márcio com carinho. Quando ele finalmente parou de chorar ela passou a mão pela testa dele e disse sorrindo:

– Então, meu querido, está pronto para outra?

Márcio não conteve a emoção. Esse era o gesto que Marcelo sempre fazia dizendo a mesma frase sempre que ele tinha um problema e conversavam.

Márcio sentiu que era ele mesmo quem estava ali, num verdadeiro milagre, conversando de novo com ele.

Sem conter-se, Márcio levantou-se e abraçou Rosa, dizendo:

– É você, Marcelo. Eu sei que é você.

– Sou eu. Agora preciso fazer-lhe um pedido.

– Faça. Farei tudo o que disser.

– Quero que deixe de lado esse rancor e vá conversar com Aline. Diga-lhe que estou bem e que aqui encontrei a minha verdadeira felicidade. Que desejo que ela seja sempre muito feliz e que um dia ainda conversaremos novamente, porque a vida continua depois da morte.

– Quer mesmo que eu lhe diga isso?

– Sim, e quero também que conte tudo o que conversamos aos nossos pais. Eu gostaria muito que eles procurassem o Rodrigo e a família de Aline para desfazer esse mal-entendido.

– Não sei se vão aceitar.

– Vão sim. Conte tudo o que eu disse.

– Mas o Rodrigo me roubou a mulher que eu amo.

– Ela está no destino dele e não no seu. Tenha paciência e espere, porquanto vai aparecer a mulher que lhe está destinada e que vai fazê-lo muito feliz. Aceite a realidade, cuide melhor de si, fique em paz. Não queira mudar os fatos da vida. Com isso você pode estar impedindo a felicidade que a vida lhe reserva e mergulhando na dor. Prometa que fará tudo isso.

– Está bem. Você disse, eu aceito. Vou fazer tudo como você pediu.

– Esse é meu querido Márcio, que sempre continuará em meu coração. Saiba que apesar de não poder me ver, estarei sempre ao seu lado para lhe inspirar coisas boas para que possa ser mais feliz. Diga a nossos pais que continuo vivo e amando-os como sempre. Agora preciso ir. Adeus.

Rosa estremeceu e teria caído se Márcio não a segurasse. Ela passou a mão pela testa, olhando em volta, depois deixou-se cair na cadeira assustada:

– O que aconteceu aqui?

– Não se lembra?

– Não. Perdi os sentidos. Como estava em pé ao seu lado?

– A senhora recebeu o espírito de meu irmão Marcelo, que conversou comigo. Muito obrigado. Nunca pensei que isso pudesse me acontecer.

– Meu Deus! Aconteceu novamente! Fazia muito tempo que eu não perdia os sentidos. Desculpe-me, vamos continuar.

– Não, senhora. Muito obrigado. Já recebi muito mais do que vim procurar. Serei sempre muito grato à senhora por esta noite. Deus a abençoe.

Ele levantou-se, perguntou quanto lhe devia ao que ela respondeu:

– Não posso lhe cobrar nada. Pode ir em paz.

Ele saiu aliviado, eufórico, querendo ir logo para casa contar aos pais o que havia acontecido.

Lá fora estavam os dois vultos escuros que quiseram aproximar-se dele, mas não conseguiram.

Um comentou:

– O que aconteceu com a Rosa? Por que tinha esses guardas na porta? Nunca vi uma coisa dessas, além de não nos deixarem entrar, ainda nos jogaram longe.

– E agora nos impedem de seguir com ele. Reparou como ele estava com uma luz no peito?

– Eu vi. É melhor irmos embora. Desta vez não conseguimos nada. Com ele não quero lidar mais.

– Nem eu. Vamos embora.

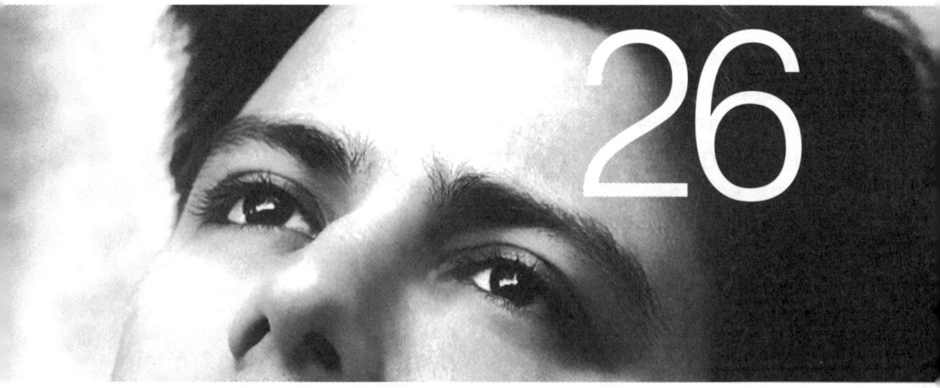

26

Márcio entrou no carro eufórico. Tinha pressa de ir para casa contar a novidade aos pais. Sentia no peito uma alegria que nunca sentira depois da morte de Marcelo.

Ao entrar em casa encontrou os pais conversando na sala. Ivone levantou-se. Notou logo que ele estava diferente.

– Foi bom encontrá-los juntos. Tenho uma novidade.

– Vamos conversar na cozinha. – Disse Ivone. – Eu fiz um bolo e quero que experimente.

– Depois, mãe. O recado que tenho é para os dois.

– Recado, de quem? – Indagou João, levantando os olhos do jornal.

– De Marcelo.

– O que há com você, enlouqueceu? Ele está morto.

– Não, pai. Eu conversei com ele.

– Como assim? – Indagou Ivone.

– Vou lhes contar. Sente-se, mãe.

Ela obedeceu, Márcio sentou-se também e começou a falar, primeiro de sua revolta e dos motivos que levaram-no a procurar Rosa.

Nesse momento, os espíritos de Marcelo e Mirela entraram e postaram-se ao lado de Márcio que, emocionado, começou a relatar o que havia conversado com o irmão.

Marcelo ficou ao lado dos pais, enquanto Mirela permanecia ao lado de Márcio. Os dois vibravam luz para que aquelas pessoas pudessem perceber a verdade.

À medida que Márcio falava, seus pais se emocionavam e lágrimas rolavam de seus olhos. Eles sentiam uma saudade muito forte do filho querido.

Ouvindo seu recado, era como se ele estivesse ali, de novo para restabelecer a paz que eles haviam perdido desde a sua trágica morte.

Márcio finalizou:

– Marcelo me deu provas de que era ele mesmo quem estava falando por meio daquela mulher. Falou seu nome, o de Aline, fez comigo uma brincadeira que costumava fazer desde quando eu era criança. Depois, eu senti que ele estava ali. Era ele, mãe! Eu sei que era ele!

Os três emocionados se reuniram em um abraço e, tanto Marcelo como Mirela, juntaram-se a eles. Permaneceram assim durante algum tempo.

Depois, João disse sério:

– Temos que fazer o que ele pediu. Nós erramos e precisamos pedir desculpas a Rodrigo e Aline.

– Não sei como fazer isso. Ela pode não nos receber. – Comentou Ivone.

– Não creio. Quando nos encontramos, Aline disse que desejava conversar conosco. Não parecia com raiva. – Esclareceu Márcio.

– Precisamos ver Aline antes que ela volte para os Estados Unidos. – Comentou João.

– Amanhã mesmo vou à casa dela para conversar e contar-lhe o que aconteceu. – Disse Márcio.

– Faça isso, meu filho. Vamos ver como ela reage.

Durante algum tempo eles continuaram conversando e tanto João como Ivone não se cansavam de pedir para que Márcio repetisse as palavras de Marcelo.

Na manhã seguinte, Aline acordou cedo pensando no estranho sonho que tivera. Nele, Marcelo aparecera com um rosto um pouco diferente do que ele tinha, mas ela sabia que era ele. Estava de mãos dadas com uma linda mulher, haviam conversado, porém Aline não se recordava sobre o quê.

Só poderia ter sido uma fantasia. Mas aquele encontro lhe parecera tão real que durante todo o dia ela não conseguiu esquecê-lo.

No fim da tarde o telefone tocou e ela atendeu.

– Aline?

– Sim.

– É Márcio. Aconteceu uma coisa e eu preciso conversar com você. Posso passar em sua casa agora?

– Claro.

– Obrigado. Dentro de alguns minutos estarei aí.

Aline desligou o telefone, admirada. O que teria acontecido para fazê-lo mudar tanto? Ele estava tão zangado e agora se mostrara quase amável.

Dalva entrou na sala e perguntou:

– O que você está fazendo aí perto do telefone com essa cara de susto? Quem ligou?

– O Márcio. Ele está vindo aqui para conversar comigo. Ele não parecia zangado! Disse que aconteceu uma coisa. O que será?

– Seja lá o que for, deve ter sido alguma coisa boa. Para ele mudar...

– É. Vamos esperar.

Quando a campainha tocou, Aline foi abrir. Percebeu que Márcio estava acanhado, fingiu não perceber, sorriu:

– Entre, Márcio.

Conduziu-o à sala, designou o sofá para que ele se sentasse e depois sentou-se ao lado dele.

Márcio respirou para tomar coragem e começou:

– Eu sofri muito com a morte de meu irmão. Fiquei revoltado. Ele era meu companheiro, meu amigo.

– Eu me lembro como vocês se queriam bem.

– Meus pais também sofreram muito. Ainda não se recuperaram dessa perda.

– Eu sei disso. Todos nós sofremos. Minha família também sentiu a morte dele.

– Mas nós ficamos revoltados, colocamos a culpa em você, ficamos com muita raiva até da sua família, porém ontem aconteceu um fato que mudou tudo isso.

– Fale, Márcio, o que foi?

Ele estava comovido, respirou fundo, e continuou:

– Você precisa saber a verdade. Eu estava com muita raiva do Rodrigo porque descobri que ele e Olívia estão namorando. Há algum tempo eu estava apaixonado por ela, esperando ansioso que ela voltasse. Não me conformei com o namoro deles, principalmente por Rodrigo haver me roubado Olívia. Então, decidi ir a uma mulher para fazer um trabalho e separar os dois.

Ele se calou e Aline notou que estava com dificuldade de prosseguir:

– Continue.

– Não é fácil fazer uma confissão dessas. Mas estou disposto a dizer a verdade.

– Não estou aqui para julgar você. Fale sem receio.

– Obrigado. Deram-me um endereço ontem à noite e eu fui à procura dessa mulher.

Então, ele passou a relatar o encontro com o espírito de Marcelo. Aline ouvia com atenção e não conteve as lágrimas. Ele não omitiu nenhum detalhe e finalizou:

– Fiz o que ele me pediu, contei a meus pais, nós percebemos a injustiça que estávamos fazendo com todos vocês. Estou aqui para pedir que nos perdoe. Você não teve culpa de nada.

Aline levantou-se e abraçou-o com carinho, depositando um beijo em sua testa:

– Abençoado seja o Marcelo por ter vindo contar a verdade. Eu fiquei muito triste com a atitude de vocês. Desde que cheguei eu estava pensando em procurá-los para falar dos meus sentimentos. Meu amor pelo Marcelo acabou, mas ele não quis entender isso. Eu não podia continuar um relacionamento fingindo o que não sentia. Por causa disso fui embora. Tenho para com Marcelo um respeito muito grande e foi exatamente por esse motivo que o deixei. Pensei que ele sofreria no começo, mas que depois encontraria outra mulher que o amasse como merecia.

– O amor não se pode forçar. Eu amo Olívia, estava disposto a lutar para conquistá-la ainda que fosse por meios escusos, mas Marcelo fez-me compreender que eles estavam destinados um ao outro e eu precisava esquecê-la.

– Ele está certo. Os dois se atraíram desde o dia em que se conheceram. Foi algo muito forte. Mesmo que você conseguisse o que pretendia, não seria feliz com ela. A vida sabe o que faz. Seu destino é outro.

– Entendi isso. Mas é bom saber que você não está com raiva de nós, pelo mal que lhe fizemos.

– Não. Dentro de alguns dias estarei indo embora. Mas antes pretendo visitar seus pais, abraçá-los.

– Vá mesmo e será muito bem recebida.

– Eu telefonarei avisando.

Márcio levantou-se para se despedir, mas parou porque Dalva entrou na sala trazendo uma bandeja. Tinha os olhos úmidos e notava que havia chorado. Colocou a bandeja sobre a mesinha e voltando-se para Márcio tornou:

– Você não vai embora antes de tomar um chá e comer um pedaço daquele bolo que você gostava tanto. Ontem quando eu o fiz, pensei muito em você.

– Obrigado, d. Dalva. Eu aceito.

Dalva o serviu, Aline quis uma xícara de chá e eles falaram de outros assuntos. O ambiente tornara-se leve e agradável.

Depois que Márcio se foi, Aline comentou:

– Mãe, eu havia lhe falado sobre o que tenho aprendido sobre espiritualidade e vida após a morte. Vocês ouviram, mas tinham suas dúvidas. Depois do que aconteceu hoje, penso que elas acabaram.

– Eu estava na sala ao lado e ouvi tudo o que conversaram. Fiquei arrepiada. Nunca pensei que o espírito de Marcelo voltasse para nos defender. Eu pensava que se ele estivesse mesmo vivo no outro mundo, estaria com raiva de todos nós. Mas não. Ele não só nos defendeu como justificou seus motivos.

– Uma frase dele deixou-me aliviada: "O que eu sentia por ela não era amor, era apego. Ela se libertou e com isso eu também me libertei". Ele descreveu o que eu sempre senti, mas não sabia explicar.

– Estou feliz que seja assim. Por que você não volta definitivamente para casa? Agora tudo está bem.

– Não, mãe. Eu gosto da minha vida em Miami, quero viver lá um pouco mais. Mas tenho certeza de que algum dia voltarei para ficar.

– Esperaremos você de braços abertos. Estou ansiosa para seu pai chegar a fim de contar-lhe o que aconteceu. Ele vai ficar satisfeito.

– Sei disso. Agora vou até a empresa conversar com Arlete e Rodrigo. Eles também vão gostar.

Aline foi se arrumar. Saiu e, dentro em pouco, estava chegando na empresa. Vendo-a entrar Arlete sorriu:

– Que bom que veio cedo. Assim poderemos almoçar juntas. Estou começando a ficar com saudades. Faltam poucos dias para você ir embora, quero aproveitar sua companhia em todos os minutos que puder.

– Vocês também podem ir para Miami.

– É o que estou pensando fazer.

– Agora você está muito ocupada por aqui. Não vai querer deixar Hamilton sozinho.

– Claro que não. Quando eu for, ele vai comigo.

– Esse namoro está tão sério assim?

– Ontem Hamilton me pediu em casamento e resolvi aceitar.

– Parabéns. Estou certa de que serão felizes. Tenho uma novidade boa para lhes contar: aconteceu um milagre.

– O que foi?

– Vamos procurar Rodrigo.

Elas entraram na sala onde Rodrigo e Hamilton

trabalhavam e depois dos cumprimentos Aline falou sobre a inesperada visita de Márcio e tudo quanto ele lhes contara, finalizando:

– Eu disse a vocês que o espírito de Marcelo logo que morreu colou-se a mim e eu comecei a ficar mal, sonhava com ele, sentia sua presença. Por esse motivo, procurei o Instituto Ferguson e tive a certeza de que era ele mesmo. Fiz o tratamento espiritual que indicaram e melhorei. Estou certa de que Marcelo recebeu ajuda, entendeu que não podia continuar perto de mim e foi embora. As palavras que ele disse a Márcio me esclareceram, trouxeram alívio e paz.

Rodrigo ouvira tudo muito emocionado. Enquanto Aline falava, ele sentira arrepios pelo corpo, parecia-lhe ver o rosto do amigo na sua frente, o que o fez dizer quando Aline se calou:

– Arlete me falou sobre espiritualidade e vida após a morte, mas eu nunca me detive muito nesses assuntos. As palavras de Marcelo me tocaram fundo e senti vontade de entender o que isso quer dizer. É como se ele estivesse nos dizendo: acordem! A vida continua depois da morte e o espírito é eterno.

– Isso muda nossa maneira de ver a vida. Saber que as pessoas que já morreram continuam vivendo em outro lugar e que um dia as veremos de novo, conforta e traz paz. – Exclamou Hamilton.

– É verdade. Se vocês quiserem, poderão ir comigo ao Centro Espírita que freqüento com mamãe. Papai também quer ir. Lá, poderão estudar, aprender sobre os fenômenos paranormais. É um lugar agradável que refaz nossas energias e eleva nossos pensamentos. Desde que comecei a ir, venho me sentindo bem melhor.

– Comigo aconteceu o mesmo. – Tornou Aline. – Lá no Instituto Ferguson eles estudam bastante, fazem pesquisas, indicam livros de cientistas sobre os fenômenos da mediunidade.

– Esses são os que eu gostaria de ler. – Respondeu Rodrigo.

– Eu já li alguns, fiquei muito interessado em me aprofundar, mas vim para São Paulo e não tive oportunidade. Eu também quero ir com vocês. – Aduziu Hamilton.

– Quando eu chegar a Miami, mandarei para vocês alguns livros e apostilas utilizadas nos cursos do Instituto. Vocês vão adorar.

– Vou convidar Olívia para ir conosco. – Tornou Rodrigo.

– Conte a novidade. – Incentivou Arlete.

– Eu e Olívia vamos nos casar.

Aline tornou:

– Eu quero ver quem é o mais corajoso e vai marcar o casamento primeiro.

– Nós vamos nos casar antes de vocês. – Provocou Hamilton.

– Eu serei o primeiro. – Disse Rodrigo, convicto.

– Olívia sabe disso? – Brincou Aline.

– Sabe e aprova. Já deu o sim.

A conversa fluiu fácil e alegre. Aline pensou em Gino e sentiu saudades. Conformou-se, lembrando que dentro de mais alguns dias estaria nos braços dele.

Aqueles dias de ausência fizeram-na compreender que os dois estavam muito ligados. Nunca sentira pelo marido o amor que sentia por Gino.

Ao lado dele sentia-se livre e segura, era uma gostosa sensação de prazer que nunca usufruíra. O temperamento dele dava-se bem com o dela. Não havia cobranças nem apego, apenas respeito e carinho.

Depois de almoçar com eles, Aline foi para casa. Dalva a esperava satisfeita. Assim que a viu foi dizendo:

– Você nem imagina como seu pai ficou quando soube de tudo. Chegou às lágrimas. Claro que disfarçou e eu fingi que não notei. Não pensei que ficasse tão emocionado.

– Todos ficamos. É muito bom desfazermos aquele mal-entendido. À noite, pretendo ir até à casa deles.

– Quer que eu vá junto?

– Não precisa. Desejo conversar, esclarecer melhor todos os fatos.

Dalva ficou calada por alguns instantes, depois disse:

– Estive pensando em fazer um jantar na véspera de sua viagem, reunindo todos para selar nossa amizade.

– Que boa idéia, mãe! Chamaremos Olívia e Hamilton também.

– Não seria melhor apenas os da família?

Aline riu, bem-humorada:

– Hamilton pediu Arlete em casamento. Logo será da família.

Dalva levou a mão aos lábios, tentando conter uma exclamação de surpresa:

– É verdade isso? Arlete vai se casar? Como é que não me disse nada?

– É verdade. As coisas estão acontecendo muito depressa. Rodrigo também pediu Olívia em casamento!

– Não diga! Eu notei os olhares que ele lançava sobre ela. Nesse caso, ambos devem vir mesmo e também d. Olga. Nossa família está aumentando. Lamento que você esteja sozinha.

Aline abraçou a mãe e respondeu:

– Não será por muito tempo. Gino está me esperando em Miami e eu não penso em deixá-lo escapar.

Dalva olhou-a séria e perguntou:

– Tem certeza de que será feliz ao lado dele?

– Tenho, mãe. Não se preocupe. Nosso relacionamento é muito diferente do que o que eu tinha com Marcelo. Ele me entende, não me sufoca. É um homem bonito de corpo e alma. Eu o amo como nunca amei Marcelo. Ficamos muito felizes juntos.

– Se você se casar com ele, nunca mais voltará a morar no Brasil.

– Não diga isso. Ficarei lá mais algum tempo. Mas não o resto da vida.

– Mas e se Gino não quiser vir?

– Gino é um homem do mundo. Viajou muito. Não conhece o Brasil, mas deseja muito conhecer. Estou certa de que não porá obstáculo.

– Nesse caso, tudo bem. Meu sonho é que você volte a morar aqui novamente.

– Eu sei, mãe. Você e papai poderão ir para lá passar um tempo. Miami é uma cidade linda! Estou certa de que vão gostar.

– Seu pai não larga daquela loja.

– Mandarei as passagens e ele terá de ir.

Dalva sorriu feliz. O tempo ruim havia passado e ela sentia que podia confiar no futuro.

Eram sete horas quando Aline tocou a campainha da casa de Márcio. A criada abriu, Aline pediu para falar com d. Ivone.

Pouco depois, Ivone apareceu e, vendo-a, ficou sem saber o que dizer.

– Como vai, d. Ivone?

Ela recuperou um pouco de sangue frio e respondeu:

– Bem. Entre, Aline. Você ligou, o Márcio disse que viria, mas não acreditei.

Aline entrou, e Márcio apareceu dizendo amável:

– Ainda bem que veio, Aline.

– *Seu* João está em casa?

– Está na sala lendo o jornal. Vamos até lá, convidou Márcio.

Ivone continuava sem graça. Havia falado tão mal da nora, temia que ela viesse para falar sobre isso. Mas Aline estava ali para selar a paz.

Uma vez na sala, Márcio chamou:

– Pai, Aline veio nos visitar.

João fechou o jornal e levantou-se um pouco tenso. Aline estendeu a mão:

– Como vai, *seu* João?

– Bem. E você?

Aline notou que tanto ele como a mulher estavam inibidos.

– Sente-se, Aline. – Convidou Márcio, indicando uma poltrona.

Todos se acomodaram e, Aline, olhando-os nos olhos, disse:

– Há muito eu desejava conversar com vocês. A morte de Marcelo machucou todos nós, embora eu saiba que deve ter doído muito mais em vocês. Quando soube do que havia acontecido, fiquei chocada, sofri muito, pensei em vocês. Analisei os fatos e questionei se eu fora culpada pelo que acontecera.

Fundo suspiro saiu do peito de Ivone enquanto ela lutava para segurar as lágrimas.

– Nós também pensamos isso. – Tornou Márcio.

– Mas depois, analisando melhor os fatos, senti que o acidente que o vitimou foi uma fatalidade. E não me cabia nenhuma culpa. Meu único erro foi ter aceitado me casar com Marcelo. Nós éramos muito diferentes um do outro. Enquanto eu queria viajar, trabalhar fora, conhecer outros lugares, Marcelo fazia o oposto. Queria ficar em volta de mim, cercando-me de cuidados.

– Ele era muito bom e você não deveria queixar-se dele. – Objetou Ivone.

– Não estou me queixando. Ao contrário. Marcelo era um moço bom, carinhoso, mas me cercava de tantos cuidados, nunca me deixava tomar qualquer iniciativa, ele resolvia tudo. Eu fui me sentindo insatisfeita, parada, sem poder fazer nada.

– Mas ele até permitiu que você trabalhasse. – Tornou Ivone.

– É verdade. E por algum tempo isso me ajudou bastante. Mas, depois, comecei a sentir um grande vazio no coração e, então, descobri que nós nunca poderíamos ser felizes juntos. Não era essa a vida que eu desejava levar. Eu queria fazer as coisas por mim mesma e ele nunca permitiu. Até o momento em que descobri que o amor que sentira por ele havia terminado.

– Por que então não foi sincera e disse isso a ele? – Questionou Ivone.

– Ele nunca aceitaria. Era apegado demais. Telefonava para casa ou para o trabalho muitas vezes ao dia. Eu tinha a sensação de que estava sendo vigiada. Fui me sentindo infeliz. Pensei que não era justo continuar casada se não amava meu marido como ele merecia. Então, ofereceram-me um emprego em Miami e resolvi aceitar.

– Por que fugiu daquele jeito? – Tornou Ivone, enquanto as lágrimas desciam pelo seu rosto.

– Marcelo nunca me deixaria ir. Faria qualquer coisa para me segurar. Então pensei em fugir, deixar uma carta. Mas nunca imaginei que ele pudesse correr daquele jeito e sofrer aquele acidente. Se eu tivesse pelo menos suspeitado dessa possibilidade, teria feito diferente. Eu sabia que ele sofreria, mas acreditava que com o tempo, iria se recuperar e encontrar outra mulher que o amasse de verdade.

Ela fez ligeira pausa e vendo que todos continuavam calados, prosseguiu:

– Dentro de alguns dias vou embora. Desejava procurá-los desde que cheguei, mas meus pais e Arlete disseram que vocês estavam zangados conosco, que seria inútil. Vocês não podem imaginar a alegria que todos nós sentimos quando Márcio foi nos procurar, falar sobre a mensagem de Marcelo, pedindo para que voltássemos a ser amigos.

Ivone não conseguiu segurar o pranto e Aline abraçou-a, dizendo com carinho:

– Mesmo do outro lado da vida, Marcelo pensou em nós. Entendeu meu gesto e foi além, afirmando que procurando a minha liberdade eu o libertei. Ele é um espírito nobre, bondoso, foi embora porque chegou sua hora de ir.

– Era tão moço, tão bonito. – Respondeu Ivone, entre soluços.

– Isso dói. Mas d. Ivone, ele continua vivo do outro lado da vida. Ele é o mesmo filho amoroso que a senhora teve. Todos nós vamos morrer um dia. Quando chegar sua hora, certamente ele vai estar esperando-a para lhe dar as boas-vindas e o abraço carinhoso de sempre.

– Será mesmo? É bom demais para ser verdade.

Márcio aproximou-se:

– É verdade, mãe. Ele está vivo! A vida continua depois da morte do corpo! Nós tivemos essa prova.

João interveio:

– Marcelo continua vivo! Uma noite, antes de Márcio receber a mensagem dele, eu sonhei com ele. Eu estava muito acabrunhado, deprimido, com muitas saudades. Mas não disse nada a ninguém, porquanto não queria entristecê-los. Encontrei-o sentado em um banco de um jardim maravilhoso. Assim que me viu, levantou-se e me deu um abraço tão gostoso! Foi tão real! Tão verdadeiro que cheguei a sentir o cheiro dele, como quando estava vivo. Eu não suportei e chorei. Então ele me disse:

"Pai, eu continuo vivo. Não chorem mais por mim. Aqui encontrei minha felicidade. Vamos esquecer a dor e cultivar a alegria".

– Eu acordei em seguida, ouvindo suas últimas palavras, sentindo ainda o seu cheiro. Por esse motivo, quando Márcio deu a mensagem, tive a certeza de que era verdadeira.

– Por que você não me contou, João?

– Para não entristecê-la ainda mais.

Ivone parou de chorar e Márcio deu-lhe um lenço que ela segurou, enxugando o rosto. Vendo-a mais calma, Aline disse:

– O que Marcelo pediu ao *seu* João, devemos nos esforçar para fazer. Os espíritos nos vêem, embora não possamos vê-los. Já pensaram como ele deveria sofrer vendo o estado em que todos ficamos?

Ivone olhou-a e perguntou:

– Você acha que ele viu nosso sofrimento?

– Claro. Ele deveria estar muito preocupado, principalmente com vocês, que ele ama tanto.

– Ele foi um filho de ouro...

– Isso mesmo, d. Ivone.

– Eu fico triste por tê-lo feito sofrer...

– A dor da perda é natural. Agora, porém, a senhora já sabe que ele continua vivo em outro lugar, que está feliz e o que é melhor, continua amando a todos. Por esse motivo, ele disse que é hora de cultivar a alegria, deixar de lado a tristeza e tocar a vida adiante.

– Será que ele está por perto?

– Pode até ser. – Respondeu Aline.

– Nesse caso, não vou mais chorar. Não quero que ele fique triste. Vou fazer um café e trazer um pedaço de bolo para todos nós celebrarmos este momento.

João abraçou-a com olhos brilhantes:

– Gostei de ver. De agora em diante vamos nos lembrar dele com amor e saudade e não com tristeza.

Aline acompanhou Ivone à cozinha e enquanto ela fazia o café, Aline cortou alguns pedaços de bolo, colocando nos pratinhos para serem servidos.

Nos tempos em que era casada com Marcelo, ela costumava sempre ajudar Ivone a arrumar as bandejas, a decorar os pratos.

Vendo-a fazer isso com naturalidade, Ivone sentiu um brando calor envolvendo seu coração:

– Parece mentira que você está aqui, comigo!

– Estou contente. Sempre gostei muito de vocês.

Foram para a sala servir o café, eles perguntaram sobre sua vida em Miami, ela falou de sua casa, da empresa e finalizou:

– Estou bem lá, agora estarei melhor depois desse nosso encontro. Mamãe vai fazer um jantar de despedida em nossa casa e ficaremos muito felizes se forem.

Ivone olhou para João e Márcio, que respondeu:

– Iremos com o maior prazer.

Aline despediu-se e Márcio ofereceu-se para levá-la até sua casa. Ela aceitou. No carro, ela comentou:

– Nesse jantar, Rodrigo e Olívia vão estar. Eles estão noivos.

– Eu já esperava. Não se preocupe. Não vou ficar triste nem nervoso. Sei que ela não era para mim. Marcelo disse que vai aparecer em minha vida a mulher certa, com a qual serei feliz.

– Que bom que entendeu. Se Marcelo houvesse feito isso, não teria se casado comigo. Mas certamente tínhamos de passar por essa experiência, para aprender a valorizar nossa liberdade.

– Por quê, antes vocês não a valorizavam?

– Não. O Marcelo apegou-se a mim de uma forma errada e eu me deixei envolver pelo amor que ele dizia sentir, pelas qualidades que ele possuía de moço bom e me deixei aprisionar. O casamento para nós foi uma prisão. Enquanto ele só tinha olhos para mim, eu tinha vontade de ser eu mesma, de poder fazer as coisas do meu jeito, o que com ele era impossível. O amor só funciona quando é inteligente. Quando mesmo vivendo juntos cada um consegue continuar a ser si mesmo. Nossa união desde o começo estava fadada ao fracasso.

– Nesse caso sinto que se me casasse com Olívia ia acontecer o mesmo. Eu fiquei fascinado desde o começo, pela beleza dela, mas também pela classe, pelo ambiente requintado onde ela vivia. Mas percebo que somos diferentes e que um relacionamento com ela nunca daria certo.

– Ainda bem que entendeu. O tempo é o melhor amigo. Seja paciente e espere a vida trazer aquela que vai fazê-lo feliz.

Chegando na casa de Aline, despediram-se com a promessa de que todos iriam ao jantar de despedida dela.

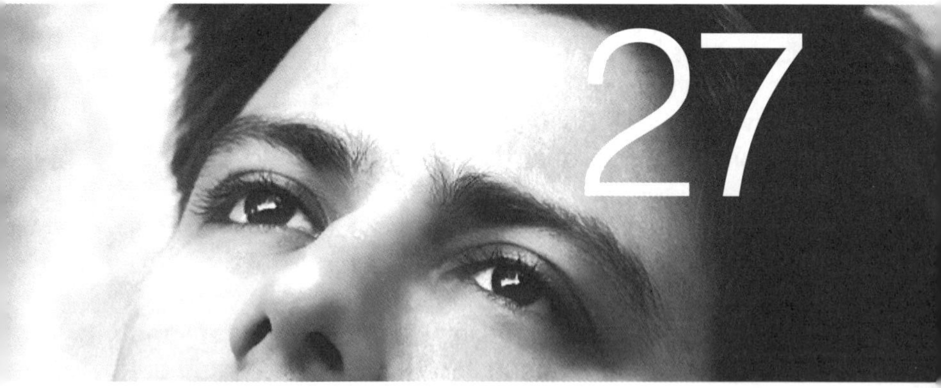

27

Márcio olhou-se no espelho meticulosamente. Ele vestira sua melhor roupa, caprichara na barba bem-feita, nos cabelos, no perfume discreto, agradável, mas mesmo assim notou que seu rosto estava abatido.

Acompanharia os pais ao jantar na casa de Aline, porém desde que soubera do noivado de Olívia não conseguira furtar-se a um sentimento de perda e desânimo.

Pensara em desistir de ir a esse jantar, onde teria de suportar a felicidade dos noivos, presenciar os carinhos que trocariam, porém se não fosse Aline poderia pensar que ele ainda conservava o antigo ressentimento.

Ele desejava cumprir o que prometera a Marcelo. Em seu coração não havia mais a antiga revolta que tanto o atormentava. Os encontros com a família de Aline tiveram o dom de lhe restituir a serenidade, além do que retomar aquela amizade fez-lhe bem uma vez que os apreciava.

O pai bateu na porta do quarto:

– Vamos, Márcio. Está na hora. Não queremos nos atrasar.

– Estou pronto. Já vou.

Lançando um último olhar ao espelho, tentou suavizar a expressão do rosto e saiu.

Ao chegarem à casa de Aline, foram recebidos por ela, que os abraçou:

– Que bom vê-los! Entrem, por favor.

Ivone entrou na frente, abraçou Aline, depois Dalva se aproximou, as duas abraçaram-se e não puderam conter as lágrimas.

Os dois homens esperaram mais atrás, comovidos. Mário, vendo-os, aproximou-se de mão estendida. Trocaram forte aperto de mão e ele disse:

– Venham comigo. Talvez elas queiram conversar.

Aline os acompanhou até a sala, Márcio notou que Olívia não estava e suspirou aliviado. Era-lhe penoso que ela notasse sua tristeza.

No hall, depois de controlarem um pouco a emoção, Dalva tornou:

– Hoje é um dia feliz para mim. Estou muito contente que tenham aceitado o meu convite.

– Estar aqui me trouxe tristes recordações.

– Comigo aconteceu o mesmo. É difícil esquecer uma pessoa tão querida como Marcelo.

– Ele gostava muito de todos, mas tinha um carinho especial por você.

– E eu por ele. Mas hoje não é dia de tristeza. Afinal, ele deseja que estejamos alegres. Portanto, vamos deixar o passado e comemorar nossa amizade. Penso que ele, se nos puder ver, ficará mais feliz.

– Tem razão. Hoje é um dia de alegria.

As duas entraram na sala e Arlete levantou-se para abraçá-la, apresentando-lhe Hamilton.

A campainha tocou e a criada foi abrir. Olívia entrou em companhia de Rodrigo e de mais uma moça.

Depois de abraçar Dalva, Rodrigo apresentou a jovem:

– Minha irmã chegou hoje do interior e tomei a liberdade de trazê-la sem avisar.

– Fez muito bem. Seja bem-vinda.

– Obrigada.

– Venha, vou apresentá-la aos demais. Qual é o seu nome?

– Márcia.

Aline aproximou-se e depois de abraçar Olívia e Rodrigo, Dalva a apresentou:

– Minha filha, Aline. Márcia, irmã de Rodrigo.

– Muito prazer. Vocês são muito parecidos, só que ela é muito mais bonita.

– Também acho, brincou Rodrigo satisfeito.

Dalva apresentou a jovem aos demais e ela, com sua simpatia, cativou-os. Seus olhos vivos, seu sorriso fácil, sua alegria contagiante animou o ambiente um pouco tenso pelas lembranças do passado.

Tentando fingir que não estava triste com o noivado de Olívia, Márcio ficou ao lado de Márcia, rindo, participando das brincadeiras, tornando-se espirituoso, o que provocou em Aline o comentário:

– Márcio, não conhecia esse seu lado. Você me surpreendeu.

– É que estou inspirado hoje. – Brincou ele.

O jantar foi servido e ao voltarem à sala de estar, Aline comentou:

– Hoje, depois de muito tempo me sinto completamente feliz. Por esse motivo, quero agradecer a todos por terem vindo. Quando eu estiver longe, recordarei estes momentos com muita alegria. Por várias razões, esta é uma noite especial.

Todos aplaudiram, e Aline continuou:

– Sinto vontade também de agradecer a Deus por nos dar essa oportunidade de reatar nossos laços de amizade, que eu espero sejam fortes e eternos.

Eles não podiam ver, mas Marcelo e Mirela estavam ali, juntos, emocionados, observando a cena. Mirela aproximou-se de Aline, colocou a mão sobre sua testa, e ela continuou:

– Depois que Marcelo se foi tão inesperadamente,

todos sofremos, mas eu tive a felicidade de descobrir que a morte não existe e que ele continua vivo em outra dimensão do Universo. Aquele corpo que morreu naquele acidente foi apenas um invólucro que seu espírito largou quando não serviu mais. E a prova veio quando ele mesmo, preocupado com nossas lágrimas, procurou nos contar que continuava vivo e que nossos sofrimentos o estavam infelicitando.

Aline fez ligeira pausa e, observando que todos a ouviam emocionados e atentos, prosseguiu:

– Ele mandou dizer que está bem e pediu que cultivemos a alegria, confiando na vida e em nosso futuro. Por esse motivo, esta noite é muito especial. É mágica, porquanto sinto neste momento que ele está aqui, ao nosso lado, abraçando-nos feliz. Vamos também lhe desejar felicidades nessa nova vida em que está agora. E para ele eu digo: eu agradeço a você por tudo quanto fez por mim. Nunca vou esquecê-lo. Obrigada, meu Deus, por tantas dádivas.

Ela calou-se, Mirela afastou-se um pouco. Marcelo, aproximando-se, beijou-a delicadamente na testa.

Aline sentiu um arrepio percorrer-lhe o corpo, teve a impressão de ver o rosto dele próximo ao seu e sorriu. Ele estava lá.

O ambiente tornou-se mais leve, as pessoas mais alegres, a conversa fluía fácil.

Marcelo lançou um olhar para Mirela dizendo:

– Finalmente ela veio.

– Márcio ainda não sabe.

Os olhos de Marcelo brilharam maliciosos e ele falou:

– Ele precisa saber.

Marcelo aproximou-se de Márcio, que conversava com Márcia, dizendo em seu ouvido:

– Ela é a mulher de sua vida. Veja como é linda! Não perca tempo. Vocês serão muito felizes!

Márcio não ouviu o que ele estava dizendo, porém

sentiu a atração por Márcia aumentar. Ela era linda e muito inteligente. Qualidades que sempre sonhou encontrar em uma mulher. Possuía lábios tentadores e a custo dominou a vontade de beijá-la.

Mirela sorriu, olhou para Marcelo:

– Você não acha que está sendo muito apressado?

– Não. Quanto antes ele esquecer a ilusão de Olívia melhor. Só estou dando um empurrãozinho. Não viu como ele ficou?

Mirela o abraçou dizendo alegre:

– Agora podemos ir. Tudo está em paz.

– Sim, e nós poderemos seguir nosso caminho.

Marcelo passou o braço na cintura dela e ambos começaram a volitar. A noite estava clara e o céu estrelado. Deslizando sobre a cidade, abraçados, os dois contemplavam a beleza do Universo à sua volta, reverenciando a vida e a grandeza de Deus.

Fim

Fale com o autor

www.vidaeconsciencia.com.br

Sucessos de *ZIBIA GASPARETTO*

Crônicas e romances mediúnicos.
Mais de nove milhões de exemplares vendidos.Há mais de dez anos, Zibia Gasparetto vem se mantendo na lista dos mais vendidos, sendo reconhecida como uma das autoras nacionais que mais vendem livros.

Crônicas: Silveira Sampaio

- Pare de Sofrer
- O Mundo em que Eu Vivo
- Bate-Papo com o Além
- O Repórter do Outro Mundo

Crônicas: Zibia Gasparetto

- Conversando Contigo!
- Eles Continuam Entre Nós

Autores Diversos

- Pedaços do Cotidiano
- Voltas que a Vida Dá

Romances: Lucius

- O Amor Venceu
- O Amor Venceu (em edição ilustrada)
- O Morro das Ilusões
- Entre o Amor e a Guerra
- O Matuto
- O Fio do Destino
- Laços Eternos

- Espinhos do Tempo
- Esmeralda
- Quando a Vida Escolhe
- Somos Todos Inocentes
- Pelas Portas do Coração
- A Verdade de Cada Um
- Sem Medo de Viver
- O Advogado de Deus
- Quando Chega a Hora
- Ninguém é de Ninguém
- Quando é Preciso Voltar
- Tudo Tem Seu Preço
- Tudo Valeu a Pena
- Um Amor de Verdade
- Nada é Por Acaso
- O Amanhã a Deus Pertence
- Onde Está Teresa?
- Vencendo o Passado

Sucesso de *SILVANA GASPARETTO*

Obra de autoconhecimento voltada para o universo infantil. Textos que ajudam as crianças a aprenderem a identificar seus sentimentos mais profundos tais como: tristeza, raiva, frustração, limitação, decepção, euforia etc., e naturalmente auxiliam no seu processo de autoestima positiva.

- Fada Consciência

Sucessos de *LUIZ ANTONIO GASPARETTO*

Estes livros vão mudar sua vida!
Dentro de uma visão espiritualista moderna, estes livros vão ensiná-lo a produzir um padrão de vida superior ao que você tem, atraindo prosperidade, paz interior e aprendendo acima de tudo como é fácil ser feliz.

- Atitude
- Faça Dar Certo
- Se Ligue em Você (adulto)
- Se Ligue em Você – nº 1 (infantil)
- Se Ligue em Você – nº 2 (infantil)
- Se Ligue em Você – nº 3 (infantil)
- A Vaidade da Lolita (infantil)
- Essencial (livro de bolso com frases de autoajuda)
- Gasparetto (biografia mediúnica)
- Prosperidade Profissional
- Conserto Para uma Alma Só (poesias metafísicas)
- Para Viver Sem Sofrer

Série AMPLITUDE

- Você está Onde se Põe
- Você é Seu Carro
- A Vida lhe Trata como Você se Trata
- A Coragem de se Ver

CALUNGA

- "Um Dedinho de Prosa"
- Tudo pelo Melhor
- Fique com a Luz...
- Verdades do Espírito

LUIZ ANTONIO GASPARETTO EM CD

Aprenda a lidar melhor com as suas emoções para conquistar um maior domínio interior.

Série PRONTO SOCORRO
Autoajuda

1 – Confrontando o Desespero
2 – Confrontando as Grandes Perdas
3 – Confrontando a Depressão
4 – Confrontando o Fracasso
5 – Confrontando o Medo
6 – Confrontando a Solidão
7 – Confrontando as Críticas
8 – Confrontando a Ansiedade
9 – Confrontando a Vergonha
10 – Confrontando a Desilusão

Série VIAGEM INTERIOR (nº 1, nº 2 e nº 3)
Autoajuda • Exercícios de Meditação

Por meio de exercícios de meditação, mergulhe dentro de você e descubra a força de sua essência espiritual e da sabedoria. Experimente e verá como você pode desfrutar de saúde, paz e felicidade desde já.

Série GASPARETTO
Prosperidade

Aprenda a usar as leis da prosperidade. Desenvolva o pensamento positivo corretamente. Descubra como obter o sucesso que é seu de direito, em todos os aspectos de sua vida.

Série CALUNGA
Autoajuda • Prece da Solução

Calunga é um desencarnado carismático, possui uma sabedoria sobre a natureza humana que surpreende a todos. Consegue tocar o mais profundo de nosso Ser pela forma de observar a vida como bom mineiro que foi quando estava entre nós. Porta-voz dos espíritos superiores, está sempre a nos mostrar novas formas de lidar com as velhas coisas da vida.

Série PALESTRAS
Autoajuda

- S.O.S. Dinheiro
- Mediunidade
- O Sentido da Vida
- Os Homens
- Paz Mental
- Romance Nota 10
- Segurança
- Sem Medo de Ter Poder
- Simples e Chique

Série REALIZAÇÃO
Autoajuda

Com uma abordagem voltada aos espiritualistas independentes, eis aqui um projeto de 16 CDs para você melhorar. Encontros com o Poder Espiritual para práticas espirituais de prosperidade. Nesta coleção você aprenderá práticas de consagração, dedicação, técnicas de orações científicas, conceitos novos de forma espiritual, conhecimento das leis do destino, práticas de ativar o poder pessoal e práticas de otimização mental.

Série VIDA AFETIVA
Autoajuda

1 – Sexo e Espiritualidade
2 – Jogos Neuróticos a Dois
3 – O que Falta pra Dar Certo
4 – Paz a Dois

Série LUZES
Autoajuda • Coletânea com 8 CDs • Volumes 1 e 2

Este é um projeto idealizado pelos espíritos desencarnados que formam no mundo astral o Grupo dos Mensageiros da Luz. Por meio de um curso ministrado no Espaço Vida & Consciência, pela mediunidade de Gasparetto, eles nos revelaram os poderes e mistérios da Luz Astral, propondo exercícios para todos aqueles que querem trabalhar pela própria evolução e melhoria do planeta. Nesta coletânea, trazemos essas aulas, captadas ao vivo, para que você também possa se juntar às fileiras dos que sabem que o mundo precisa de mais luz.

Série ESPÍRITO
Autoajuda

1 – Espírito do Trabalho
2 – Espírito do Dinheiro
3 – Espírito do Amor
4 – Espírito da Arte
5 – Espírito da Vida
6 – Espírito da Paz
7 – Espírito da Natureza
8 – Espírito da Juventude
9 – Espírito da Família
10 – Espírito do Sexo
11 – Espírito da Saúde
12 – Espírito da Beleza

Série PALESTRA
Autoajuda

1 – Meu Amigo, o Dinheiro
2 – Seja Sempre o Vencedor
3 – Abrindo Caminhos
4 – Força Espiritual

LUIZ ANTONIO GASPARETTO EM DVD

O MUNDO EM QUE EU VIVO
Autoajuda

Momentos inesquecíveis da palestra do Calunga proferida no dia 26 de novembro de 2006 no Espaço Vida & Consciência.

OUTROS AUTORES (Nacionais)

Conheça nossos lançamentos que oferecem a você as chaves para abrir as portas do sucesso, em todas as fases da sua vida.

LOUSANNE DE LUCCA
- Alfabetização Afetiva

MARIA APARECIDA MARTINS
- Primeira Lição – "Uma cartilha metafísica"
- Conexão – "Uma nova visão de mediunidade"
- Mediunidade e Auto-Estima

VALCAPELLI
- Amor Sem Crise

VALCAPELLI e GASPARETTO
- Metafísica da Saúde

  Vol. 1: sistemas respiratório e digestivo
  Vol. 2: sistemas circulatório, urinário e reprodutor
  Vol. 3: sistemas endócrino (incluindo obesidade) e muscular
  Vol. 4: sistema nervoso (incluindo coluna vertebral)

FLAVIO LOPES
- A Vida em Duas Cores

MECO SIMÕES G. FILHO
- Eurico – um urso de sorte (infantil)
- A Aventura Maluca do Papai Noel e do Coelho da Páscoa (infantil)

MAURÍCIO DE CASTRO (pelo espírito Hermes)
- O Amor Não Pode Esperar

RICKY MEDEIROS
- A Passagem
- Quando Ele Voltar
- Pelo Amor ou Pela Dor...
- Vai Amanhecer Outra Vez
- Diante do Espelho

LEONARDO RÁSICA
- Fantasmas do Tempo – Eles Voltaram Para Contar
- Luzes do Passado

VERA LÚCIA CLARO
- Stef – A Sobrevivente

LILIANE MOURA
- Viajando nas Estrelas

LUCIMARA GALLICIA
- Sem Medo do Amanhã

MÁRCIO FIORILLO (ditado por Madalena)
- Em Nome da Lei

MARCELO CEZAR (ditado por Marco Aurélio)
- A Vida Sempre Vence
- Só Deus Sabe
- Nada é como Parece
- Nunca Estamos Sós
- Medo de Amar
- Você Faz o Amanhã
- O Preço da Paz
- Para Sempre Comigo
- A Última Chance

MÔNICA DE CASTRO (ditado por Leonel)

- Uma História de Ontem
- Sentindo na Própria Pele
- Com o Amor não se Brinca
- Até que a Vida os Separe
- O Preço de ser Diferente
- Greta
- Segredo da Alma
- Giselle – A Amante do Inquisidor
- Lembranças que o Vento Traz
- Só por Amor

OUTROS AUTORES (Internacionais)

Arrisque-se para o novo e prepare-se para um surpreendente caminho de autodescoberta.

JOHN RANDOLPH PRICE

- O Livro da Abundância

SANDRA INGERMAN

- Resgate da Alma

SANKARA SARANAM

- Deus Sem Religião

INFORMAÇÕES E VENDAS:

Rua Agostinho Gomes, 2312
Ipiranga • CEP 04206-001
São Paulo • SP • Brasil
Fone / Fax: (11) 2061-2739 / 2061-2670
E-mail: editora@vidaeconsciencia.com.br
Site: www.vidaeconsciencia.com.br

Vida & Consciência